Fora de série
Outliers

Fora de série
Outliers

MALCOLM GLADWELL

SEXTANTE

Título original: *Outliers*
Copyright © 2008 por Malcolm Gladwell
Copyright da tradução © 2008 por GMT Editores Ltda.
Todos os direitos reservados. Nenhuma parte deste livro pode ser utilizada ou reproduzida sob quaisquer meios existentes sem autorização por escrito dos editores.

tradução: Ivo Korytowski
preparo de originais: Valéria Inez Prest
revisão: Ana Grillo, Isabella Leal e Sérgio Bellinello Soares
projeto gráfico e diagramação: Ilustrarte Design e Produção Editorial
adaptação da capa: Miriam Lerner
impressão e acabamento: Bartira Gráfica

CIP-BRASIL. CATALOGAÇÃO NA PUBLICAÇÃO
SINDICATO NACIONAL DOS EDITORES DE LIVROS, RJ

G452f

    Gladwell, Malcolm
        Fora de série: outliers/ Malcolm Gladwell; tradução de Ivo Korytowski. Rio de Janeiro: Sextante, 2008.
        288 p.; 14 x 21 cm.

        Tradução de: Outliers
        ISBN 978-85-7542-448-3

        1. Pessoas de sucesso. 2. Sucesso. I. Korytowski, Ivo. II. Título.

08-4802   CDD: 302
                                                                                CDU: 316.47

Todos os direitos reservados, no Brasil, por
GMT Editores Ltda.
Rua Voluntários da Pátria, 45 – 14º andar – Botafogo
22270-000 – Rio de Janeiro – RJ
Tel.: (21) 2538-4100
E-mail: atendimento@sextante.com.br
www.sextante.com.br

Para Daisy

SUMÁRIO

NOTA DO EDITOR, 9

INTRODUÇÃO
O mistério de Roseto, 11
"Aquelas pessoas estavam morrendo de velhice. Nada mais."

PARTE I — OPORTUNIDADE, 19

CAPÍTULO 1
O "efeito Mateus", 21
"Porque a todo aquele que tem será dado e terá em abundância; mas, daquele que não tem, até o que tem lhe será tirado."
– Mateus, 25:29

CAPÍTULO 2
A regra das 10 mil horas, 39
"Em Hamburgo tínhamos que tocar durante oito horas."

CAPÍTULO 3
O problema com os gênios – parte 1, 68
"Saber o QI de um rapaz pouco importa quando se está diante de uma grande quantidade de rapazes inteligentes."

CAPÍTULO 4
O problema com os gênios – parte 2, 88
"Após negociações prolongadas, ficou combinado que Robert seria suspenso."

CAPÍTULO 5
As três lições de Joe Flom, 110
"Mary ganhava uma moeda."

PARTE II — LEGADO, 151

CAPÍTULO 6
Harlan, Kentucky, 153
"Morra feito um homem, como seu irmão morreu."

CAPÍTULO 7
A teoria étnica dos acidentes de avião, 167
"Piloto, o radar meteorológico nos ajudou muito."

CAPÍTULO 8
Arrozais e testes de matemática, 210
"Ninguém que em 360 dias do ano acorde antes do amanhecer deixa de enriquecer a família."

CAPÍTULO 9
A barganha de Marita, 233
"Todas as minhas amigas agora são da KIPP."

EPÍLOGO
Uma história jamaicana, 251
"Caso nasça uma prole de filhos mestiços, eles são emancipados."

NOTAS, 267
AGRADECIMENTOS, 283

NOTA DO EDITOR

Outlier:
1. Algo que está afastado ou é classificado diferentemente de um corpo principal ou relacionado.
2. Uma observação estatística cujo valor na amostragem é marcadamente diferente dos demais.

Fora de série:
1. Em pequena escala e de acordo com padrões próprios.
2. Fora do comum; excepcional, singular.

Outliers, título da obra de Malcolm Gladwell na língua inglesa, nos colocou diante de um desafio que costuma se impor com frequência ao trabalho de tradução: não termos em nosso idioma uma palavra que corresponda exatamente ao vocábulo usado no idioma original. Esse é o caso de *outlier*. Por isso, numa tentativa de preservar ao máximo toda a riqueza de seu sentido, optamos por manter o termo em inglês, alternando-o com a expressão "fora de série", tanto no título quanto no texto. Como você pode observar acima, a definição dessa locução em muito se aproxima do conceito *outlier*, fornecido pelo autor na edição original.

INTRODUÇÃO

O mistério de Roseto

"AQUELAS PESSOAS ESTAVAM
MORRENDO DE VELHICE. NADA MAIS."

1.

Roseto Valfortore situa-se 160km a sudeste de Roma, nos contrafortes dos Apeninos, na província italiana de Foggia. No estilo das aldeias medievais, a cidade se organiza em torno de uma grande praça central. Diante dela está o Palazzo Marchesale, o palácio da família Saggese, no passado a maior proprietária de terras da região. Uma arcada lateral conduz a uma igreja, a Madonna del Carmine – Nossa Senhora do Monte Carmine. Degraus de pedra estreitos sobem as encostas dos montes, flanqueados por grupos de casas de pedra de dois andares e telhas vermelhas.

Durante séculos, os *paesani*, ou camponeses, de Roseto trabalharam nas pedreiras de mármore das montanhas em torno da cidade ou cultivaram os campos no vale abaixo, descendo de 6 a 8km de manhã e, depois, fazendo o longo percurso de volta à noite. A vida era dura. Os moradores desse lugar mal sabiam ler, eram paupérrimos e não tinham muita esperança de melhorar economicamente. Foi quando no final do século XIX chegou à região a notícia de que havia uma terra de oportunidades do outro lado do oceano.

Em janeiro de 1882, um grupo de 11 moradores da cidade – 10 homens e um menino – zarparam para Nova York. Passaram a primeira noite nos Estados Unidos dormindo no chão de uma taverna em Mulberry Street, na Pequena Itália de Manhattan. Depois se aventuraram para o oeste, até encontrarem trabalho numa pedreira de ardósia a 145km da cidade, perto de Bangor, Pensilvânia. No ano seguinte, mais 15 pessoas de Roseto trocaram a Itália pela América, e vários membros desse grupo foram se juntar aos que já haviam chegado. Esses novos imigrantes, por sua vez, enviaram notícias a Roseto sobre a promessa do Novo Mundo. Em pouco tempo, outros grupos de conterrâneos seus começaram a fazer as malas e rumar para a Pensilvânia. O pequeno fluxo inicial de imigrantes acabou se transformando numa torrente. Em 1894, cerca de 1.200 habitantes de Roseto solicitaram passaportes para os Estados Unidos, deixando ruas inteiras de sua cidade natal completamente abandonadas.

Essas pessoas começaram a comprar terras numa encosta rochosa, ligada a Bangor por apenas uma trilha de carroça íngreme e sulcada. Construíram grupos de casas de pedra de dois andares, com tetos de ardósia, em ruas estreitas que se estendiam de alto a baixo na encosta. Ergueram uma igreja e batizaram-na de Nossa Senhora do Monte Carmelo. A via principal onde ela se localizava ganhou o nome de avenida Garibaldi, em homenagem ao grande herói da unificação italiana. No princípio, chamaram sua cidade de Nova Itália. Mas logo mudaram o nome para Roseto, que pareceu mais apropriado, pois quase todos os seus moradores eram procedentes da mesma aldeia na Itália.

Em 1896, um jovem e dinâmico sacerdote – padre Pasquale de Nisco – assumiu a Igreja de Nossa Senhora do Monte Carmelo. De Nisco criou sociedades espirituais e organizou festas. Incentivou as pessoas a limpar os terrenos e a plantar cebola, feijão, batata e árvores frutíferas nos grandes quintais de suas casas. Distribuiu sementes e mudas. Roseto ganhou vida. A população passou a criar porcos e a cultivar uvas para o vinho caseiro. Escolas, um parque, um convento e um cemitério foram construídos. Pequenas lojas, confeitarias, restaurantes e bares começaram a se instalar ao longo da Avenida Garibaldi. Mais de 12 fábricas surgiram, produzindo blusas para o comércio de roupas.

Na vizinha Bangor, a população era predominantemente galesa e inglesa. Na outra cidade mais próxima, a concentração era de alemães. Dadas as relações hostis entre ingleses, alemães e italianos naquela época, Roseto continuou a abrigar exclusivamente sua própria população. Quem subisse e descesse suas ruas nas primeiras décadas do século XX ouviria apenas italiano, mas não qualquer italiano – somente o típico dialeto sulista de Foggia, falado na Roseto europeia. A Roseto americana era seu próprio mundo minúsculo e autossuficiente – praticamente desconhecido pela sociedade em volta. E poderia ter permanecido assim não fosse um homem chamado Stewart Wolf.

Wolf era médico. Especialista em estômago e digestão, lecionava na Faculdade de Medicina da Universidade de Oklahoma. Passava os verões numa fazenda na Pensilvânia, não longe de Roseto – embora isso não significasse grande coisa, pois a cidade estava tão concentrada em seu próprio mundo que era possível morar ao lado e não saber muito sobre ela. "Certa vez – acho que no final da década de 1950 –, eu estava lá e fui convidado para dar uma palestra na sociedade médica local", Wolf contou, anos depois, numa entrevista. "Após a apresentação, um dos médicos me chamou para tomar uma cerveja. Enquanto bebíamos, ele disse: 'Pratico a medicina há 17 anos. Recebo pacientes de toda a região, mas raramente encontro alguém de Roseto com menos de 65 anos que tenha doença cardíaca.'"

Wolf ficou surpreso. Tratava-se da década de 1950, anos antes do advento dos remédios que reduzem o colesterol e das rigorosas medidas de prevenção de problemas cardíacos. Os infartos constituíam uma epidemia nos Estados Unidos – eram a principal causa de mortes em homens com menos de 65 anos. A experiência mostrava que era impossível ser médico naquela época e não se deparar com esse tipo de doença.

Wolf decidiu investigar. Conseguiu o apoio de alguns alunos e colegas da Universidade de Oklahoma. Eles reuniram os atestados de óbito dos moradores da cidade, procurando os mais antigos que conseguissem obter. Analisaram os registros médicos, leram os históricos e traçaram as genealogias das famílias. "Decidimos fazer um estudo preliminar. Começamos em 1961. O prefeito permitiu que usássemos a sala do conselho municipal. Instalamos pequenas cabines para coletar sangue e fazer eletrocardiogramas. Ficamos lá durante quatro semanas. Depois, as autoridades nos cederam a escola, onde trabalhamos durante o verão. Convidamos a população inteira de Roseto para ser testada", conta Wolf.

Os resultados foram surpreendentes. Em Roseto, quase ninguém com menos de 55 anos havia morrido de ataque cardíaco ou mostrava sintomas de problemas do coração. Para homens acima de 65 anos, a taxa de mortalidade por doença cardíaca era cerca de metade da que se registrava nos Estados Unidos de modo geral. Além disso, a taxa de mortalidade por todas as causas naquela cidade era, espantosamente, 30 a 35% menor do que o estimado.

Wolf convidou para ajudá-lo o amigo John Bruhn, sociólogo da Universidade de Oklahoma. "Contratei estudantes de medicina e alunos de sociologia como entrevistadores. Fomos de casa em casa em Roseto. Conversamos com toda pessoa maior de 21 anos", Bruhn se lembra. Embora isso tenha acontecido há mais de 50 anos, ele deixou escapar uma sensação de espanto ao mencionar o que descobrira. "Não havia suicídios, alcoolismo nem vício de drogas. O número de crimes era mínimo. Ninguém dependia da previdência social. Então procuramos casos de úlcera péptica. Não havia. Aquelas pessoas estavam morrendo de velhice. Nada mais."

Os colegas de profissão de Wolf tinham um nome para um lugar como Roseto – uma cidade que estava à margem da experiência do dia a dia, onde as regras normais não se aplicavam. Roseto era uma *outlier*.

2.

A primeira hipótese imaginada por Wolf foi a de que os habitantes de Roseto seguiam práticas alimentares do Velho Mundo que os tornavam mais saudáveis do que os demais americanos. Mas em pouco tempo ele constatou que isso não era verdade. Aquelas pessoas cozinhavam com banha de porco, e não com azeite de oliva, a saudável opção usada na cozinha mediterrânea. Na Itália, a pizza era uma crosta fina com sal, azeite e talvez anchovas, tomate e cebola. Na Pensilvânia, ela combinava massa de pão com salsicha, *pepperoni*, salame, presunto e às vezes ovos. Doces como *biscotti* e *taralli*, que na Itália costumavam ser reservados para o Natal e a Páscoa, em Roseto eram consumidos o ano inteiro. Quando Wolf pediu que nutricionistas analisassem os hábitos alimentares da população local, constatou-se que 41% das calorias – uma porcentagem imensa – eram provenientes de gorduras. E nenhum morador daquela cidade acordava de madrugada para praticar ioga ou correr 10km. Muitos eram fumantes inveterados e enfrentavam a obesidade.

Se a causa daquela saúde acima da média não estava na dieta nem na prática de exercícios físicos, estaria então na genética? Como aquelas pessoas constituíam um grupo coeso originário da mesma região da Itália, Wolf passou a considerar a possibilidade de que elas pertencessem a uma estirpe particularmente robusta, com grande resistência a doenças. Então, rastreou parentes desses indivíduos em outras regiões dos Estados Unidos para ver se eles compartilhavam a saúde notável dos primos da Pensilvânia. Não foi o caso.

Wolf examinou em seguida a própria região de Roseto. Será que viver nos contrafortes do leste da Pensilvânia poderia oferecer algum benefício à saúde? As duas cidades mais próximas dali eram Bangor, situada um pouco abaixo dos montes, e Nazareth, a alguns quilômetros de distância. Ambas tinham mais ou menos o tamanho de Roseto e eram habitadas por imigrantes europeus também muito trabalhadores. Wolf examinou os registros médicos das duas cidades. Para homens acima de 65 anos, as taxas de mortalidade por doenças cardíacas em Nazareth e Bangor eram cerca de três vezes mais altas do que em Roseto. Outra pista falsa.

Wolf passou a desconfiar de que o segredo de Roseto não era nada que haviam imaginado, como dieta, exercícios físicos, genes e geografia – *tinha que ser a própria Roseto*. À medida que começaram a caminhar pela cidade e a falar com os moradores, Wolf e Bruhn descobriram o motivo. Observaram como as pessoas interagiam, parando para conversar em italiano na rua ou cozinhando umas para as outras nos quintais. Tomaram conhecimento dos clãs familiares que se mantinham sob a estrutura social do lugar. Viram como em muitas casas três gerações moravam sob o mesmo teto – e o respeito dedicado aos avós. Foram à missa na Igreja Nossa Senhora do Monte Carmelo e observaram o efeito unificador e calmante daquele ambiente. Contaram 22 organizações cívicas em uma cidade com pouco menos de 2 mil pessoas. Perceberam o espírito igualitário particular da comunidade, que desestimulava os ricos a ostentar o sucesso e ajudava os malsucedidos a encobrir seus fracassos.

Ao transplantarem a cultura *paesani* do sul da Itália para os montes do leste da Pensilvânia, aquelas pessoas criaram uma estrutura social altamente protetora que era capaz de isolá-las das pressões do mundo moderno. Elas eram saudáveis por causa do lugar onde viviam, do mundo que haviam criado para si mesmas em sua minúscula cidade nas montanhas.

"Ainda me lembro de quando fui a Roseto pela primeira vez. Naquela época víamos três gerações reunidas nas refeições em família. Havia todas aquelas padarias, as pessoas subindo e descendo as ruas, sentando-se nas varandas para conversar umas com as outras, as fábricas de blusas onde as mulheres trabalhavam durante o dia enquanto os homens se ocupavam nas pedreiras de ardósia. Aquilo era mágico", diz Bruhn.

Quando Bruhn e Wolf apresentaram suas descobertas à comunidade médica, enfrentaram uma grande reação de ceticismo. Eles participaram de conferências em que seus colegas estavam exibindo longas relações de dados, dispostos em gráficos complexos, para se referir a um tipo específico de gene ou de processo fisiológico. Eles, por sua vez, estavam falando dos benefícios misteriosos e mágicos de parar para conversar com as pessoas na rua e dos efeitos positivos de familiares de três gerações viverem sob o mesmo teto. Segundo o pensamento convencional da época, uma vida longa dependia, em grande parte, de quem éramos, ou seja, dos nossos genes. E também das decisões que tomávamos em relação à escolha dos alimentos, da nossa opção quanto à prática de exercícios físicos e, ainda, da eficácia do sistema médico. Ninguém estava acostumado a associar a saúde à *comunidade*.

Wolf e Bruhn tiveram que convencer a área médica a pensar na saúde e nas doenças cardíacas de um modo totalmente diferente. Afinal, não dá para entender por que alguém é saudável analisando apenas suas opções ou ações pessoais. É necessário olhar *além* do indivíduo. E também conhecer a cultura da qual ele faz parte, saber quem são seus amigos, sua família e a cidade de origem de seus familiares. É preciso ainda aceitar a ideia de que os valores do mundo que habitamos e as pessoas que nos cercam exerçam um grande efeito em quem nós somos. Neste livro, quero fazer por nossa compreensão do sucesso o que Stewart Wolf fez pelo entendimento que agora temos da saúde.

PARTE I
OPORTUNIDADE

CAPÍTULO I

O *"efeito Mateus"*

"PORQUE A TODO AQUELE QUE TEM
SERÁ DADO E TERÁ EM ABUNDÂNCIA;
MAS, DAQUELE QUE NÃO TEM,
ATÉ O QUE TEM LHE SERÁ TIRADO."
— MATEUS, 25:29

1.

Num dia quente de primavera de 2007, os Medicine Hat Tigers e os Vancouver Giants enfrentaram-se pelo Campeonato Memorial Cup de hóquei no gelo em Vancouver, British Columbia. Os Tigers e os Giants eram os dois melhores times da Liga Canadense de Hóquei, que, por sua vez, é a melhor liga júnior de hóquei do mundo. Aqueles seriam os futuros astros do esporte: rapazes de 17 a 19 anos que vinham patinando e lançando discos desde que eram pouco mais do que bebês.

A partida foi transmitida em rede nacional. Nas ruas do centro de Vancouver, faixas do Memorial Cup pendiam dos postes. Os ingressos para as arquibancadas se esgotaram. Um longo tapete vermelho foi estendido sobre o gelo, e o locutor anunciou pelo alto-falante alguns nomes ilustres. Primeiro, chegou o governador da província British Columbia, Gordon Campbell. Depois, em meio a aplausos calorosos, surgiu Gordie Howe, um dos maiores jogadores de hóquei de todos os tempos. "Senhoras e senhores, o Sr. Hóquei!", bradou o locutor.

Nos 60 minutos seguintes, os dois times jogaram uma partida animada e agressiva. O Vancouver Giants marcou o primeiro gol, bem no início do segundo período, num rebote de Mario Bliznak. No final do segundo período, foi a vez do Medicine Hat Tigers, quando o artilheiro do time, Darren Helm, deu uma tacada rápida pelo goleiro adversário, Tyson Sexsmith. O Vancouver reagiu no terceiro período, marcando o gol decisivo do jogo e, depois, o último.

Após a partida, os atletas, suas famílias e repórteres de todo o Canadá se aglomeraram no vestiário do time vencedor. A fumaça de charuto impregnava o ar, assim como o cheiro de champanhe e do suor que ensopava o equipamento de hóquei. Na parede, um cartaz pintado à mão: "Enfrente a Luta." No centro do vestiário, o técnico do Giants, Don Hayes, tinha os olhos cheios d'água. "Estou tão orgulhoso desses caras", ele disse. "Olhe em volta. Não há um jogador que não tenha vestido a camisa do time."

O hóquei canadense é uma meritocracia. Milhares de meninos começam a praticar o esporte como "noviços" antes mesmo de ingressarem no jardim de infância. Daquele ponto em diante, existem ligas para todas as faixas etárias, e a cada um desses níveis os jogadores são selecionados, classificados e avaliados. Os melhores são escolhidos e treinados para o patamar seguinte. Quando atingem o nível júnior, em meados da adolescência, eles já se encontram separados em quatro categorias. As chamadas *house leagues* (equipes locais, como as de escolas) são formadas por amadores. A liga de hóquei Júnior B compreende equipes de pequenas cidades do interior do Canadá. Existem ainda a liga Júnior A, que está um passo acima da Júnior B, e a Major Júnior A, no alto da pirâmide. Quando um time da Major Júnior A disputa o Memorial Cup, isso significa que ele está acima do topo da pirâmide.

É assim que a maioria dos esportes seleciona seus futuros astros. É desse modo que o futebol está organizado na Europa e na América do Sul. Também é dessa maneira que os atletas olímpicos são escolhidos. Isso não difere muito da forma como o universo da música clássica seleciona virtuoses, como o mundo do balé seleciona bailarinos e como o sistema educacional de elite seleciona cientistas e intelectuais. É lançada uma gigantesca rede, sobre pessoas na idade mais prematura possível, para que as melhores e mais brilhantes sejam descobertas e treinadas.

O dinheiro não compra o ingresso de ninguém na liga Major Júnior A. Não importa quem sejam os pais e os avós do atleta nem o tipo de negócio que sua família administra. Não faz diferença se ele vive no ponto mais remoto de uma província no extremo norte do Canadá. Se esse jogador for verdadeiramente habilidoso, a vasta rede de olheiros e caçadores de talentos do hóquei o encontrará. E, se ele estiver disposto a se esforçar para desenvolver essa aptidão, o sistema o recompensará. O sucesso no hóquei baseia-se no *mérito individual* – essas duas palavras são importantes. Os atletas são avaliados por seu próprio desempenho, não pela atuação de outra pessoa. E com base na sua capacidade, não em um fato arbitrário.

Será que é assim mesmo?

2.

Este é um livro sobre *outliers* – homens e mulheres que fazem coisas fora do comum. Ao longo dos capítulos, apresentarei a você diversos tipos de indivíduos que se enquadram nessa categoria, entre gênios, empresários poderosos, astros do rock e programadores de softwares. Vamos descobrir os segredos de um advogado de renome, verificar o que distingue os melhores pilotos daqueles que causam desastres aéreos e entender por que os asiáticos são tão bons em matemática. E, enquanto estivermos examinando a vida de algumas personalidades – os capazes, os talentosos e os determinados –, defenderei a seguinte tese: há algo profundamente errado com o modo como entendemos o sucesso.

Qual é a pergunta que sempre fazemos sobre as pessoas bem-sucedidas? Queremos saber como elas *são*: seu tipo de personalidade, nível de inteligência, estilo de vida e talentos especiais inatos. E presumimos que são essas qualidades individuais que explicam seu sucesso.

Nas autobiografias publicadas a cada ano por bilionários, empreendedores, astros de rock e celebridades, a história é sempre a mesma: nosso herói nasce em circunstâncias modestas e, graças ao seu talento e à sua garra, abre caminho até o topo. Na Bíblia, José é vendido como escravo pelos próprios irmãos, mas, em virtude do seu próprio brilho e capacidade, consegue ascender a uma posição importante, tornando-se o braço direito do faraó. Nos célebres romances que Horatio Alger escreveu no século XIX, rapazes nascidos na pobreza em Nova York enriquecem valendo-se de uma combinação de obstinação e iniciativa. "Acredito que, em termos gerais, é uma desvantagem", disse Jeb Bush sobre o que significou, para a sua carreira nos negócios, o fato de ter sido filho de um presidente norte-americano, irmão de um presidente americano e neto de um rico senador e banqueiro de Wall Street. Na disputa pelo cargo de governador da Flórida, ele se referiu diversas vezes a si mesmo como um *self-made man*, ou seja, um homem que se fez sozinho. Uma indicação da intensidade com que associamos o sucesso exclusivamente ao esforço individual foi o fato de poucos se surpreenderem com essa definição.

"Ergam a cabeça", disse Robert Winthrop diante de uma multidão, anos atrás, na inauguração de uma estátua do herói da independência americana Benjamin Franklin, "e vejam a imagem do homem que veio do nada, que nada deveu à família e a protetores, que não usufruiu as vantagens da educação básica – agora totalmente disponíveis a todos –, que realizou os serviços mais subalternos na juventude, mas que viveu até ser recebido por reis e morreu deixando um nome que o mundo jamais esquecerá."

Neste livro, pretendo convencê-lo de que esse tipo de explicação pessoal para o sucesso não funciona. Ninguém surge do nada. Devemos alguma coisa à família e a protetores. Aqueles que são recebidos por reis podem dar a impressão de que fizeram tudo sozinhos. Na verdade, porém, eles são, invariavelmente, os beneficiários de vantagens ocultas, oportunidades extraordinárias e legados culturais que lhes permitiram aprender, trabalhar duro e entender o mundo de uma forma que os outros não conseguem. O lugar e a época em que crescemos fazem diferença. A cultura a que pertencemos e os legados transmitidos por nossos ancestrais moldam os padrões de nossas realizações de formas inimagináveis. Em outras palavras, não basta querer saber como são as pessoas de sucesso. Somente perguntando de *onde* elas são poderemos deslindar a lógica por trás de quem é ou não bem-sucedido.

Os biólogos costumam falar da "ecologia" de um organismo: o carvalho mais alto da floresta não ostenta essa qualidade apenas porque se originou do fruto mais resistente. Ele também é o mais alto porque nenhuma outra árvore bloqueou a luz solar em sua direção, porque o solo à sua volta era profundo e fértil, porque nenhum coelho roeu sua casca quando esta ainda era nova e porque nenhum lenhador o derrubou antes que ele estivesse completamente desenvolvido. Todos nós sabemos que as pessoas bem-sucedidas se originam de sementes resistentes. Mas será que temos informações suficientes sobre a luz solar que as aqueceu, o solo onde deitaram as suas raízes e os coelhos e lenhadores dos quais conseguiram escapar? Este não é um livro sobre árvores altas, mas sobre florestas – e o hóquei é um bom ponto de partida porque a explicação para quem chega ao topo nesse esporte é bem mais interessante e complicada do que parece. Na verdade, é muito peculiar.

3.

A seguir, reproduzo a lista de jogadores do Medicine Hat Tigers em 2007. Dê uma boa olhada e veja se consegue descobrir alguma coisa estranha.

Nº	Nome	Pos.	E/D	Altura	Peso	Data de nascimento	Cidade de origem
9	Brennan Bosch	C	D	1,75	77	14/02/1988	Martensville, SK
11	Scott Wasden	C	D	1,85	91	04/01/1988	Westbank, BC
12	Colton Grant	AE	E	1,75	79	20/03/1989	Standard, AB
14	Darren Helm	AE	E	1,83	83	21/01/1987	St. Andrews, MB
15	Derek Dorsett	AD	E	1,80	81	20/12/1986	Kindersley, SK
16	Daine Todd	C	D	1,78	76	10/01/1987	Red Deer, AB
17	Tyler Swystun	AD	D	1,80	82	15/01/1988	Cochrane, AB
19	Matt Lowry	C	D	1,83	83	02/03/1988	Neepawa, MB
20	Kevin Undershute	AE	E	1,83	82	12/04/1987	Medicine Hat, AB
21	Jerrid Sauer	AD	D	1,78	94	12/09/1987	Medicine Hat, AB
22	Tyler Ennis	C	E	1,75	70	06/10/1989	Edmonton, AB

23	Jordan Hickmott	C	D	1,83	82	11/04/1990	Mission, BC
25	Jakub Rumpel	AD	D	1,73	75	27/01/1987	Hrnciarovce, SLO
28	Bretton Cameron	C	D	1,80	77	26/01/1989	Didsbury, AB
36	Chris Stevens	AE	E	1,78	89	20/08/1986	Dawson Creek, BC
3	Gord Baldwin	D	E	1,96	93	1/3/1987	Winnipeg, MB
4	David Schlemko	D	E	1,85	88	7/5/1987	Edmonton, AB
5	Trevor Glass	D	E	1,83	85	22/1/1988	Cochrane, AB
10	Kris Russell	D	E	1,80	80	2/5/1987	Caroline, AB
18	Michael Sauer	D	D	1,91	93	7/8/1987	Sartell, MN
24	Mark Isherwood	D	D	1,83	82	31/1/1989	Abbotsford, BC
27	Shayne Brown	D	E	1,85	86	20/2/1989	Stony Plain, AB
29	Jordan Bendfeld	D	D	1,91	104	9/2/1988	Leduc, AB
31	Ryan Holfeld	G	E	1,80	75	29/6/1989	LeRoy, SK
33	Matt Keetley	G	D	1,88	86	27/4/1986	Leduc, AB

Posições: AE = ala esquerda, AD = ala direita, C = centro, D = defesa, G = goleiro.

Encontrou algo interessante? Não se sinta mal caso não tenha descoberto nada, porque, durante muitos anos no mundo do hóquei, ninguém conseguiu fazer isso. Somente em meados da década de 1980, o psicólogo canadense Roger Barnsley chamou pela primeira vez a atenção para o fenômeno da idade relativa.

Barnsley fora ao sul de Alberta com a esposa, Paula, e os dois filhos, assistir a uma partida do Lethbridge Broncos, um time que jogava na mesma liga Major Júnior A do Vancouver Giants e do Medicine Hat Tigers. Paula estava lendo o programa quando se deparou com uma lista de jogadores como aquela que você acabou de ver.

– Roger – ela disse –, você sabe quando esses rapazes nasceram?

Ele respondeu que sabia:

– Todos eles estão na faixa dos 16 aos 20 anos, portanto nasceram no final da década de 1960.

– Não, não – ela prosseguiu. – Em que *mês*?

"Pensei que a Paula estivesse louca", disse Barnsley. Mas ele observou a lista, e, realmente, o que ela dissera lhe saltou à vista. Por algum motivo, havia um número incrível de datas de nascimento em janeiro, fevereiro e março.

Barnsley foi para casa naquela noite e verificou as datas de nascimento do maior número de jogadores de hóquei profissionais que conseguiu levantar. Encontrou o mesmo padrão. Ele, sua esposa e um colega, A. H. Thompson, coletaram então estatísticas sobre todos os jogadores da Liga Júnior de Hóquei de Ontário. A história se repetiu. Mais jogadores haviam nascido em janeiro do que em qualquer outro mês, e por uma diferença esmagadora. O segundo mês de nascimento mais frequente? Fevereiro. O terceiro? Março. Barnsley constatou que o número de jogadores da Liga de Hóquei de Ontário nascidos em janeiro era quase cinco vezes e meia maior do que o de nascidos no final do ano, em novembro. Ele investigou os dados dos times de primeira linha formados por meninos de 11 anos e 13 anos – atletas selecionados para as equipes de elite que viajam. A constatação foi a mesma. Analisou também a composição da Liga Nacional de Hóquei. Novamente, obteve resultados idênticos. Quanto mais pesquisava, mais motivos Barnsley tinha para acreditar que não estava diante de uma ocorrência casual, e sim de uma lei absoluta do hóquei canadense: em todos os grupos de elite desse esporte – os melhores entre os melhores –, 40% dos garotos aniversariam entre janeiro e março; 30%, entre abril e junho; 20%, entre julho e setembro; e 10%, entre outubro e dezembro.

"Em todos os meus anos de psicologia, nunca havia me deparado com um efeito dessa dimensão", afirma Barnsley. "Não é preciso fazer nenhuma análise estatística. Basta observar."

Examine de novo a lista de jogadores do Medicine Hat. Consegue ver agora? Dezessete dos 25 jogadores do time nasceram em janeiro, fevereiro, março ou abril.

4.

A explicação para esse fenômeno é bem simples. Não há nenhuma relação com a astrologia nem nada de mágico envolvendo os três primeiros meses do ano. Simplesmente no Canadá a data-limite para se candidatar às ligas de hóquei por idade é 1º de janeiro. Um menino que faz 10 anos em 2 de janeiro pode, então, jogar com outro que não completará 10 anos antes do fim do ano – e, nessa fase da pré-adolescência, uma defasagem de 12 meses representa uma diferença enorme em termos de desenvolvimento físico.

Tratando-se do Canadá, que é o país mais louco por hóquei do mundo, os treinadores começam a selecionar atletas para as equipes de elite – os times de primeira linha – na faixa de 9 a 10 anos. Por isso, tendem a considerar mais talentosos os jogadores maiores e com melhor nível de coordenação, que têm a vantagem daqueles meses extras de maturidade física.

E o que acontece quando um jogador é escolhido para uma equipe de elite? Ele recebe um treinamento de mais qualidade, seus colegas são melhores, disputa 50 ou 70 partidas por temporada em vez de 20 (como os que são relegados às *house leagues*) e pratica duas ou até três vezes mais do que normalmente faria. No princípio, sua vantagem não é tanto possuir uma superioridade inata, mas apenas o fato de ser um pouco mais velho. No entanto, quando chega aos 13 ou 14 anos, por ter se beneficiado de um treinamento de alto nível e daquela prática extra, ele *é* de fato melhor. Por isso tem mais chances de ser convocado para a Liga Canadense de Hóquei e, daí em diante, para as grandes ligas.[1]

Barnsley argumenta que esse tipo de distribuição de jogadores por idade ocorre sempre que se verificam três fatores: seleção, separação e experiência diferenciada. Quando decidimos quem é bom e quem não é num grupo de pessoas de idade precoce, quando separamos os "talentosos" dos "destituídos de talento" e proporcionamos aos primeiros uma experiência de mais qualidade, acabamos conferindo uma enorme vantagem ao pequeno grupo de indivíduos nascidos mais perto da data-limite.

Nos Estados Unidos, o futebol americano e o basquete não apresentam esses problemas. Eles não selecionam, não separam

---

[1] O processo de seleção dos jogadores de hóquei no Canadá constitui um belo exemplo do que o sociólogo Robert K. Merton denominou, de forma memorável, uma "profecia que se cumpre por si mesma". Trata-se do tipo de situação em que "uma definição falsa, no início [...], provoca um comportamento novo que, por sua vez, faz o conceito enganoso original tornar-se 'verdadeiro'". Os canadenses partem de uma definição falsa de quais são os melhores jogadores de hóquei de 9 e 10 anos – afinal, eles apenas escolhem os mais velhos de cada idade. Mas o modo como tratam esses "astros" faz com que seu falso julgamento original se mostre correto. Nas palavras de Merton: "Essa validade enganadora da profecia que se cumpre por si mesma perpetua o reinado do erro, pois o 'profeta' citará o curso real dos acontecimentos como prova de que tinha razão desde o princípio."

nem diferenciam os atletas de forma tão marcante. Por isso, uma criança pode não apresentar ainda o desenvolvimento físico ideal para esses esportes e, apesar disso, jogar tão bem quanto seus colegas mais maduros.[2] No beisebol, porém, isso acontece. A data-limite para quase todas as ligas de beisebol não escolares é 31 de julho. O resultado é que há mais jogadores da liga principal nascidos em agosto do que em qualquer outro mês. (Os números são impressionantes: em 2005, 505 americanos nascidos em agosto jogavam na liga principal de beisebol, em comparação com 313 nascidos em julho.)

O futebol europeu está organizado de forma semelhante ao hóquei no Canadá e ao beisebol nos Estados Unidos – e as distribuições por data de nascimento nesse esporte são também fortemente determinadas. Na Inglaterra, a data-limite para se candidatar à liga é 1º de setembro. Na principal liga de futebol desse país havia, em algum ano da década de 1990, 288 jogadores nascidos entre setembro e novembro e apenas 136 atletas nascidos entre junho e agosto. No futebol internacional, a data-limite era 1º de agosto, e num campeonato mundial de juniores havia 135 jogadores nascidos nos três primeiros meses após essa data e apenas 22 nascidos em maio, junho e julho. Hoje em dia, a data-limite do futebol júnior internacional é 1º de janeiro. Dê uma olhada na escalação da seleção tcheca de futebol que disputou as finais da Copa do Mundo de Juniores em 2007:

---

[2] Numa cidade americana, um jovem jogador de basquete que ainda não tenha atingido o completo desenvolvimento físico consegue, provavelmente, praticar a mesma quantidade de horas em determinado ano que uma criança relativamente mais velha. Isso ocorre porque ele tem à disposição um bom número de quadras e de pessoas dispostas a jogar. Não é como o hóquei no gelo, que requer um rinque. O basquete se salva por ser de fácil acesso.

	Jogador	Data de Nascimento	Posição
1	GECOV Marcel	01/01/1988	Meio-campista
2	FRYDRYCH Ludek	03/01/1987	Goleiro
3	JANDA Petr	05/01/1987	Meio-campista
4	DOHNALEK Jakub	12/01/1988	Defensor
5	MARES Jakub	26/01/1987	Meio-campista
6	HELD Michal	27/01/1987	Defensor
7	STRESTIK Marek	01/02/1987	Atacante
8	VALENTA Jiri	14/02/1988	Meio-campista
9	SIMUNEK Jan	20/02/1987	Meio-campista
11	PETR Radek	24/02/1987	Goleiro
12	MAZUCH Ondrej	15/03/1989	Defensor
13	KUDELA Ondrej	26/03/1987	Meio-campista
14	SUCHY Marek	29/03/1988	Defensor
15	FENIN Martin	16/04/1987	Atacante
16	KALOUDA Lubos	20/05/1987	Meio-campista
17	PEKHART Tomas	26/05/1989	Atacante
18	KUBAN Lukas	22/06/1987	Defensor
19	CIHLAR Tomas	24/06/1987	Defensor
20	FRYSTAK Tomas	18/08/1987	Goleiro
21	MICOLA Tomas	26/09/1988	Meio-campista

Nos testes para a seleção, o treinador tcheco poderia perfeitamente ter pedido àqueles nascidos após meados do verão que fizessem as malas e fossem para casa.

O hóquei e o futebol, é claro, são apenas esportes e envolvem uma minoria selecionada. Mas essas mesmas distorções se manifestam em áreas em que as consequências são muito maiores, como a educação. Os pais de crianças que aniversariam no final do ano às vezes preferem esperar um pouco para matriculá-las no jardim de infância, pois, aos cinco anos, é difícil acompanhar coleguinhas nascidos vários meses antes. No entanto, parece que a maioria dos pais também pensa que a desvantagem enfrentada pela criança mais nova no jardim de infância acabará desaparecendo mais à frente. *Só que isso não acontece.* É como no hóquei. A pequena vantagem inicial de quem nasceu no princípio do ano em relação aos nascidos no final do ano persiste. Isso aprisiona as crianças em padrões de conquista e frustração, incentivo e desaprovação, que se prolongam por anos a fio.

Dois economistas – Kelly Bedard e Elizabeth Dhuey – decidiram analisar a relação entre as notas no Trends in International Mathematics and Science Study, o chamado TIMSS (testes de matemática e ciências aplicados a cada quatro anos a crianças de diversos países), e o mês de nascimento. Eles constataram que, entre os alunos da quarta série, os mais velhos tinham notas mais altas em quatro a 12 percentis em relação aos mais novos. Trata-se, como observou Dhuey, de um "efeito enorme". Isso significa que, se compararmos dois estudantes da quarta série com o mesmo nível intelectual, mas com aniversários nas extremidades opostas da data-limite, o mais velho poderia ficar no 80º percentil, e o mais novo, no 68º percentil. Essa é a diferença que permite o ingresso num programa especial para superdotados.

"É como nos esportes", explica Dhuey. "Agrupamos por habilidades bem cedo na infância. Temos grupos avançados de leitura e de matemática. Portanto, desde o princípio, se examinarmos as crianças mais novas no jardim de infância e na primeira série, veremos que os professores estão confundindo maturidade com capacidade. Eles reúnem os alunos mais velhos no grupo avançado, permitindo que aperfeiçoem suas habilidades. No ano seguinte, por estarem nos grupos mais adiantados, essas crianças se saem ainda melhor. No ano subsequente, o processo se repete e, de novo, elas progridem mais. O único país onde não vemos esse fenômeno é a Dinamarca, que adota a política nacional de só agrupar por habilidades a partir dos 10 anos." Ou seja, a Dinamarca só toma decisões seletivas depois que as diferenças de maturidade por idade estão niveladas.

Dhuey e Bedard repetiram essa mesma análise com alunos de faculdade. O que encontraram? Nas faculdades de quatro anos nos Estados Unidos – o primeiro grupo mais avançado de educação após o ensino médio –, os alunos pertencentes ao conjunto relativamente mais jovem nas suas turmas representam apenas 11,6%. Portanto, a diferença inicial de maturidade não desaparece com o tempo. Ela persiste. E, para milhares de estudantes, a desvantagem inicial é a diferença entre ingressar na faculdade ou não.[3]

"É ridículo e também muito estranho que a nossa escolha arbitrária de datas-limite esteja acarretando esses efeitos duradouros e ninguém pareça se importar com isso", diz Dhuey.

5.

Pense por um momento no que a história do hóquei e dos aniversários no início do ano ensina sobre o sucesso.

Ela mostra que a ideia de que os melhores e mais brilhantes é que acabam tendo mais facilidade para se tornar atletas fora de série é simplista demais. Sim, os jogadores de hóquei que atingem o nível profissional são mais talentosos do que você e eu. Mas eles também tiveram uma grande vantagem inicial, uma oportunidade que não mereciam nem conquistaram. E foi ela que desempenhou um papel crítico no seu sucesso.

O sociólogo Robert Merton cunhou uma expressão bastante

---

[3] Existem ainda outros fenômenos sociais que podem ser vinculados à idade relativa. Barnsley e dois colegas constataram, por exemplo, que, entre os estudantes, a tendência a cometer suicídio é maior por parte daqueles nascidos na segunda metade do ano letivo. Sua explicação é que o fraco desempenho escolar pode levar à depressão. O efeito, porém, não é tão forte quanto nos esportes.

apropriada para descrever esse tipo de fenômeno: "efeito Mateus". Na realidade, ele faz uma alusão ao Evangelho de Mateus (25:29): "Porque a todo aquele que tem será dado e terá em abundância; mas, daquele que não tem, até o que tem lhe será tirado." São os bem-sucedidos que têm mais chances de contar com as oportunidades especiais que proporcionarão mais sucesso. São os ricos que conseguem os maiores incentivos fiscais. São os melhores alunos que se beneficiam de um ensino de mais qualidade e de mais atenção. E são os garotos na faixa de 9 a 10 anos com maior desenvolvimento físico que recebem mais treinamento e oportunidades de praticar o esporte.

O sucesso é o resultado do que os sociólogos denominam "vantagem cumulativa". O jogador de hóquei profissional inicia a carreira um pouquinho melhor do que os colegas. E essa pequena diferença leva a uma oportunidade que a torna muito maior. Essa nova vantagem, por sua vez, proporciona outro benefício, que aumenta ainda mais a diferença inicial – e assim por diante, até que o jogador se torna um genuíno *outlier*. Mas, no princípio, ele não era fora de série -- apenas começou um pouquinho melhor do que os demais.

A outra implicação do exemplo do hóquei é o fato de que os sistemas elaborados para determinar quem fica na frente não são eficientes. Acreditamos que, quanto mais criarmos ligas de primeira linha e programas escolares para alunos superdotados, mais reduzimos as chances de que algum talento escape pelas brechas. Mas voltemos à escalação da seleção de futebol da República Tcheca. Não há jogadores nascidos nos meses de julho, outubro, novembro e dezembro. E apenas um deles é de agosto e somente um deles é de setembro. Os que nasceram na segunda metade do ano foram todos desencorajados, ignorados ou impedidos de praticar o esporte. *O talento de essencialmente metade da população de atletas do país foi desperdiçado.*

Portanto, o que acontece com um jovem desportista tcheco

que tem o azar de ter nascido na parte final do ano? Ele *não* pode jogar futebol. As cartas estão marcadas contra esse atleta. Quem sabe ele possa praticar o outro esporte pelo qual os tchecos são obcecados: o hóquei. Mas, espere. (Acho que você adivinhou o que vou dizer.) Veja a escalação da seleção júnior de hóquei de 2007 que ficou em quinto lugar nos campeonatos mundiais.

1	David Kveton	03/01/1987	Ataque
2	Jiri Suchy	03/01/1988	Defesa
3	Michael Kolarz	12/01/1987	Defesa
4	Jakub Vojta	08/02/1987	Defesa
5	Jakub Kindl	10/02/1987	Defesa
6	Michael Frolik	17/02/1989	Ataque
7	Martin Hanzal	20/02/1987	Ataque
8	Tomas Svoboda	24/02/1987	Ataque
9	Jakub Cerny	05/03/1987	Ataque
10	Tomas Kudelka	10/03/1987	Defesa
11	Jaroslav Barton	26/03/1987	Defesa
12	H. C. Litvonox	22/04/1987	Defesa
13	Daniel Rakos	05/05/1987	Ataque
14	David Kuchejda	06/06/1987	Ataque
15	Vladimir Sobotka	02/07/1987	Ataque
16	Jakub Kovar	19/07/1988	Goleiro
17	Lukas Vantuch	20/07/1987	Ataque
18	Jakub Voracek	15/08/1989	Ataque
19	Tomas Pospisil	25/08/1987	Ataque
20	Ondrej Pavelec	31/08/1987	Goleiro
21	Tomas Kana	29/11/1987	Ataque
22	Michal Repik	31/12/1988	Ataque

Os nascidos no último trimestre do ano poderiam igualmente desistir do hóquei.

Você consegue ver as consequências dessa maneira que escolhemos de entender o sucesso? Como o personalizamos muito, perdemos oportunidades de elevar outros indivíduos ao degrau mais alto. Criamos regras que tornam as conquistas inviáveis. Descartamos prematuramente as pessoas como fracassos. Mostramos uma admiração exagerada pelos bem-sucedidos e um excessivo desprezo por quem não triunfa. E, acima de tudo, nos tornamos passivos. Fazemos vista grossa ao importante papel que todos nós desempenhamos – como sociedade – na determinação de quem chegará ao topo e quem será derrotado.

Se quiséssemos, poderíamos reconhecer a importância das datas-limite. Criaríamos duas ou até três ligas de hóquei de acordo com o mês de nascimento. Os jogadores se desenvolveriam em trajetórias diferentes e, depois, seria feita a seleção das equipes de elite. Se todos os atletas tchecos e canadenses nascidos no final do ano tivessem uma chance justa, as seleções dos seus países poderiam escolher entre um número duas vezes maior de jogadores.

As escolas também poderiam fazer isso. As de nível fundamental e médio agrupariam os alunos em três turmas: uma para os nascidos entre janeiro e abril, outra para os nascidos entre maio e agosto e outra para os nascidos entre setembro e dezembro. Assim, os alunos aprenderiam e competiriam com estudantes do mesmo nível de maturidade que o seu. Em termos administrativos, esse esquema seria um pouco mais complicado. Porém, não demandaria muito dinheiro extra e nivelaria o campo de jogo para aqueles que – sem nenhuma culpa – foram prejudicados pelo sistema educacional. Em outras palavras, temos condições de assumir o controle do mecanismo do sucesso – não apenas nos esportes, mas, como veremos, em outras áreas mais importantes também. Ainda assim, não fazemos isso. Por quê? Porque nos apegamos à ideia de que o sucesso é uma simples função do mérito individual e de que o mundo onde crescemos – e as regras que, como sociedade, optamos por criar – simplesmente não importa.

6.

Pouco antes da final do Memorial Cup, Gord Wasden – pai de um dos jogadores do Medicine Hat Tigers – ficou ao lado da pista de gelo conversando sobre o filho, Scott. Wasden usava um boné e uma camiseta preta dos Medicine Hat. "Quando Scott tinha quatro ou cinco anos e seu irmão mais novo ainda estava no andador, ele segurava um taco na mão e os dois jogavam hóquei no chão da cozinha da manhã até a noite. Scott *sempre* teve paixão por esse esporte. Ele integrou uma equipe de elite durante a carreira infantil. Sempre ingressou nos times AAA. Tanto no primeiro ano da liga infantil quanto no primeiro ano da liga para pré-adolescentes, jogou no time de elite." Wasden estava claramente nervoso: seu filho estava prestes a jogar a partida mais importante da sua vida. "Scott teve que dar duro por tudo o que conseguiu. Tenho muito orgulho dele."

Estes foram os ingredientes do sucesso no nível mais alto: paixão, talento e esforço. Mas houve outro elemento. Quando foi que Wasden percebeu pela primeira vez que seu filho tinha um talento especial? "Ele sempre foi maior do que as crianças da mesma idade. Era forte e desde muito cedo mostrou habilidade para marcar gols. Sempre se destacou para a sua idade, era um capitão do time..."

Grande para a sua idade? Claro. Scott Wasden nasceu em 4 de janeiro – um dos três dias absolutamente perfeitos como data de aniversário para um jogador de hóquei de elite. Ele foi um dos felizardos. Se, por algum capricho, a data-limite do hóquei canadense fosse no segundo semestre, ele poderia ter assistido ao Memorial Cup das arquibancadas em vez de jogar no gelo.

CAPÍTULO 2

A regra das 10 mil horas

"EM HAMBURGO TÍNHAMOS
QUE TOCAR DURANTE
OITO HORAS."

1.

A Universidade de Michigan inaugurou um novo Centro de Computação em 1971, num prédio recém-construído na Beal Avenue, em Ann Arbor, com paredes externas de tijolos bege e a fachada de vidro escuro. Os enormes mainframes da universidade ficavam no centro de uma ampla sala toda branca. "Mais parecia uma das últimas cenas do filme *2001: Uma odisseia no espaço*", diz um dos membros do corpo docente. Nas laterais, havia dezenas de perfuradoras de cartões, que, na época, desempenhavam o papel de terminais de computador – era o que existia então de mais moderno. A Universidade de Michigan oferecia um dos programas de ciência da computação mais avançados do mundo, e milhares de alunos passaram por aquela sala. O mais famoso deles: um adolescente desengonçado chamado Bill Joy.

Joy ingressou na Universidade de Michigan no ano de abertura do Centro de Computação. Tinha 16 anos. Alto, magérrimo, cabelos rebeldes. Fora eleito o "Aluno Mais Estudioso" por sua turma do último ano do ensino médio em North Farmington, periferia de Detroit, o que, em suas palavras, significava que ele era um "nerd sem namorada". Acreditava que fosse se tornar biólogo ou matemático. Mas, no final do seu ano de calouro, viu-se diante do Centro de Computação – e ficou encantado.

Dali pra frente, aquele lugar foi sua vida. Ele programava computadores sempre que podia. Conseguiu um emprego com um professor de Ciência da Computação e assim pôde realizar essa atividade durante as férias de verão. Em 1975, Joy matriculou-se na pós-graduação da Universidade da Califórnia, em Berkeley. Ali, mergulhou ainda mais fundo no mundo dos softwares. Durante a prova oral para o curso de Ph.D., conseguiu criar às pressas um algoritmo especialmente complicado. "Aquilo impressionou tanto os examinadores que um deles mais tarde comparou a experiência a 'Jesus confundindo os doutores da lei'", escreveu um de seus admiradores.

Trabalhando em colaboração com um pequeno grupo de programadores, Joy assumiu a tarefa de reescrever o Unix, um sistema de software desenvolvido pela AT&T para mainframes. Sua versão foi muito boa. Aliás, tão boa que se tornou o sistema operacional com que milhões de computadores em todo o mundo funcionam até hoje. "Quando ponho o Mac naquele modo em que é possível ver o código-fonte, encontro coisas que criei há 25 anos", diz ele. E você sabe quem foi que escreveu a maior parte do software que nos permite acessar a internet? Bill Joy.

Depois de se graduar em Berkeley, ele se tornou um dos cofundadores da Sun Microsystems, empresa do Vale do Silício que desempenhou um papel-chave na revolução da informática. Ali reescreveu outra linguagem de computador – Java –, e sua fama cresceu ainda mais. Entre os executivos do Vale do Silício que conhecem bem essa área, Joy desperta a mesma admiração que nomes como Bill Gates, da Microsoft. Às vezes é chamado de "Edison da internet". Para o cientista da computação David Gelernter, "Bill Joy é uma das pessoas mais influentes na trajetória moderna da computação".

A história da sua genialidade foi contada numerosas vezes, e as lições são sempre as mesmas. Aquele era um mundo da mais pura meritocracia. A programação de computadores não funcionava como uma rede de influências em que as pessoas progrediam graças ao dinheiro ou a amizades. Era um grande campo aberto em que todos os participantes eram julgados apenas pelo talento e pelas realizações. Somente os melhores venciam, e Joy era claramente um deles.

Seria mais fácil aceitar essa versão dos acontecimentos, se não tivéssemos acabado de analisar o mundo dos jogadores de hóquei e futebol. Acreditávamos que esses esportes fossem uma genuína meritocracia. Mas não é bem assim. Vimos como os *outliers* de uma área específica atingem um status elevado por meio de uma combinação de capacidade, oportunidade e vantagem totalmente arbitrária.

Será que um padrão idêntico de oportunidades especiais também ocorre no mundo real? Voltemos à história de Bill Joy para descobrir isso.

2.

Por quase uma geração, psicólogos de todo o mundo têm se envolvido num debate caloroso sobre uma questão que a maioria de nós acreditava ter sido resolvida anos atrás: o talento inato existe? A resposta natural é sim. Nem todo jogador de hóquei nascido em janeiro chega a atuar no nível profissional. Mas alguns conseguem fazer isso – os que têm talento. O sucesso é uma combinação de talento e preparação. O problema com essa forma de pensar é que, quanto mais a fundo os psicólogos analisam as carreiras dos talentosos, menor parece o papel desempenhado pelo talento e maior se mostra a importância da preparação.

No início da década de 1990, o psicólogo K. Anders Ericsson e dois colegas realizaram o estudo Exhibit A numa instituição de alto nível, a Academia de Música de Berlim. Com a ajuda dos professores, formaram três grupos com os violinistas da escola. No primeiro ficaram as estrelas, os alunos que tinham potencial para se tornar solistas de nível internacional. No segundo, foram reunidos aqueles considerados apenas "bons". No terceiro, estavam os estudantes que dificilmente chegariam a tocar como profissionais, mas que pretendiam se tornar professores de música. Todos eles tiveram que responder à seguinte pergunta: ao longo da sua carreira, quantas horas você praticou?

Todos os violinistas começaram a tocar mais ou menos na mesma época, em torno dos cinco anos de idade. Nessa fase inicial, praticavam por um tempo quase idêntico – duas a três horas por semana. Por volta dos oito anos, diferenças reais começaram a surgir. Os alunos que acabariam se revelando os melhores de suas turmas passaram a se dedicar mais do que todos os outros: seis horas por semana aos 9 anos, oito horas por semana aos 12 anos, 16 horas por semana aos 14 anos e cada vez mais. Aos 20 anos, estavam praticando – isto é, tocando de forma compenetrada com o objetivo de melhorar – bem mais do que 30 horas semanais. Nessa idade, os melhores músicos, os do primeiro grupo, haviam totalizado 10 mil horas de treinamento em sua vida; os meramente bons, 8 mil horas; e os futuros professores de música, pouco mais de 4 mil horas.

Ericsson e seus colegas compararam depois pianistas amadores com pianistas profissionais. Identificaram um padrão idêntico. Os amadores nunca haviam praticado mais do que cerca de três horas por semana durante a infância. Assim, aos 20 anos, totalizaram 2 mil horas de prática. Os profissionais, por outro lado, foram aumentando o tempo de treinamento a cada ano até que, aos 20 anos, chegaram também a 10 mil horas.

O fato surpreendente nesse estudo é que Ericsson e seus colegas não encontraram nenhum "talento natural" – músicos que tenham sido capazes de chegar ao topo sem esforço, praticando somente uma fração do tempo dos colegas. Eles também não identificaram alunos que, embora se empenhassem mais do que os outros, não tenham conseguido ficar entre os melhores. Essa pesquisa indicou que, quando uma pessoa tem capacidade suficiente para ingressar numa escola de música de alto nível, o que a distingue dos demais estudantes é seu grau de esforço. É exatamente isso. E mais: quem está no alto não apenas se dedica mais do que os outros – dedica-se *muito* mais.

A ideia de que a excelência em uma tarefa complexa requer um nível de prática mínimo está sempre ressurgindo em estudos de expertise. Na realidade, os pesquisadores chegaram ao que acreditam ser o número mágico para a verdadeira excelência: 10 mil horas.

"Essas pesquisas indicam que são necessárias 10 mil horas de prática para se atingir o grau de destreza pertinente a um expert de nível internacional – em qualquer atividade", diz o neurologista Daniel Levitin. "Em um estudo após o outro, de compositores, jogadores de basquete, escritores de ficção, esquiadores, pianistas, jogadores de xadrez, mestres do crime, seja o que for, esse número sempre ressurge. Dez mil horas equivalem a cerca de três horas por dia, ou 20 horas por semana, de treinamento durante 10 anos. É claro que isso não explica por que alguns indivíduos se beneficiam de suas sessões de preparação mais do que outros. Mas ninguém encontrou ainda um caso em que a excelência de nível internacional tenha sido alcançada em um prazo menor. Parece que o cérebro precisa desse tempo para assimilar tudo o que é necessário para atingir a verdadeira destreza."

Isso se aplica até a pessoas que consideramos prodígios. Mozart, por exemplo, é famoso por ter começado a compor aos seis anos. No entanto, veja o que escreve o psicólogo Michael Howe em *Genius Explained* (Desvendando o gênio):

> Pelos padrões de compositores experientes, as obras iniciais de Mozart não são excepcionais. As primeiras peças foram todas provavelmente escritas pelo pai, e talvez aperfeiçoadas no processo. Muitas das composições de infância de Wolfgang, como os primeiros sete concertos para piano e orquestra, são em grande parte arranjos para obras de outros músicos. Dos concertos que só contêm música original de Mozart, o mais antigo agora considerado uma obra-prima (Nº 9, K. 271) só foi criado quando ele tinha 21 anos. Àquela altura, Mozart vinha compondo concertos havia 10 anos.

O crítico musical Harold Schonberg vai ainda mais longe. Mozart, ele argumenta, teve um "desenvolvimento tardio", pois só produziu suas maiores obras depois de mais de 20 anos de prática.

Tornar-se um grande mestre do xadrez também parece exigir cerca de 10 anos de treinamento. (Somente o lendário Bobby Fischer alcançou um nível de excelência em menos tempo: levou nove anos.) E o que são 10 anos? Mais ou menos o prazo necessário para 10 mil horas de prática. Dez mil horas é o número mágico da grandeza.

Essa é a explicação do que existia de tão intrigante nas escalações das seleções esportivas tchecas e canadenses. Não havia praticamente ninguém naqueles times nascido após 1º de setembro, o que parece não fazer sentido. O lógico seria que houvesse ao menos alguns prodígios tchecos do hóquei e do futebol nascidos no final do ano que tivessem talento suficiente para atingirem o patamar superior como jovens adultos.

Para Ericsson e para todos os que se opõem à primazia do talento, porém, isso não é nem um pouco surpreendente. O prodígio nascido no final do ano não é escolhido para o time de primeira linha aos oito anos porque é pequeno demais. Assim, não obtém a prática extra. E, sem ela, não tem chance de já ter atingido as 10 mil horas quando os times profissionais de hóquei começam a procurar jogadores. E, sem as 10 mil horas em seu histórico, ele não consegue dominar as habilidades para atuar no nível superior. Mesmo Mozart – o maior prodígio musical de todos os tempos – só conseguiu atingir a plena forma com 10 mil horas. A prática não é aquilo que uma pessoa faz quando se torna boa em algo, mas aquilo que ela faz para se tornar boa em algo.

Outro aspecto interessante dessas 10 mil horas é que se trata de uma quantidade de tempo *enorme*. Para um adulto jovem, é quase impossível alcançar essa marca por conta própria. Ele precisa de pais que o incentivem e apoiem. Não pode ser pobre, porque, se tiver que trabalhar meio período para ajudar no orçamento, não lhe sobrará tempo suficiente para praticar. Na verdade, a maioria das pessoas só consegue atingir esse número ingressando em um programa especial – como uma equipe de elite do hóquei – ou obtendo algum tipo de oportunidade extraordinária que lhes dê a chance de cumprir todas essas horas.

3.

Voltando a Bill Joy. Estamos em 1971. Ele é alto, desengonçado e tem 16 anos. É o gênio da matemática, o tipo de aluno que instituições como o Massachusetts Institute of Technology (MIT), o California Institute of Technology (Caltech) e a Universidade de Waterloo atraem às centenas. "Quando Bill era um garotinho, ele queria saber tudo sobre todas as coisas, e naquela época nem deveria saber que queria saber", diz seu pai, William. "Respondíamos o que sabíamos. Quando não era possível, apenas lhe dávamos um livro." Joy se submeteu ao Scholastic Aptitude Test (SAT) – um exame padronizado aplicado a alunos do ensino médio que estão se candidatando à universidade – e obteve nota máxima na parte de matemática. "Não foi particularmente difícil", ele conta. "Houve tempo suficiente para conferir duas vezes."

Joy tem talento para dar e vender. Mas esse não é o único aspecto que conta. Nunca é. A chave para o seu desenvolvimento foi o fato de ele ter se deparado com aquele novo prédio na Beal Avenue.

No início da década de 1970, quando Joy estava aprendendo programação, os computadores eram do tamanho de salas. Uma única máquina – que talvez tivesse menos potência e memória do que um micro-ondas dos nossos dias – podia custar mais de US$1 milhão. Computadores eram raros. Mesmo quando se encontrava um, o acesso a ele era difícil. Quem conseguia pagava uma fortuna pelas horas de utilização.

Além disso, a programação em si era extremamente tediosa. Naquela época, os programas de computador eram criados em cartões de cartolina. Marcava-se cada linha de código com uma perfuradora. Um programa complexo poderia incluir centenas, se não milhares, de cartões, que eram agrupados em altas pilhas. Depois que um programa era perfurado, o programador o levava a um mainframe e entregava as pilhas a um operador, que se comprometia a executá-lo. Os computadores, no entanto, só conseguiam lidar com uma tarefa de cada vez. Por isso, dependendo do número de clientes à sua frente na fila, o programador esperava por horas ou até por um dia para pegar os cartões de volta. E, caso tivesse cometido um único erro, ainda que fosse de digitação, precisava apanhar o material, descobrir a falha e recomeçar todo o processo.

Naquelas circunstâncias, era dificílimo alguém se tornar especialista em programação. Com certeza, realizar essa façanha com pouco mais de 20 anos era praticamente impossível. Se uma pessoa só conseguia se dedicar à atividade de programação por alguns minutos em cada hora que passava na sala do computador, como poderia obter 10 mil horas de prática? "Trabalhar com cartões não nos ensinava a programar. O que aprendíamos com aquilo era ter paciência e revisar provas", recorda-se um cientista da computação daquela época.

Foi somente em meados da década de 1960 que surgiu uma solução para o problema. Os computadores se tornaram poderosos o bastante para lidar com mais de um "compromisso" de cada vez. Os cientistas da área constataram que, se o sistema operacional fosse reescrito, o tempo do computador poderia ser compartilhado, isto é, a máquina seria treinada para se ocupar de centenas de tarefas ao mesmo tempo. Graças a isso, os programadores não precisavam mais entregar fisicamente as pilhas de cartões ao operador. Era possível construir dezenas de terminais e ligá-los a um mainframe por uma linha telefônica, o que permitia que todos trabalhassem on-line e ao mesmo tempo.

Veja a seguir como um relato da época descreve a criação do tempo compartilhado.

> Aquilo não foi apenas uma revolução. Foi uma revelação. Esqueça o operador, as pilhas de cartões, a espera. Com o tempo compartilhado, a pessoa podia se sentar diante do teletipo, digitar uma série de comandos e logo receber a resposta ali mesmo. O tempo compartilhado era interativo: o programa solicitava uma resposta, aguardava até que fosse digitada, trabalhava nela e mostrava o resultado – tudo em "tempo real".

Nesse momento, entrou em cena a Universidade de Michigan, uma das primeiras instituições do gênero no mundo a adotar o tempo compartilhado. Em 1967, um protótipo do sistema estava em operação ali. No início da década de 1970, seu poder de processamento de dados já era suficiente para permitir que 100 programadores trabalhassem ao mesmo tempo no Centro de Computação. "Entre o final dos anos 1960 e o início da década seguinte, não creio que existisse outro lugar exatamente como Michigan", conta Mike Alexander, um dos pioneiros da criação do sistema de computação dessa universidade. "Talvez o MIT ou Carnegie Mellon e Dartmouth. Não creio que houvesse outros."

Aquela foi a oportunidade que saudou Bill Joy em sua chegada ao campus de Ann Arbor no outono de 1971. Ele não havia escolhido a Universidade de Michigan por causa dos computadores. Nem sequer lidara com essas máquinas no ensino médio. Estava interessado em matemática. Mas, quando foi contagiado pela mania da programação em seu ano de calouro, ele se encontrava – pelo mais feliz dos acasos – num dos poucos lugares do mundo onde alguém de 17 anos podia programar tudo o que quisesse.

"Sabe qual é a diferença entre os cartões de computador e o tempo compartilhado?", pergunta Joy. "É a diferença entre jogar xadrez pelo correio e o xadrez rápido." A programação já não era mais um exercício de frustração. Tornara-se *divertida*.

"Eu morava no campus norte, e o Centro de Computação era no campus norte", Joy conta. "O centro funcionava 24 horas. Geralmente, eu ficava por lá a noite toda e voltava a pé para casa de manhã. Numa semana normal, eu permanecia mais horas no Centro de Computação do que na sala de aula. Todos ali tinham o pesadelo recorrente de se esquecer de ir às aulas, de nem perceber que estavam matriculados. O desafio era que os estudantes tinham uma conta com uma quantia fixa de dinheiro para gastar durante um período estabelecido. Quando alguém se conectava, informava por quanto tempo pretendia usar o computador. Em geral, as pessoas indicavam uma hora, não mais do que isso. Mas alguém descobriu que, se informasse que o tempo era igual a uma letra, como *t* é igual a *k*, eles não conseguiam cobrar. Era um *bug* no software. Era possível digitar *t* é igual a *k* e ficar no computador pelo resto da vida."

Veja só com quantas oportunidades Bill Joy se deparou no caminho. Por ter ingressado numa universidade avançada como Michigan, obteve a chance de praticar num sistema de tempo compartilhado, e não com cartões perfurados; graças a um *bug* no sistema, podia ficar programando pelo tempo que desejasse; e, como a universidade estava disposta a gastar dinheiro para manter o Centro de Computação aberto 24 horas, tinha até a liberdade de virar a noite ali; e o fato de ter passado tantas horas programando o capacitou a reescrever o Unix quando o momento surgiu. Bill Joy era brilhante. Queria aprender. Tudo isso contribuiu para seu sucesso. No entanto, antes de se tornar um expert, alguém tinha que lhe dar a oportunidade de aprender *como* se tornar um.

"Em Michigan, eu passava 8 ou 10 horas por dia programando", ele prosseguiu. "Na época em que cheguei a Berkeley, fazia isso dia e noite. Eu tinha um terminal em casa. Ficava acordado até duas ou três da madrugada assistindo a filmes antigos e programando. Às vezes, adormecia no teclado, e você sabe como a tecla acionada vai se repetindo até emitir um alarme sonoro. Depois que isso acontece três vezes, é preciso ir para a cama. Eu ainda era relativamente inexperiente, mesmo quando cheguei a Berkeley. Só adquiri total domínio dessa atividade no segundo ano. Foi quando escrevi programas que continuam em uso até hoje, 30 anos depois." Ele parou por um momento para calcular de cabeça, o que, para Bill Joy, não leva muito tempo. Michigan em 1971. Programação para valer no segundo ano. Acrescente os verões, depois os dias e as noites do primeiro ano de Berkeley.

"Foram cinco anos", ele enfim disse. "E não comecei no dia em que ingressei em Michigan. Então foram mais ou menos umas 10 mil horas."

4.

Será que as 10 mil horas são a regra geral para o sucesso? Se investigarmos o que há por trás do êxito de todo grande realizador, encontraremos sempre algo equivalente ao Centro de Computação de Michigan ou ao time de elite de hóquei, isto é, alguma oportunidade especial de praticar?

Testemos a ideia com dois exemplos. Para simplificar, são bem conhecidos: os Beatles, uma das bandas de rock mais famosas de todos os tempos, e Bill Gates, um dos homens mais ricos do mundo.

Os Beatles – John Lennon, Paul McCartney, George Harrison e Ringo Starr – chegaram aos Estados Unidos em fevereiro de 1964, dando início à chamada "invasão britânica" no cenário musical americano e levando às paradas de sucesso uma série de discos que transformaram o perfil da música popular.

O fato interessante sobre os Beatles, para o nosso propósito, é saber há quanto tempo eles já estavam juntos na época em que chegaram aos Estados Unidos. Lennon e McCartney começaram a tocar em 1957, sete anos antes de pisarem em solo americano. (Aliás, o tempo decorrido entre a formação da banda e suas maiores realizações artísticas – comprovadamente *Sgt. Pepper's Lonely Heart's Club Band* e o Álbum Branco – foram 10 anos.) E, se analisarmos com bastante atenção todos aqueles anos de preparação, encontraremos uma experiência que, no contexto dos jogadores de hóquei, de Bill Joy e dos violinistas de nível internacional, soa bem familiar. Em 1960, quando ainda eram uma banda de rock do ensino fundamental, os Beatles foram convidados para tocar em Hamburgo, Alemanha.

"Naquela época, não existiam casas noturnas de rock and roll em Hamburgo, somente boates de striptease", conta Philip Norman, autor de *Shout!*, a biografia dos Beatles. "Havia um proprietário de boate chamado Bruno, originalmente um apresentador de parque de diversões. Ele teve a ideia de levar grupos de rock para tocar em diversas casas de shows. A fórmula era a seguinte: um espetáculo ininterrupto ao longo de horas, com um monte de pessoas entrando e outras tantas saindo. E as bandas tocando sem parar, a fim de atrair quem passava. Num bairro boêmio dos Estados Unidos, aquilo seria chamado de *"nonstop* striptease".

Segundo Norman, muitos grupos de rock que iam se apresentar em Hamburgo eram de Liverpool. "Foi obra do acaso. Bruno viajou para Londres à procura de bandas. No Soho, conheceu casualmente um empresário de Liverpool que estava na cidade. Esse senhor ficou de enviar algumas bandas para Hamburgo. Assim se formou a ligação. E os Beatles acabaram em contato não apenas com Bruno, mas com outros proprietários de boates. E voltaram várias vezes àquela cidade alemã, onde encontravam sempre muito álcool e sexo."

E o que havia de tão especial em Hamburgo? Não era o dinheiro – pagava-se mal ali. Nem uma acústica fantástica. Nem um público que conhecia e apreciava música. Era simplesmente a quantidade de tempo que a banda era forçada a tocar.

Vejamos o que John Lennon disse numa entrevista após a separação dos Beatles sobre as apresentações da banda em Hamburgo numa boate de striptease chamada Indra:

> Melhoramos e ficamos mais confiantes. Isso foi inevitável com aquela experiência de tocar durante toda a noite. Ter uma plateia estrangeira ajudou também. Precisávamos nos

esforçar ao máximo, colocar nosso coração e nossa alma naquilo para conseguirmos chegar ao fim.

Em Liverpool, só fazíamos sessões de uma hora e costumávamos apresentar nossos melhores números, sempre os mesmos, em cada show. Em Hamburgo, como tocávamos durante oito horas, precisamos realmente descobrir uma forma nova de fazer aquilo.

Oito horas?

Agora vamos ver o depoimento de Pete Best, o baterista dos Beatles na época:

> Depois que correu a notícia de que estávamos nos apresentando, a boate começou a atrair mais gente. Tocávamos sete noites por semana. No início, tocávamos quase sem parar até meia-noite e meia, quando a casa fechava as portas. Mas, à medida que fomos melhorando, as pessoas começaram a ficar até às duas da madrugada na maioria das vezes.

Sete dias por semana?

Os Beatles acabaram viajando para Hamburgo cinco vezes entre 1960 e o final de 1962. Na primeira viagem, tocaram 106 noites, cinco ou mais horas em cada uma delas. Na segunda, fizeram 92 shows. Na terceira, se apresentaram 48 vezes, totalizando 172 horas no palco. Os últimos espetáculos em Hamburgo, em novembro e dezembro de 1962, envolveram mais 90 horas de exibição. No total, eles tocaram 270 noites em apenas um ano e meio. Na época em que começaram a estourar, em 1964, já haviam se apresentado ao vivo cerca de 1.200 vezes. Você tem ideia de quanto isso é extraordinário? A maioria das bandas atuais não toca 1.200 vezes nem durante toda a carreira. A prova de Hamburgo foi o que fez com que os Beatles se destacassem dos demais grupos de rock.

"Em Hamburgo, eles não aprenderam apenas a ter resistência – tiveram que aprender também uma quantidade imensa de números: versões *cover* de tudo o que você possa imaginar, não apenas rock and roll, mas até um pouco de jazz. Eles não eram disciplinados no palco antes daquilo. No entanto, estavam tocando de um modo incomparável quando voltaram. Foi a formação deles", explica Norman.

5.

Vejamos agora a história de Bill Gates. Ela é quase tão conhecida quanto a dos Beatles. Um jovem prodígio da matemática descobre a programação de computadores. Sai da Universidade de Harvard. Com os amigos, cria uma pequena empresa de informática chamada Microsoft. Graças a uma pura combinação de talento, ambição e coragem, ele a transforma num gigante do mundo do software. Esse é o quadro geral. Agora vamos nos aprofundar um pouco.

O pai de Bill Gates era um próspero advogado de Seattle; e sua mãe, filha de um rico banqueiro. Gates foi um menino precoce que se entediava facilmente com os estudos. Por isso, seus pais o tiraram da escola pública e, no início da sétima série, enviaram-no para Lakeside, uma escola particular frequentada por crianças da elite da cidade. No seu segundo ano ali, foi criado um clube de informática.

"O Clube das Mães na escola promovia um bazar anual e havia sempre a dúvida de como aplicar o dinheiro arrecadado", diz Gates. "Parte dele era encaminhada para o programa de verão, destinado a crianças de comunidades carentes que iam para o campus. Outra parte era cedida aos professores. Naquele ano, eles investiram US$3 mil na compra de um terminal de computador que foi instalado numa salinha da qual acabamos nos apoderando. Era uma coisa espantosa."

Era uma "coisa espantosa", é claro, porque isso se passou em 1968. A maioria das faculdades não possuía clube de informática na década de 1960. Ainda mais incrível foi o tipo de computador que Lakeside adquiriu. A escola não fez seus alunos aprenderem programação pelo trabalhoso sistema dos cartões perfurados, como era comum na época. Em vez disso, instalou um equipamento chamado ASR-33 Teletype – um terminal de tempo compartilhado ligado a um mainframe no centro de Seattle. "A ideia de tempo compartilhado só foi inventada em 1965", prossegue Gates. "Alguém foi realmente visionário." Bill Joy teve uma extraordinária oportunidade de aprender programação no sistema de tempo compartilhado em 1971, quando era calouro na faculdade de Michigan. Bill Gates teve acesso à programação em tempo real *na oitava série em 1968*.

Daquele momento em diante, Gates passou a viver numa sala de computador. Ele e muitos outros colegas começaram a aprender a usar sozinhos aquele novo e estranho mecanismo. O tempo de utilização do mainframe ao qual o ASR estava ligado custava caro, mesmo para uma instituição rica como Lakeside. Assim, pouco tempo depois, os US$3 mil doados pelo Clube das Mães haviam se esgotado. Os pais arrecadaram mais dinheiro. Os alunos gastaram tudo. Foi quando um grupo de programadores da Universidade de Washington criou uma firma chamada Computer Center Corporation (ou C-Cubed, isto é, C ao cubo) que alugava horas de computador para as empresas locais. Por um golpe de sorte, uma de suas fundadoras, Monique Rona, tinha um filho em Lakeside, um ano à frente de Gates. Ela perguntou se o clube de informática da escola gostaria de testar programas de software da C-Cubed nos fins de semana em troca de tempo de programação grátis. Claro que sim! Depois da aula, Gates ia para a firma e ficava elaborando programas até altas horas da noite.

A C-Cubed acabou indo à falência, e Gates e seus amigos passaram a utilizar o centro de computação da Universidade de Washington. Logo descobriram uma empresa, a ISI (Information Sciences Inc.), que concordou em oferecer tempo de computador grátis em troca do trabalho dos rapazes no desenvolvimento de um software de automatização de folha de pagamento. Num período de sete meses em 1971, Gates e seus colegas acumularam 1.575 horas de computador no mainframe da ISI, uma média de oito horas por dia, sete dias por semana.

"Era minha obsessão", diz ele sobre seus primeiros anos na escola de ensino médio. "Eu faltava às aulas de Educação Física. Ia para a empresa à noite. Trabalhava com programação nos fins de semana. Era rara a semana em que não passávamos 20 ou 30 horas lá. Houve um episódio em que Paul Allen e eu nos encrencamos por roubar uma série de senhas e derrubar o sistema. Fomos expulsos. Não pude usar o computador durante todo o verão. Isso aconteceu quando eu tinha 15 ou 16 anos. Depois soube que Paul havia descoberto um computador na Universidade de Washington que podia ser usado de graça. Eles tinham essas máquinas no centro médico e no departamento de física. Ficavam ligadas 24 horas, mas com um grande período ocioso entre três e seis da manhã", Gates ri. "Eu saía escondido à noite, depois de já ter ido para a cama. Dava para ir a pé da minha casa à universidade. Às vezes até pegava um ônibus. É por este motivo que sou sempre tão generoso com a Universidade de Washington: eles me deixaram roubar muitas horas de computador." Anos depois, a mãe dele disse: "Sempre estranhamos por que era tão difícil para Bill se levantar de manhã."

Um dos fundadores da ISI, Bud Pembroke, foi então chamado pela empresa de tecnologia TRW, que acabara de assinar um contrato para criar um sistema de computadores na enorme usina de energia de Bonneville, no sul do estado de Washington. A TRW precisava desesperadamente de programadores familiarizados com o software específico utilizado pela companhia. Naqueles tempos pioneiros da revolução dos computadores, programadores com aquele tipo de experiência especializada eram difíceis de encontrar. Mas Pembroke sabia muito bem quem chamar: aqueles rapazes da escola secundária de Lakeside que haviam passado milhares de horas no mainframe da ISI. Gates, agora no último ano, conseguiu convencer seus professores a deixá-lo ir a Bonneville sob o pretexto de realizar um projeto de estudo independente. Ali passou a primavera escrevendo programas sob a supervisão de John Norton, que, segundo ele, foi uma das pessoas com quem mais aprendeu essa atividade.

Aqueles anos, da oitava série até o fim do ensino médio, representaram a Hamburgo de Bill Gates. E, em todos os aspectos, ele foi agraciado com uma série de oportunidades ainda mais extraordinárias do que Bill Joy.

E o que todas essas oportunidades tiveram em comum? Elas deram a Bill Gates tempo extra para praticar. Quando deixou Harvard após o segundo ano para criar sua própria empresa de software, Gates vinha programando sem parar por sete anos consecutivos. Ele havia ultrapassado *bastante* as 10 mil horas. Quantos adolescentes tiveram esse mesmo tipo de experiência? "Se existiram 50 em todo o mundo, eu me espantaria", diz ele. "Houve a C-Cubed e o trabalho para a ISI com a folha de pagamento. Depois a TRW. Tudo isso veio junto. Acredito que meu envolvimento com a criação de softwares durante a juventude foi maior do que o de qualquer outra pessoa naquele período, e tudo graças a uma série incrivelmente favorável de eventos."

6.

Se juntarmos as histórias dos jogadores de hóquei, a dos Beatles, a de Bill Joy e a de Bill Gates, acredito que obteremos um quadro mais completo do caminho para o sucesso. Joy, Gates e os Beatles foram inegavelmente talentosos. Lennon e McCartney possuíam aquele tipo de dom musical que só aparece uma vez a cada geração. E não podemos nos esquecer de que Bill Joy tinha uma mente tão ágil que conseguiu criar um algoritmo complicado às pressas, deixando seus professores espantados. Isso é óbvio.

Mas o que de fato distingue as histórias dessas pessoas não é seu talento fantástico, e sim as oportunidades extraordinárias que tiveram. Os Beatles, pela mais aleatória das razões, receberam convites para tocar em Hamburgo. Sem essa experiência, a banda poderia perfeitamente ter tomado outro rumo. "Tive muita sorte", Bill Gates admitiu no início da nossa entrevista. Isso não quer dizer que ele não seja brilhante nem um empresário extraordinário. Significa apenas que entende a sorte que teve por estar em Lakeside em 1968. Todos os *outliers* que analisamos até agora foram favorecidos por alguma oportunidade incomum. Golpes de sorte não costumam ser exceção entre bilionários do software, celebridades do rock e astros dos esportes. Pelo contrário, parecem constituir a regra.

Darei um exemplo final das oportunidades ocultas das quais as pessoas fora de série se beneficiam. Suponha que vamos fazer outra versão da análise do calendário dos jogadores de hóquei, agora examinando os anos de nascimento em vez dos meses. Para começar, veja com atenção a lista a seguir das 75 pessoas mais ricas da história da humanidade, compilada recentemente pela revista *Forbes*. O patrimônio líquido de cada uma delas foi calculado em dólares atuais. Essa relação inclui tanto reis, rainhas e faraós de séculos passados quanto bilionários contemporâneos, como Warren Buffett e Carlos Slim Helú.

Nº Nome	Riqueza em bilhões dólares	Origem	Empresa ou fonte da riqueza
1. John D. Rockefeller	318,3	Estados Unidos	Standard Oil
2. Andrew Carnegie	298,3	Escócia	Carnegie Steel Company
3. Nicolau II da Rússia	253,5	Rússia	Casa dos Romanov
4. William Henry Vanderbilt	231,6	Estados Unidos	Chicago, Burlington and Quincy Railroad
5. Osman Ali Khan, Asaf Jah VII	210,8	Hiderabade	Monarquia
6. Andrew W. Mellon	188,8	Estados Unidos	Gulf Oil
7. Henry Ford	188,1	Estados Unidos	Ford Motor Company
8. Marco Licinio Crasso	169,8	República Romana	Senado Romano
9. Basílio II	169,4	Império Bizantino	Monarquia
10. Cornelius Vanderbilt	167,4	Estados Unidos	NewYork and Harlem Railroad
11. Alanus Rufus	166,9	Inglaterra	Investimentos
12. Amenófis III	155,2	Egito Antigo	Faraó
13. William de Warenne	153,6	Inglaterra	1º Conde de Surrey
14. William II da Inglaterra	151,7	Inglaterra	Monarquia
15. Elizabeth I	142,9	Inglaterra	Casa dos Tudor
16. John D. Rockefeller, Jr.	141,4	Estados Unidos	Standard Oil
17. Sam Walton	128,0	Estados Unidos	Wal-Mart
18. John Jacob Astor	115,0	Alemanha	American Fur Company
19. Odo de Bayeux	110,2	Inglaterra	Monarquia
20. Stephen Girard	99,5	França	First Bank of the United States

21. Cleópatra	95,8	Egito Antigo	Herança dos Ptolomeus
22. Stephen Van Rensselaer III	88,8	Estados Unidos	Rensselaerswyck Estate
23. Richard B. Mellon	86,3	Estados Unidos	Gulf Oil
24. Alexander Turney Stewart	84,7	Irlanda	Long Island Rail Road
25. William Backhouse Astor, Jr.	84,7	Estados Unidos	Herança
26. Don Simon Iturbi Patiño	81,2	Bolívia	Mina de estanho Huanuni
27. Sultão Hassanal Bolkiah	80,7	Brunei	Kral
28. Frederick Weyerhaeuser	80,4	Alemanha	Weyerhaeuser Corporation
29. Moses Taylor	79,3	Estados Unidos	Citibank
30. Vincent Astor	73,9	Estados Unidos	Herança
31. Carlos Slim Helú	72,4	México	Telmex
32. T.V. Soong	67,8	China	Banco Central da China
33. Jay Gould	67,1	Estados Unidos	Union Pacific
34. Marshall Field	66,3	Estados Unidos	Marshall Field and Company
35. George F. Baker	63,6	Estados Unidos	Central Railroad of New Jersey
36. Hetty Green	58,8	Estados Unidos	Seaboard National Bank
37. Bill Gates	58,0	Estados Unidos	Microsoft
38. Lawrence Joseph Ellison	58,0	Estados Unidos	Oracle Corporation
39. Richard Arkwright	56,2	Inglaterra	Derwent Valley Mills
40. Mukesh Ambani	55,8	Índia	Reliance Industries
41. Warren Buffett	52,4	Estados Unidos	Berkshire Hathaway
42. Lakshmi Mittal	51,0	Índia	Mittal Steel Company

43. J. Paul Getty	50,1	Estados Unidos	Getty Oil Company
44. James G. Fair	47,2	Estados Unidos	Consolidated Virginia Mining Company
45. William Weightman	46,1	Estados Unidos	Merck & Company
46. Russell Sage	45,1	Estados Unidos	Western Union
47. John Blair	45,1	Estados Unidos	Union Pacific
48. Anil Ambani	45,0	Índia	Reliance Communications
49. Leland Stanford	44,9	Estados Unidos	Central Pacific Railroad
50. Howard Hugues Jr.	43,4	Estados Unidos	Hughes Tool Company, Hughes Aircraft Company, Summa Corporation, TWA
51. Cyrus Curtis	43,2	Estados Unidos	Curtis Publishing Company
52. John Insley Blair	42,4	Estados Unidos	Delaware, Lackawanna and Western Railroad
53. Edward Henry Harriman	40,9	Estados Unidos	Union Pacific Railroad
54. Henry H. Rogers	40,9	Estados Unidos	Standard Oil Company
55. Paul Allen	40,0	Estados Unidos	Microsoft, Vulcan Inc.
56. John Kluge	40,0	Alemanha	Metropolitan Broadcasting Company
57. J. P. Morgan	39,8	Estados Unidos	General Electric, US Steel
58. Oliver H. Payne	38,8	Estados Unidos	Standard Oil Company
59. Yoshiaki Tsutsumi	38,1	Japão	Seibu Corporation
60. Henry Clay Frick	37,7	Estados Unidos	Carnegie Steel Company
61. John Jacob Astor IV	37,0	Estados Unidos	Herança

62. George Pullman	35,6	Estados Unidos	Pullman Company
63. Collis Potter Huntington	34,6	Estados Unidos	Central Pacific Railroad
64. Peter Arrell Brown Widener	33,4	Estados Unidos	American Tobacco Company
65. Philip Danforth Armour	33,4	Estados Unidos	Armour Refrigerator Line
66. William S. O'Brien	33,3	Estados Unidos	Consolidated Virginia Mining Company
67. Ingvar Kamprad	33,0	Suécia	IKEA
68. K. P. Singh	32,9	Índia	DLF Universal Limited
69. James C. Food	32,5	Estados Unidos	Consolidated Virginia Mining Company
70. Li Ka-shing	32,0	China	Hutchison Whampoa Limited
71. Anthony N. Brady	31,7	Estados Unidos	Brooklyn Rapid Transit
72. Elias Hasket Derby	31,4	Estados Unidos	Navegação
73. Mark Hopkins	30,9	Estados Unidos	Central Pacific Railroad
74. Edward Clark	30,2	Estados Unidos	Singer Sewing Machine Company
75. Príncipe Al-Waleed bin Talal	29,5	Arábia Saudita	Kingdom Holding Company

Sabe o que é interessante na lista? Dos 75 nomes, nada menos do que 14 são de americanos nascidos num período de nove anos em meados do século XIX. Pense nisso por um momento. Os historiadores começam com Cleópatra e os faraós e varrem cada ano da história humana desde então, procurando por exemplos de extraordinária riqueza em todos os cantos do mundo. No resultado, constatam que quase 20% dos nomes compilados vêm de uma só geração em um único país.

Veja a lista desses americanos e suas datas de nascimento:

1. John D. Rockefeller, 1839.
2. Andrew Carnegie, 1835.
28. Frederick Weyerhaeuser, 1834.
33. Jay Gould, 1836.
34. Marshall Field, 1834.
35. George F. Baker, 1840.
36. Hetty Green, 1834.
44. James G. Fair, 1831.
54. Henry H. Rogers, 1840.
57. J. P. Morgan, 1837.
58. Oliver H. Payne, 1839.
62. George Pullman, 1831.
64. Peter Arrell Brown Widener, 1834.
65. Philip Danforth Armour, 1832.

O que significa isso? A resposta torna-se óbvia quando pensamos a respeito. Nas décadas de 1860 e 1870, a economia americana passou, provavelmente, pelas maiores transformações da sua história. Foi quando se construíram as ferrovias e que Wall Street emergiu. Naquela época, a produção industrial começou de verdade. Todas as normas que regiam o funcionamento da economia tradicional foram então rompidas e refeitas. O que essa lista revela é que a idade das pessoas teve uma importância real quando essa mudança ocorreu.

Quem nasceu no final da década de 1840 perdeu a chance – era jovem demais para tirar proveito daquele momento. Os que nasceram na década de 1820 eram velhos demais – sua mentalidade fora moldada pelo paradigma pré-Guerra Civil. Mas houve um intervalo específico e curto de nove anos que foi perfeito para mostrar o potencial que o futuro prometia. Os 14 componentes dessa lista tiveram visão e talento. No entanto, também receberam uma oportunidade extraordinária, assim como acontece hoje com os jogadores de futebol e hóquei nascidos em janeiro, fevereiro e março.[1]

Agora façamos o mesmo tipo de análise com pessoas como Bill Joy e Bill Gates.

Se você conversar com veteranos do Vale do Silício, eles dirão que o momento mais importante na história da revolução do computador pessoal, ou PC, foi janeiro de 1975. Nessa época, a revista *Popular Electronics* publicou uma matéria de capa sobre uma máquina extraordinária chamada Altair 8800. Era uma engenhoca que custava US$397 e podia ser montada em casa. A manchete dizia: "Projeto revolucionário! Primeiro Kit de Minicomputador do Mundo a Competir com os Modelos Comerciais."

Para os leitores da revista, que na época era a Bíblia do emergente mundo do software e dos computadores, aquela manchete foi uma revelação. Até então, os computadores eram os enormes e caros mainframes, como o do Centro de Computação da Universidade de Michigan. Todo programador e aficionado da eletrônica sonhava com o dia em que surgiria uma máquina suficientemente pequena e barata para uma pessoa comum usar e ter. Aquele dia enfim chegara.

---

[1] O sociólogo C. Wright Mills faz uma observação adicional sobre aquele grupo especial da década de 1830. Ele examinou os antecedentes da elite empresarial americana da era colonial ao século XX. Na maioria dos casos, descobriu que os líderes empresariais, como é de se esperar, tendem a ter antecedentes privilegiados. A única exceção? Aquele grupo da década de 1830. Foi grande a vantagem de ter nascido naquela década, o único período na história americana em que as pessoas de origem humilde tiveram uma chance realista de se tornarem ricas. Ele escreve: "Um rapaz pobre que ambicionasse o sucesso no mundo dos negócios não poderia ter nascido numa época melhor em toda a história dos Estados Unidos do que em torno do ano de 1835."

Se janeiro de 1975 foi o despontar da era do PC, quem estaria em melhor posição para tirar vantagem disso? Aplicam-se aqui os mesmos princípios da era de John Rockefeller e Andrew Carnegie.

"Quem era muito velho em 1975 provavelmente já havia conseguido um emprego na IBM ao sair da faculdade – e o pessoal que começava nessa empresa tinha enorme dificuldade em fazer a transição para um mundo novo", diz Nathan Myhrvold, durante anos um alto executivo da Microsoft. "Era uma organização multibilionária produzindo mainframes. Quem fazia parte dela, pensava: 'Para que perder tempo com esses ridículos computadores pequenos?' Para essas pessoas, aquilo era o setor de informática e não tinha nada a ver com a revolução dos PCs. Elas se deixaram cegar por uma visão única da computação. Embora ganhassem um bom salário, nenhuma delas teria a oportunidade de se tornar bilionária e exercer um impacto no mundo."

Quem tinha se formado muitos anos antes de 1975 pertencia ao paradigma antigo. Teria acabado de comprar uma casa. Estaria casado, a mulher prestes a ter um bebê. Não estaria em condições de trocar um bom emprego e o fundo de pensão por um fantasioso kit de computador de US$397. Portanto, vamos excluir todos aqueles nascidos, digamos, antes de 1952.

Ao mesmo tempo, a pessoa não poderia ser jovem demais. Para começar desde o princípio, exatamente em 1975, ela já deveria ter concluído o ensino médio. Portanto, vamos deixar de fora também qualquer um nascido após 1958. A idade perfeita para se ter em 1975 seria, em outras palavras: ser velho o suficiente para fazer parte daquela revolução, mas não tanto a ponto de tê-la perdido. O ideal seria ter 20 ou 21 anos, o que significaria ter nascido em 1954 ou 1955.

Existe uma forma fácil de testar essa teoria. Quando foi que Bill Gates nasceu?

Bill Gates: 28 de outubro de 1955.

Essa é a data de nascimento perfeita. Gates é como o jogador de hóquei nascido em 1º de janeiro. Seu melhor amigo em Lakeside foi Paul Allen. Ele também ficava na sala do computador e compartilhou aquelas longas noites na ISI e na C-Cubed. Allen foi fundador da Microsoft com Bill Gates. Quando foi que ele nasceu?

Paul Allen: 21 de janeiro de 1953.

O terceiro homem mais rico da Microsoft é aquele que vem dirigindo a empresa desde 2000, um dos executivos mais respeitados do mundo do software: Steve Ballmer. Sua data de nascimento?

Steve Ballmer: 24 de março de 1956.

Não podemos nos esquecer de um homem tão famoso quanto Gates: Steve Jobs, o cofundador da Apple Computer. Ele não nasceu numa família rica, como Gates, nem foi para Michigan, como Joy. Mas não precisamos investigar muito sua trajetória para perceber que ele também teve sua Hamburgo. Jobs cresceu em Mountain View, Califórnia, ao sul de São Francisco, o epicentro do Vale do Silício. Seu bairro estava repleto de engenheiros da Hewlett-Packard, que já era uma das empresas de eletrônica mais importantes do mundo. Na adolescência, ele percorria os mercados de pulgas de Mountain View, onde aficionados e técnicos de eletrônica vendiam peças sobressalentes. Jobs atingiu a maioridade respirando o ar do setor que viria a dominar.

Veja a seguir um parágrafo de *Milionário por acaso*, uma das várias biografias de Jobs, que dá uma ideia de quanto suas experiências na juventude foram extraordinárias.

Jobs assistia a palestras noturnas de cientistas da Hewlett-Packard. As apresentações eram sobre os avanços mais recentes em eletrônica, e Jobs, adotando um estilo que era uma marca registrada de sua personalidade, agarrava pelo colarinho os engenheiros da Hewlett-Packard para extrair informações adicionais. Certa vez, chegou a chamar Bill Hewlett, um dos fundadores da empresa, para solicitar peças. Além de receber o que pedira, Jobs conseguiu um emprego de verão. Ele trabalhou numa linha de montagem de computadores e ficou tão fascinado que tentou projetar seu próprio...

Alto lá! *Bill Hewlett forneceu-lhe peças sobressalentes?* Isso se compara a Bill Gates obtendo acesso ilimitado a um terminal de tempo compartilhado aos 13 anos. É como se você fosse um jovem interessado em moda e, por acaso, Giorgio Armani se tornasse seu vizinho. E quando foi que Jobs nasceu?

Steve Jobs: 24 de fevereiro de 1955.

Outro pioneiro da revolução do software foi Eric Schmidt. Ele dirigiu a Novell, uma das mais importantes empresas desse setor no Vale do Silício. Em 2001 tornou-se CEO do Google. Data de nascimento?

Eric Schmidt: 27 de abril de 1955.

É claro que não estou afirmando que todo magnata do software do Vale do Silício nasceu em 1955. Alguns não nasceram, assim como nem todo titã dos negócios nos Estados Unidos é de meados da década de 1830. Mas existem padrões evidentes, e o impressionante é que estamos muito pouco dispostos a conversar sobre eles. Fingimos que o sucesso é uma questão de mérito individual, porém nada nas trajetórias que analisamos sugere que os fatos sejam tão simples assim. Essas são histórias de pessoas que receberam uma oportunidade especial de trabalhar muito e a agarraram e que, por acaso, estavam entrando na maioridade numa época em que aquele esforço extraordinário era recompensado pela sociedade. Seu sucesso não foi criado só por elas. Foi o produto do mundo onde cresceram.

Voltando a Bill Joy. Se ele fosse um pouquinho mais velho naquela época e tivesse precisado enfrentar a chatice de programar com cartões, teria preferido estudar ciências – é o que ele mesmo diz. Bill Joy, o grande nome do universo dos computadores, teria sido Bill Joy, o biólogo. E, caso tivesse chegado alguns anos mais tarde, a pequena janela que lhe deu a chance de escrever o código de suporte à internet teria se fechado. Quando nasceu Bill Joy?

Bill Joy: 8 de novembro de 1954.

Após sua passagem por Berkeley, Joy foi em frente até se tornar um dos quatro fundadores da Sun Microsystems, uma das mais antigas e importantes empresas de software do Vale do Silício. E, se você ainda pensa que acasos de tempo, lugar e nascimento não importam tanto assim, veja a seguir as datas de nascimento dos outros três fundadores dessa organização.

Scott McNealy: 13 de novembro de 1954.
Vinod Khosla: 28 de janeiro de 1955.
Andy Bechtolsheim: 30 de setembro de 1955.

CAPÍTULO 3

O problema com os gênios – parte 1

"SABER O QI DE UM RAPAZ POUCO IMPORTA QUANDO SE ESTÁ DIANTE DE UMA GRANDE QUANTIDADE DE RAPAZES INTELIGENTES."

1.

No quinto episódio da temporada de 2008, o programa de perguntas e respostas da televisão americana *1 vs. 100* recebeu como convidado especial um homem chamado Christopher Langan.

O *1 vs. 100* tem uma plateia permanente de 100 pessoas comuns que atuam como a chamada "multidão". Toda semana esses participantes competem com um convidado especial. Em jogo, US$1 milhão. O convidado tem que ser inteligente o bastante para responder corretamente a mais perguntas do que seus 100 adversários – e nisso poucos pareceram tão gabaritados quanto Christopher Langan, de 50 anos.

Naquela noite, o apresentador Bob Saget anunciou que a multidão enfrentaria seu concorrente mais difícil até o momento, considerado por muitos o homem mais inteligente dos Estados Unidos. "O QI das pessoas normais é 100", informou ele. "O de Einstein era 150. O de Chris é 195. Seu cérebro poderoso está desenvolvendo uma teoria do universo. Mas será que essa inteligência superdotada conseguirá derrotar a multidão por US$1 milhão?"

Langan subiu ao palco em meio a aplausos entusiásticos.

— Você acredita que precisa de um superintelecto para se dar bem neste programa? — perguntou Saget, lançando um olhar espantado para Langan, como se este fosse algum espécime de laboratório.

— Na verdade, acho que isso pode atrapalhar — Langan respondeu. — Para possuir um QI alto, a pessoa tende a se especializar, a ter pensamentos profundos e a evitar trivialidades desse tipo. Mas agora que estou vendo essas pessoas — ele encarou a multidão, seu olhar divertido revelando quanto considerava ridículos aqueles procedimentos — acho que me sairei bem.

Nos últimos 10 anos, Chris Langan alcançou uma espécie estranha de fama. Tornou-se a face pública do gênio na vida americana, uma celebridade fora de série. Convidado a participar de programas de atualidades e abordado por revistas, foi o tema de um documentário do cineasta Errol Morris — tudo por causa de um cérebro que parece desafiar qualquer descrição.

O programa *20/20* certa vez contratou um neuropsicólogo para submeter Langan a um teste de QI. Seu resultado ficou literalmente fora do gráfico — muito alto para ser medido com precisão. Em outra ocasião, Langan fez um teste de QI criado para pessoas inteligentes demais para as avaliações comuns de QI. Ele acertou todas as perguntas, exceto uma.[1] Aos seis meses já sabia falar. Com três anos, ouvia no rádio aos domingos o locutor ler em voz alta as tiras em quadrinhos enquanto acompanhava o texto em seu próprio jornal, até aprender sozinho a ler. Aos cinco anos, começou a fazer perguntas ao avô sobre a existência de Deus — e lembra que se decepcionou com as respostas.

---

[1] O teste de "superQI" foi criado por Ronald K. Hoeflin, que também tem um QI anormalmente elevado. Veja um exemplo de pergunta da seção de analogias verbais. "Dente está para Galinha assim como Ninho está para?" Você quer saber a resposta? Infelizmente nem desconfio.

Na escola, Langan conseguia se sair muito bem em testes de idiomas que nunca havia estudado. E mais: se tivesse a chance de dar uma olhada na matéria por dois ou três minutos antes da chegada do professor, acertava todas as questões. No início da adolescência, quando trabalhava numa fazenda, começou a ler tudo o que encontrava sobre física teórica. Aos 16 anos, conseguiu decifrar uma obra-prima reconhecidamente intrincada – *Principia Mathematica*, de Bertrand Russell e Alfred North Whitehead. Obteve nota máxima no SAT – um exame padronizado aplicado a alunos do ensino médio que estão se candidatando à universidade –, embora tenha adormecido a certa altura do teste.

"Ele se dedicava à matemática por uma hora", seu irmão Mark conta sobre a rotina das férias de verão de Langan durante o ensino médio. "Depois estudava francês também por uma hora. Em seguida, russo. Quando acabava, lia filosofia. Fazia aquilo religiosamente, todo santo dia."

Outro de seus irmãos, Jeff, diz: "Quando Christopher tinha cerca de 14 anos, costumava desenhar coisas só de brincadeira, e pareciam fotografias. Aos 15 anos, imitava Jimi Hendrix perfeitamente na guitarra. Christopher matava metade das aulas. Aparecia apenas nos testes, e ninguém podia fazer nada em relação a isso. Para nós, era muito engraçado. Ele conseguia assimilar a matéria de um semestre inteiro em apenas dois dias. Em seguida, resolvia o que tinha que resolver e, depois, retomava o que estava fazendo antes."[2]

---

[2] Para se ter uma ideia de como deve ter sido Chris Langan na infância, veja a descrição de um menino chamado "L" com um QI no mesmo nível que o dele. O relato consta de um estudo de Leta Stetter Hollingworth, uma das primeiras psicólogas a estudar crianças excepcionalmente dotadas. Como o texto deixa claro, um QI 200 é de fato muito alto: "A erudição do jovem L era espantosa. Sua paixão por precisão e minúcias fixou um alto padrão de realização. Relativamente grande, robusto e capaz de causar admiração, orgulhava-se do apelido de Professor. Suas atitudes e habilidades eram apreciadas pela maioria dos alunos e mestres. Era co-

No cenário do *1 vs. 100*, Langan mostrou-se seguro e confiante. Não ficou fazendo rodeios em torno dos temas para encontrar a expressão certa nem voltando atrás para reafirmar uma frase anterior. Aliás, ele não disse "hum" e "ah" nem lançou mão de nenhum dos recursos que costumamos usar para suavizar a fala: suas frases surgiam marchando, uma após a outra, elegantes e decididas como soldados numa parada. Cada pergunta que Saget lançava em sua direção, ele atirava para o lado como se fosse algo trivial. Quando seu prêmio atingiu US$250 mil, Langan pareceu fazer um cálculo de que os riscos de perder tudo eram, àquela altura, maiores do que os benefícios potenciais de continuar. Subitamente, parou. "Fico com o dinheiro", declarou. Com um firme cumprimento de mão, despediu-se de Saget e encerrou sua participação – saindo vitorioso, como achamos que sempre acontece com os gênios.

2.

Logo após a Primeira Guerra Mundial, Lewis Terman, um jovem professor de Psicologia da Universidade de Stanford, conheceu um adolescente chamado Henry Cowell. Esse jovem crescera em meio à pobreza e ao caos. Não recebia nenhum ensino formal

---

mum permitirem que falasse por até uma hora sobre um tema especial, como história dos relógios, teorias antigas da construção de motores, matemática e história. Ele construiu com quinquilharias (como carretéis de fita de máquina de escrever) uma versão simplificada de um relógio de pêndulo para ilustrar princípios da cronometria. Seus cadernos eram maravilhas de exposição acadêmica. Insatisfeito com o que considerou um tratamento inadequado das viagens terrestres numa aula sobre Transportes, concordou que o tempo era limitado demais para se abordar tudo. Mas insistiu que 'pelo menos deveriam ter mencionado a teoria antiga'. Como projeto extra e voluntário, 'levou para a turma elaborados desenhos e descrições de teorias antigas sobre motores, locomotivas, etc.'. Naquela época, tinha 10 anos."

desde os sete anos, pois tinha dificuldade em se relacionar com crianças da sua idade, e trabalhava como faxineiro numa pequena escola primária perto do campus. Algumas vezes, Cowell dava um jeito de escapar do trabalho para tocar piano na escola. E a música que se ouvia era linda.

A especialidade de Terman era elaborar testes de inteligência. Uma de suas criações foi o Stanford-Binet, teste-padrão de QI que milhões de pessoas fariam em todo o mundo nos 50 anos seguintes. Ele decidiu testar o QI de Cowell. "Esse rapaz deve ser inteligente", pensou – e tinha razão. Cowell revelou um QI superior a 140, o nível de genialidade. Terman ficou fascinado. E imaginou quantos diamantes brutos existiriam por ali.

Começou a procurar por outros. Conheceu uma menina de 19 meses que já sabia o alfabeto, além de outra que, aos quatro anos, lia Dickens e Shakespeare. Encontrou um rapaz que fora expulso da faculdade de Direito porque os professores não acreditavam que era possível um ser humano reproduzir precisamente, de memória, longas passagens de opiniões jurídicas.

Em 1921, Terman decidiu fazer do estudo dos superdotados o trabalho de sua vida. Munido de uma subvenção generosa da Commonwealth Foundation, reuniu uma equipe de pesquisadores de campo e os enviou a escolas primárias da Califórnia. Eles solicitaram aos professores que indicassem os estudantes mais brilhantes das turmas. Os alunos mencionados foram submetidos a testes de inteligência. Os que se classificaram entre os 10% com melhores resultados realizaram um segundo teste de QI. As crianças que alcançaram mais de 130 nesse exame fizeram um terceiro teste. Desse conjunto de resultados Terman selecionou as mais capazes e mais brilhantes. Quando concluiu a pesquisa, havia testado cerca de 250 mil estudantes dos níveis fundamental e médio – 1.470 deles apresentavam QI superior a 140, alguns chegando a 200. Esse grupo de jovens gênios passou a ser conhecido como "Térmites"* (cupins) e foi objeto do que se tornaria um dos estudos psicológicos mais célebres da história.

Pelo resto da vida, Terman zelou por seus gênios. Eles foram rastreados e testados, medidos e analisados. Suas realizações acadêmicas foram anotadas; os casamentos, acompanhados; as doenças, tabuladas; a saúde psicológica, mapeada. E cada promoção ou mudança de emprego, devidamente assinalada. Terman os apoiava redigindo cartas de recomendação para empregos e cursos universitários. Fornecia-lhes um fluxo constante de orientações e conselhos, registrando todas as suas descobertas em grossos volumes vermelhos intitulados *Genetic Studies of Genius* (Estudos genéticos de gênios).

"Nada num indivíduo é tão importante quanto o QI, exceto talvez a ética", disse Terman. Em relação àqueles com QI elevadíssimo, sua expectativa era a seguinte: "Devemos esperar a produção de líderes que promovam a ciência, a arte, a política, a educação e o bem-estar social em geral." À medida que seus pupilos ficavam mais velhos, Terman divulgava seus novos progressos, relatando suas realizações extraordinárias. "É quase impossível" – escreveu ele empolgado quando seus gênios estavam no ensino médio – "ler uma matéria de jornal sobre qualquer espécie de competição ou atividade com a participação de rapazes e moças da Califórnia sem encontrar entre os vitoriosos os nomes de um ou mais [...] membros do nosso grupo." Terman pediu a críticos literários que comparassem textos dos superdotados que possuíam mais talento artístico aos primeiros textos de escritores famosos. Não identificaram nada de diferente. Todos os sinais indicavam, segundo ele, pessoas com potencial para "alçar grandes voos". Terman acreditava que suas Térmites estavam destinadas a ser a futura elite dos Estados Unidos.

---

* *Termites*, em inglês, num jogo de palavras com Terman. (N. do T.)

Muitas das suas ideias continuam sendo a base do modo como entendemos o sucesso. As escolas oferecem programas para os superdotados. As universidades americanas de elite muitas vezes requerem que os candidatos passem por um teste de inteligência (como o SAT). Empresas de alta tecnologia, como a Microsoft e o Google, avaliam meticulosamente as capacidades cognitivas dos candidatos a emprego partindo do mesmo pressuposto: estão convencidas de que aqueles no alto da escala do QI possuem maior potencial. (A Microsoft é conhecida por submeter os candidatos a uma bateria de perguntas para testar sua inteligência. Uma delas é clássica: "Por que as tampas de poços de inspeção são redondas?" Quem não sabe a resposta para essa questão não é inteligente o bastante para trabalhar na Microsoft.)[3]

Se eu tivesse poderes mágicos e me oferecesse para aumentar seu QI em 30 pontos, você aceitaria, não é? Provavelmente acredita que isso o ajudaria a progredir. E, quando ouvimos falar de alguém como Chris Langan, nossa reação instintiva é idêntica à que Terman teve quando conheceu Henry Cowell há quase um século. Sentimos admiração. Os gênios são os supremos *outliers*. Sem dúvida, nada consegue deter uma pessoa dessas.

Mas será que isso é verdade?

Até este ponto, vimos que as realizações extraordinárias resultam mais das oportunidades do que do talento. Neste capítulo, quero aprofundar o motivo disso, examinando o *outlier* em sua forma mais pura e destilada: o gênio. Durante anos, nos baseamos em pessoas como Terman quando queríamos entender a importância de uma inteligência elevada. Mas, como veremos, Terman cometeu um erro. Ele estava equivocado sobre as Térmites e, caso topasse com o jovem Chris Langan decifrando o *Principia Ma-*

---

[3] A resposta é que uma tampa redonda não cai dentro do poço, por mais que se tente. Uma cobertura retangular poderia cair – basta incliná-la.

thematica aos 16 anos, se enganaria a respeito dele pelo mesmo motivo. Terman não entendeu o que é um verdadeiro *outlier*, erro que continuamos cometendo até hoje.

3.

Um dos testes de inteligência mais utilizados é chamado de Matrizes Progressivas de Raven. Não requer habilidade linguística nem um conjunto específico de conhecimentos adquiridos. Trata-se de uma avaliação das habilidades de raciocínio abstrato. Um teste de Raven típico consiste de 48 itens, cada um deles mais difícil do que o anterior, e o QI é calculado pelo número de respostas certas.

A seguir uma questão do tipo que se costuma encontrar em um teste de Raven.

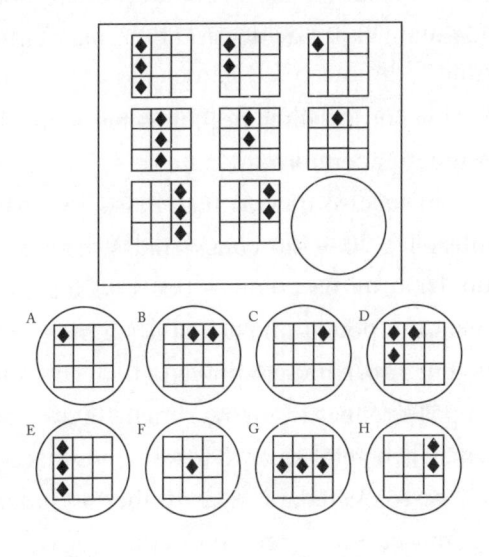

Entendeu? Suponho que sim. A resposta certa é C. Mas tente esta pergunta agora. É a última e mais difícil do teste.

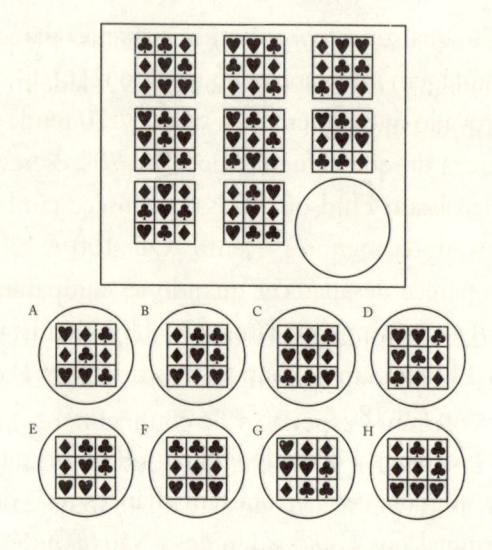

A resposta certa é A. Tenho que confessar, porém, que não acertei essa questão, e suponho que a maioria das pessoas também erre. Chris Langan certamente acertaria – quando afirmamos que pessoas assim são brilhantes, queremos dizer que elas têm uma mente capaz de decifrar enigmas como a segunda pergunta.

Ao longo dos anos, muitas pesquisas tentaram descobrir de que maneira o desempenho num teste de QI como o de Raven se transforma em sucesso na vida real. Pessoas na base da escala – com QI inferior a 70 – são consideradas deficientes mentais. Um resultado 100 está na média – nos Estados Unidos, talvez seja preciso ficar um pouquinho acima dessa marca para cursar a faculdade. No entanto, para ser aprovado numa competitiva seleção para uma pós-graduação, provavelmente é necessário um QI 115, pelo menos. Em geral, quanto maior a pontuação alcançada, mais tempo a pessoa estudará, mais dinheiro tenderá a ganhar e – acredite se quiser – mais tempo viverá.

Mas existe um fato curioso. A relação entre sucesso e QI só funciona até certo ponto. Depois que alguém alcança um QI em torno de 120, quaisquer pontos adicionais não parecem se converter em vantagem mensurável no mundo real.[4]

"Está provado que alguém com um QI 170 tende mais a pensar com clareza do que alguém cujo QI é 70", escreveu o psicólogo britânico Liam Hudson. "E isso acontece também no caso de intervalos ainda menores – entre QIs 100 e 130. Contudo, essa relação parece desaparecer quando se comparam duas pessoas com QIs relativamente altos. [...] Um cientista experiente com um QI 130 tem tantas chances de ganhar um Prêmio Nobel quanto um com QI 180."

O que Hudson está dizendo é que o QI se assemelha à altura no basquete. Alguém com 1,70m tem chances reais de jogar basquete profissional nos Estados Unidos? Não. É necessário medir pelo menos 1,82m ou 1,85m para chegar a pensar nisso e, em condições normais, é provavelmente melhor ter 1,88m do que 1,85m e melhor medir 1,92m do que 1,88m. Mas, a partir de certo ponto, a altura já não importa tanto. Um jogador de 2,03m não é automaticamente mais eficiente do que outro 5cm mais baixo. (Michael

---

[4] O psicólogo Arthur Jensen expressou exatamente essa ideia em seu livro de 1980 *Bias in Mental Testing* (Tendências em testes mentais). Na página 113 ele diz: "Em termos pessoais e sociais, os quatro limiares mais importantes na escala do QI são aqueles que diferenciam, com grande probabilidade, pessoas que, dado seu nível de habilidade mental geral, conseguem ou não: frequentar uma escola comum (QI em torno de 50), dominar as matérias tradicionais do ensino fundamental (QI em torno de 75), acompanhar o currículo acadêmico ou preparatório para o vestibular do ensino médio (QI em torno de 105), graduar-se numa faculdade de quatro anos (credenciada) com notas que permitam ingressar num curso de graduação ou de pós-graduação (QI em torno de 115). Além desse ponto, o nível do QI torna-se relativamente irrelevante em termos de aspirações profissionais e critérios de sucesso comuns. Isso não quer dizer que não haja diferenças reais entre as capacidades intelectuais representadas pelos QIs 115 e 150 ou mesmo entre os QIs 150 e 180. No entanto, as distinções de QI nessa parte superior da escala têm bem menos implicações pessoais do que os limites que acabamos de descrever e costumam ser menos importantes para o sucesso no sentido popular do que certos traços de personalidade e caráter."

Jordan, o maior jogador de todos os tempo mede 1,98m.) Um jogador de basquete precisa apenas ser alto o *suficiente* – e o mesmo se dá com a inteligência – ela também possui um limite.

Como vimos, o QI de Langan é 30% mais alto do que o de Einstein. Mas isso não significa que Langan seja 30% *mais inteligente* do que ele. Essa conclusão seria ridícula. Tudo o que podemos dizer é que, quando se trata de pensar em temas difíceis, como física, ambos são *suficientemente* inteligentes.

A ideia de que o QI possui um limite parece, no entanto, ir contra a nossa intuição. Tendemos a acreditar, por exemplo, que os ganhadores do Prêmio Nobel devem ter os maiores QIs imagináveis – devem ter passado no vestibular com as notas mais altas, ganhado todas as bolsas de estudos disponíveis e frequentado as melhores universidades.

Mas, se verificarmos onde os últimos 25 americanos a ganhar o Prêmio Nobel em Medicina se graduaram a partir de 2007, veremos que nem todos eles frequentaram as universidades que costumam receber os melhores estudantes do ensino médio nos Estados Unidos. A lista de instituições a seguir mostra que, embora alguns deles tenham se formado no MIT, em Yale e em Columbia, há também os que se diplomaram em DePauw, Holy Cross e Gettysburg College. No geral, trata-se de *boas* universidades.

Antioch College
Brown University
UC Berkeley
Universidade de Washington
Columbia University
Case Institute of Technology
MIT
Caltech
Universidade de Harvard

Hamilton College
Universidade da Carolina do Norte
DePauw University
Universidade da Pensilvânia
Universidade de Minnesota
Universidade de Notre Dame
Johns Hopkins University
Yale University
Union College, Kentucky
Universidade de Illinois
Universidade do Texas
Holy Cross
Amherst College
Gettysburg College
Hunter College

Dentro do mesmo espírito, veja que faculdades cursaram os últimos 25 americanos que ganharam o Prêmio Nobel de Química:

City College de Nova York
City College de Nova York
Stanford University
Universidade de Dayton, Ohio
Rollins College, Flórida
MIT
Grinnell College
MIT
McGill University
Georgia Institute of Technology
Ohio Wesleyan University
Rice University
Hope College

Brigham Young University
Universidade de Toronto
Universidade de Nebraska
Dartmouth College
Universidade de Harvard
Berea College
Augsburg College
Universidade de Massachusetts
Universidade do Estado de Washington
Universidade da Flórida
Universidade da Califórnia, Riverside
Universidade de Harvard

Para ganhar o Prêmio Nobel, uma pessoa tem que ser, aparentemente, inteligente o bastante para ingressar em uma faculdade que tenha pelo menos um nível tão bom quanto a Notre Dame ou a Universidade de Illinois. Basta isto.[5]

Trata-se de uma ideia radical, certo? Suponhamos que uma adolescente americana possa ingressar em duas universidades: Harvard e Georgetown, em Washington D. C. Qual delas ela escolheria? Suponho que Harvard, porque esta é uma universidade "melhor". Seus alunos obtêm pontuações 10 a 15% mais altas no vestibular.

No entanto, como estamos investigando a inteligência, a ideia de que as universidades podem ser classificadas, como atletas

---

[5] Para esclarecer: continua sendo verdade que a Universidade de Harvard forma mais ganhadores do Prêmio Nobel do que qualquer outra universidade. Veja as listas. Harvard figura em ambas várias vezes. Uma instituição como Holy Cross aparece somente uma vez. Mas não seria de esperar que instituições como Harvard conquistassem muito mais Prêmios Nobel? Afinal, essa é a universidade mais rica e de maior prestígio da história e possui uma seleção dos mais brilhantes estudantes de graduação do mundo.

numa corrida, não faz sentido. Os alunos de Georgetown podem não ser tão inteligentes, numa escala absoluta, quanto os de Harvard. Mas todos são suficientemente inteligentes. E vencedores do Prêmio Nobel vêm tanto de instituições como Georgetown quanto de Harvard.

O psicólogo Barry Schwartz propôs que as universidades de elite abandonem seus complexos processos de admissão e façam simplesmente um sorteio entre todos acima do limite: "Agrupem as pessoas em duas categorias – as capacitadas e as não capacitadas. As primeiras entram no sorteio. As não capacitadas são rejeitadas." Schwartz admite que sua ideia não tem nenhuma chance de ser aceita. Ainda assim, ele está certo. Como escreveu Hudson (que fez sua pesquisa em internatos ingleses de elite para rapazes, nas décadas de 1950 e 1960): "Saber o QI de um rapaz pouco importa quando se está diante de uma grande quantidade de rapazes inteligentes."[6]

Vou dar outro exemplo, talvez ainda mais contundente, do efeito limite em ação. A faculdade de Direito da Universidade de Michigan – como muitas instituições educacionais de elite dos Estados Unidos – adota uma política de ação afirmativa em relação aos candidatos menos favorecidos. Cerca de 10% dos estudantes que se matriculam nessa instituição a cada outono são membros de minorias raciais. A faculdade de Direito estima que,

---

[6] Para se ter uma ideia do absurdo que se tornou o processo de seleção nas principais universidades americanas, considere a seguinte estatística. Em 2008, 27.462 alunos se candidataram à Universidade de Harvard. Desses estudantes, 2.500 tiveram a pontuação máxima de 800 no teste de leitura crítica do SAT e 3.300 alcançaram a nota máxima no exame de matemática do SAT. Mais de 3.300 eram os melhores alunos de suas turmas. Quantos deles Harvard aceitou? Cerca de 1.600, o que significa que rejeitaram 93 de cada 100 candidatos. É possível dizer racionalmente que determinado estudante com um histórico acadêmico perfeito pertence a Harvard e que outro não? Claro que não. Harvard está sendo desonesta. Schwartz tem razão. Deviam fazer apenas um sorteio.

se não reduzisse substancialmente as exigências para o ingresso desses alunos – admitindo-os apesar das notas mais baixas no ensino médio e nos testes padronizados –, essa porcentagem seria inferior a 3%. Além disso, quando se comparam as notas entre os alunos que pertencem às minorias e os demais na faculdade de Direito, os estudantes brancos apresentam os melhores resultados. Isso não surpreende: se um grupo obtém notas mais altas no ensino médio e nos testes de admissão, é quase certo que se sairá melhor também na faculdade. Por isso os programas de ação afirmativa são tão controvertidos. Na verdade, uma acusação contra o programa de ação afirmativa da Universidade de Michigan foi parar na Suprema Corte. Para muitas pessoas, parece preocupante que uma instituição educacional de elite aceite estudantes menos qualificados do que seus colegas.

Alguns anos atrás, porém, a Universidade de Michigan decidiu averiguar como os estudantes pertencentes às minorias da faculdade de Direito se saíam depois de se formar. Quanto dinheiro ganhavam? Qual era seu progresso na profissão? Em que medida estavam satisfeitos com as carreiras? Que contribuições sociais e comunitárias davam? Que tipos de prêmios conquistavam? Examinou-se tudo o que pudesse indicar o sucesso no mundo real. E a descoberta foi surpreendente.

"Sabíamos que muitos desses nossos ex-alunos estavam se saindo bem", diz Richard Lempert, um dos autores do estudo de Michigan. "Nossa expectativa era encontrar um copo pela metade ou dois terços cheio, isto é, constatar que eles não eram tão bem-sucedidos quanto os estudantes brancos, embora alguns tivessem tido sucesso. Mas ficamos completamente surpresos. Vimos que eles estavam obtendo grande êxito também. Em nenhum lugar encontramos uma discrepância séria."

O que Lempert está dizendo é que, pelo único indicador com que uma faculdade de Direito deveria se importar – o sucesso de seus diplomados no mundo real –, os alunos pertencentes às minorias não são menos qualificados. Eles alcançam o mesmo sucesso que seus colegas brancos. E por quê? Porque, embora as credenciais acadêmicas dos que compõem as minorias de Michigan sejam piores do que as dos alunos brancos, a qualidade dos estudantes da faculdade de Direito é alta o suficiente para que eles *ainda estejam acima do limite*. Eles são inteligentes o bastante. Saber as notas dos alunos de Direito faz pouca diferença quando se está diante de uma sala cheia de estudantes de Direito inteligentes.

4.

Agora vamos avançar um passo com a ideia do limite. Se a inteligência só importa até certo ponto, então a partir desse patamar outros fatores – que não têm nada a ver com a inteligência – devem começar a pesar mais. Novamente, é como o basquete: uma vez que a pessoa tenha altura suficiente, elementos diferentes passam a ser considerados, como a velocidade, o posicionamento na quadra, a agilidade, o domínio e o toque de bola.

Portanto, quais poderiam ser alguns desses outros elementos? Suponhamos que, em vez de medir seu QI, eu o submeta a um teste diferente.

Escreva o máximo de aplicações diferentes que você consegue imaginar para os seguintes objetos:

1. um tijolo
2. um cobertor

Esse é um exemplo do que se denomina de "teste de divergência" (em oposição a um teste como o de Raven, em que a solicitação é examinar uma lista de possibilidades e *convergir* para a resposta certa). Ele requer que você use a imaginação e leve a mente ao máximo de direções diferentes. Um teste dessa natureza não possui, obviamente, uma única resposta certa. O que ele busca é o número e a originalidade das respostas. E o que ele mede não é a inteligência analítica, mas um traço bem distinto: algo bem mais próximo da criatividade. Os testes de divergência são tão desafiadores quanto os de convergência. Se você não acredita nisso, desafio-o a fazer o teste do tijolo e do cobertor agora mesmo.

Veja, por exemplo, as respostas ao teste da "utilização dos objetos" que Liam Hudson obteve de um estudante chamado Poole numa importante escola inglesa de ensino médio:

> Tijolo – Para quebrar uma vitrine e roubar a loja. Para ajudar a manter uma casa de pé. Para usar num jogo de roleta-russa, caso se queira manter a forma ao mesmo tempo (tijolos a 10 passos, virar e arremessar – nenhuma ação evasiva é permitida). Para prender um edredom na cama, colocando um tijolo em cada canto. Para quebrar garrafas de Coca-Cola vazias.
>
> Cobertor – Para usar numa cama. Como cobertura para o sexo ilícito na floresta. Como uma tenda. Para fazer sinais de fumaça. Como uma vela de barco ou cobertura de carroça. Para substituir uma toalha. Como alvo de tiro para pessoas míopes. Para salvar pessoas que estejam saltando de arranha-céus em chamas.

Lendo as respostas de Poole, é fácil ter uma ideia de como sua mente funciona. Ele é engraçado. É um pouco subversivo e libidinoso. Tem dom para o drama. Salta da imagística violenta para o sexo, pessoas se atirando de arranha-céus em chamas e questões bem práticas, como prender um edredom na cama. Ele dá a impressão de que, se tivesse mais 10 minutos, bolaria 20 outras utilidades.[7]

Agora, apenas para comparar, vejamos as respostas de outro estudante da amostra de Hudson. Seu nome é Florence. Hudson conta que Florence é um prodígio, com um dos maiores QIs da escola.

> Tijolo – Construir coisas, atirar.
> Cobertor – Aquecer, abafar o fogo, amarrar em árvores e dormir nele (como rede), maca improvisada.

Onde está a imaginação de Florence? Ele identificou as aplicações mais comuns e funcionais de tijolos e cobertores e, simplesmente, parou. O fato de que seu QI é superior ao de Poole não representa nada, pois esses dois estudantes estão acima do limite. O que importa é que a mente de Poole consegue saltar da imagística violenta para o sexo e, depois, para pessoas se atirando de prédios, sem perder nada, e a de Florence não faz isso. Qual desses dois alunos você considera mais capacitado para o tipo de trabalho brilhante e imaginativo que conquista prêmios Nobel?

Esse é o segundo motivo por que os ganhadores de prêmios Nobel vêm da Holy Cross assim como de Harvard – Harvard não seleciona seus alunos com base em seu desempenho no teste das "utilidades do tijolo". Também é o segundo motivo por que

---

[7] Veja as respostas de outro estudante, talvez até melhores do que as de Poole: "Tijolo – Para quebrar vitrines e roubar as mercadorias; para avaliar a profundidade de poços; para usar como munição ou pêndulo; para praticar entalhe; para erguer muros; para demonstrar o Princípio de Arquimedes; para usar como parte de uma escultura abstrata, lastro ou peso; para afundar coisas num rio; para utilizar como martelo; para manter uma porta aberta; para limpar o sapato; para ser pedra de calçamento, escora ou peso de balança; para equilibrar uma mesa; para servir de peso de papel; para fechar uma toca de coelho."

a Faculdade de Direito de Michigan não conseguiu encontrar diferença entre os graduados da ação afirmativa e o restante dos alunos. Ser um advogado de sucesso não requer apenas QI. É preciso também ter o tipo de mente fértil de Poole, trabalhar com afinco como Bill Joy e ser ambicioso como um vencedor do Prêmio Nobel. E o fato de os estudantes das minorias de Michigan terem notas mais baixas nos testes de convergência não significa que não possuam esses outros traços cruciais em abundância.

5.

Esse foi o erro de Terman. Ele se empolgou porque suas Térmites estavam no pináculo absoluto da escala intelectual – no 99º percentil do 99º percentil – sem perceber que esse fato aparentemente extraordinário significava tão pouco.

Na época em que as Térmites atingiram a idade adulta, o erro de Terman tornou-se evidente. Algumas dessas pessoas publicaram livros e artigos acadêmicos ou prosperaram nos negócios. Muitas se candidataram a cargos públicos – havia dois juízes de suprema corte, um juiz de corte municipal, dois membros do legislativo da Califórnia e uma autoridade pública proeminente. No entanto, poucos daqueles gênios eram figuras de projeção nacional. Eles tendiam a ganhar um bom salário, mas não *tão* bom assim. A maioria seguiu profissões consideradas comuns, e um número surpreendente acabou em carreiras que até Terman considerou totais fracassos. Não havia um único vencedor do Prêmio Nobel naquele grupo de gênios exaustivamente selecionado. Na realidade, seus pesquisadores de campo rejeitaram, entre os alunos do ensino fundamental, dois futuros prêmios Nobel – William Shockley e Luis Alvarez –, porque seus QIs não eram altos o suficiente.

Em uma crítica devastadora, o sociólogo Pitirim Sorokin mostrou certa vez que, se Terman tivesse apenas reunido de modo aleatório crianças com os antecedentes familiares idênticos aos das Térmites – mas sem os QIs –, acabaria obtendo um grupo capaz de fazer quase todas as coisas impressionantes que seus gênios selecionados realizavam. "Não há nada extra em termos de imaginação ou de padrões da genialidade que mostre que o 'grupo de superdotados' como um todo é superdotado", constatou Sorokin. Na conclusão do quarto volume de *Genetic Studies of Genius*, de Terman, a palavra "gênio" praticamente desapareceu – exceto no título. "Vimos, com uma ponta de decepção, que intelecto e realização estão longe da correlação perfeita", afirmou Terman.

Em outras palavras, o que eu contei no início deste capítulo sobre a inteligência extraordinária de Chris Langan é irrelevante se quisermos entender as suas chances de ser bem-sucedido no mundo. De fato, ele possui uma mente em um milhão, com a impressionante habilidade de decifrar os *Principia Mathematica* aos 16 anos. É verdade que suas frases surgem marchando, uma após a outra, elegantes e decididas como soldados numa parada. Mas e daí? Se queremos entender suas chances de sucesso no mundo, precisamos saber muito mais sobre ele do que isso.

CAPÍTULO 4

O problema com os gênios – parte 2

"APÓS NEGOCIAÇÕES PROLONGADAS,
FICOU COMBINADO QUE ROBERT
SERIA SUSPENSO."

1.

A mãe de Chris Langan era de São Francisco e foi afastada da família. Teve quatro filhos, cada um deles de um pai diferente. Chris era o mais velho. Seu pai desapareceu antes que Chris nascesse. Dizem que morreu no México. O segundo marido de sua mãe foi assassinado. O terceiro suicidou-se. O quarto foi um jornalista malsucedido chamado Jack Langan.

"Até hoje nunca conheci ninguém que fosse tão pobre na infância quanto nós éramos", conta Chris Langan. "Não tínhamos sequer duas meias que combinassem. Nossos sapatos eram cheios de furos. Nossas calças também. Tínhamos apenas uma muda de roupa. Lembro que meus irmãos e eu íamos ao banheiro lavar nossa única roupa na banheira. E fazíamos isso completamente nus porque não tínhamos mais nada para vestir."

Jack Langan se embriagava de vez em quando e sumia. Trancava o armário da cozinha, deixando os meninos sem comida. Os castigos eram à base de chicote de couro. Conseguia empregos e depois os perdia, mudando-se com a família para outra cidade. Houve um verão em que eles viveram numa reserva indígena, numa tenda, sobrevivendo à base de creme de amendoim e farinha de milho fornecidos pelo governo. Moraram por um tempo em Virginia City, Nevada. "Só havia um policial na cidade. Quando os Hell's Angels apareciam, ele se agachava e se escondia na sua sala", Mark Langan se recorda. "Havia um bar ali, sempre me lembrarei. Chamava-se Saloon Balde de Sangue."

Quando os meninos estavam na escola fundamental, a família mudou-se para Bozeman, Montana. Um dos irmãos de Chris passou um período sob cuidados de outra família. Outro foi enviado a um reformatório por traficar drogas.

"Acho que a escola nunca percebeu o talento de Christopher. Ele, com certeza, não ficava se exibindo. Bozeman era assim naquela época, uma pequena cidade caipira. Diferente do que é hoje. Não fomos bem tratados lá. Cismaram que éramos um bando de vagabundos", diz o irmão Jeff. Para defender a si mesmo e os irmãos, Chris começou a se exercitar com pesos. Um dia, Jack Langan maltratou os meninos, como costumava fazer às vezes, e Chris, então com 14 anos, o nocauteou. Jack partiu e nunca mais voltou. Quando Chris concluiu o nível médio lhe ofereceram duas bolsas de estudo, uma para o Reed College, no Oregon, e a outra para a Universidade de Chicago. Ele escolheu o Reed College.

"Aquilo foi um grande erro. Passei por um verdadeiro choque cultural. Eu era um rapaz com cabelo à escovinha que trabalhava como peão de fazenda nos verões em Montana. De repente me vi em meio a um bando de mauricinhos cabeludos, a maioria de Nova York. Eles tinham outro estilo de vida. Eu nem conseguia falar na sala de aula, enquanto eles faziam perguntas o tempo todo. Fiquei num dormitório apinhado. Éramos quatro lá, e os três outros caras tinham um modo de viver diferente. Fumavam maconha. Levavam as namoradas para o quarto. Eu nunca tinha fumado maconha antes. Assim, basicamente passei a me esconder na biblioteca", lembra-se Chris.

Tempos depois, ele perdeu a bolsa de estudos. "Minha mãe teria que preencher uma declaração de ajuda financeira para a renovação da bolsa. Ela não deu importância àquilo. Ficou confusa com as exigências ou algo parecido. Quando fui à secretaria perguntar, uma pessoa disse: 'Ninguém enviou a declaração de ajuda financeira, e nós distribuímos toda a verba das bolsas, acabou. Sinto muito, mas você não tem mais bolsa aqui.' Assim era aquele lugar. Simplesmente não se importavam. Não estavam nem aí para os alunos. Não havia orientação, acompanhamento, nada."

Chris deixou Reed antes dos exames finais, o que resultou numa fileira de notas F (deficiente) no boletim. No primeiro semestre, havia obtido notas A (excelente). Voltou para Bozeman e trabalhou na construção civil e como bombeiro florestal por um ano e meio. Depois se matriculou na Montana State University.

"Eu estava fazendo cursos de matemática e filosofia. No trimestre do inverno, estava morando a 21km de distância da cidade, em Beach Hill Road, e a transmissão do meu carro havia quebrado. Eu não tinha dinheiro para o conserto. Expliquei o problema para o meu orientador e para o reitor. Minhas aulas eram às sete e meia e às oito e meia da manhã. Se pudessem me transferir para os horários da tarde, eu ficaria grato. Um vizinho fazendeiro me daria uma carona às 11h. Meu orientador era um sujeito com aparência de caubói, bigode espesso com pontas viradas, jaqueta de *tweed*. Ele disse: 'Depois de olhar seu histórico no Reed College, vejo que você ainda tem que aprender que todos precisam fazer sacrifícios para obter instrução. Pedido negado.' Diante daquilo, fui ao reitor. Mesmo tratamento", recorda-se Langan.

Sua voz fica tensa. Embora estivesse narrando acontecimentos de 30 anos atrás, a lembrança ainda o enfurecia. "Naquele ponto percebi: eu estava me matando para ganhar dinheiro e poder voltar a estudar. Embora estivéssemos em meio ao inverno de Montana, estava disposto a pegar carona até à cidade todos os dias – a fazer o que fosse preciso – para ir à faculdade e voltar. Mas eles não estavam querendo fazer nada por mim. Banana para eles. Foi quando resolvi viver sem o sistema de educação superior. Mesmo que não conseguisse me virar sem ele, não dava para suportá-lo, era repugnante. Então simplesmente caí fora da faculdade."

As experiências de Chris Langan em Reed e em Montana State representaram um divisor de águas em sua vida. Quando criança, sonhara em se tornar um acadêmico. Ele *deveria* ter obtido um Ph.D. As universidades são instituições estruturadas – em grande parte – para pessoas com esse profundo tipo de interesse e curiosidade intelectual. "Como ele tinha conseguido chegar ao ambiente universitário, acreditei de verdade que fosse prosperar. Pensei que Chris encontraria um nicho. Não fez nenhum sentido para mim quando ele abandonou aquilo", diz seu irmão Mark.

Sem diploma superior, Langan passou por dificuldades. Prestou serviços na construção civil. Num inverno gelado, trabalhou num barco de coleta de mariscos em Long Island. Aceitou empregos em fábricas e cargos subalternos no serviço público. Acabou se tornando segurança num bar em Long Island, sua profissão principal durante grande parte da vida adulta. Enquanto isso, continuava aprofundando as leituras de filosofia, matemática e física ao mesmo tempo que desenvolvia um tratado prolixo que denominou "Modelo Teórico Cognitivo do Universo". Mas, como ele não possui credenciais acadêmicas, teme que esse trabalho jamais seja publicado numa revista científica.

"Sou um cara com um ano e meio de faculdade", ele diz, com um gesto de derrota. "Em determinado momento, isso será percebido pelo editor, pois ele vai pegar o artigo e enviar para os examinadores, e os examinadores vão consultar meu histórico e dizer: 'Esse cara só tem um ano e meio de faculdade. Como ele pode saber sobre o que está falando?'"

Uma história comovente. Perguntei a Langan, em certo ponto, se ele aceitaria um emprego na Universidade de Harvard – hipoteticamente – caso lhe oferecessem. "É uma pergunta difícil", ele respondeu. "É claro que sim. Como professor titular em Harvard, eu seria levado em consideração. Minhas ideias teriam peso e eu poderia usar meu cargo para promovê-las. Uma instituição dessas é uma grande fonte de energia intelectual, e, se eu estivesse num lugar assim, poderia absorver a vibração no ar." Ficou claro de imediato quanto sua existência havia sido solitária. Um homem com um apetite insaciável por aprender, forçado durante grande parte da vida adulta a permanecer intelectualmente isolado. "Cheguei a observar esse tipo de energia intelectual no ano e meio em que estive na faculdade. As ideias estão sempre no ar. É um lugar muito estimulante", diz ele.

Por outro lado, Chris também faz críticas: "Harvard é uma instituição glorificada, que tem incentivos lucrativos. Por isso ela é assim. Recebe uma dotação de bilhões de dólares. Seus dirigentes não estão necessariamente em busca da verdade e do conhecimento. Eles querem ser figurões. Se uma pessoa aceita pagamento desse pessoal, haverá sempre um conflito entre o que ela quer fazer e sente que está certo e o que eles dizem que ela tem que fazer para receber outro pagamento. Quando alguém está lá, eles ficam controlando. Ficam de olho para que a pessoa não saia da linha."

2.

O que a história de Langan nos diz? As suas explicações, por mais comoventes, são também um tanto estranhas. Sua mãe se esquece de preencher a declaração de ajuda financeira e ele perde a bolsa. Tenta mudar de horário – algo que os estudantes vivem fazendo – e não obtém permissão. Por que todos em Reed e Montana State foram tão indiferentes às suas dificuldades? Os professores normalmente adoram mentes brilhantes como a dele. Langan fala sobre essas duas instituições de ensino como se elas fossem um tipo de burocracia governamental enorme e inflexível. Mas as faculdades – sobretudo pequenas faculdades de artes liberais como Reed – tendem a não ser burocracias rígidas. Os professores vivem fazendo concessões para ajudar os alunos a permanecerem ali.

Mesmo na sua discussão sobre Harvard, é como se Langan não tivesse noção da cultura e das particularidades das instituições sobre as quais conversa. "Se uma pessoa aceita pagamento desse pessoal, haverá sempre um conflito entre o que ela quer fazer e sente que está certo e o que eles dizem que ela tem que fazer para receber outro pagamento", diz ele. O quê? Um dos principais motivos que levam os professores universitários americanos a aceitar um salário inferior ao que conseguiriam no setor privado é que a vida universitária lhes proporciona a liberdade de fazer o que querem e o que sentem que está certo. Langan não entende nada de Harvard.

Quando ele me contou sua história, não pude deixar de pensar na vida de Robert Oppenheimer, o físico que se notabilizou por encabeçar o esforço americano para desenvolver a bomba nuclear durante a Segunda Guerra Mundial. Oppenheimer, pelo que se diz, foi uma criança com uma mente muito parecida com a de Langan. Seus pais o consideravam um gênio. Um dos seus professores lembrou que "ele recebia cada ideia nova como perfeitamente bonita". Na terceira série fazia experimentos de laboratório; na quinta, já estudava física e química. Aos nove anos, certa vez propôs a um primo: "Faça uma pergunta em latim que responderei em grego."

Depois de estudar em Harvard, ele foi para a Universidade de Cambridge fazer doutorado em física. Ali, Oppenheimer, que lutou contra a depressão a vida inteira, desesperou-se. Seu dom era por física teórica, e seu instrutor, um homem chamado Patrick Blackett (que ganharia um Prêmio Nobel em 1948) forçava-o a acompanhar as minúcias da física experimental, que ele odiava. Sua instabilidade emocional foi aumentando até que, num gesto tão tresloucado que até hoje ninguém entendeu direito, Oppenheimer apanhou substâncias químicas do laboratório e tentou envenenar o instrutor.

Blackett, felizmente, descobriu que algo estava errado. A universidade foi informada. Oppenheimer foi repreendido. E o que aconteceu em seguida é tão inacreditável quanto o próprio crime. Veja como o incidente é relatado em *American Prometheus* (O Prometeu americano), a biografia de Oppenheimer, escrita por Kai Bird e Martin Sherwin: "Após negociações prolongadas, foi combinado que Robert seria suspenso e teria sessões regulares com um psiquiatra proeminente de Harley Street, em Londres."

Suspensão?

Aqui temos dois jovens estudantes muito brilhantes que se deparam com um problema que põe em risco suas carreiras acadêmicas. A mãe de Langan perdeu o prazo para a sua ajuda financeira. Oppenheimer tentou envenenar seu professor. Para continuar, eles têm que apelar à autoridade. E o que acontece? Langan perde a bolsa de estudos, enquanto Oppenheimer é enviado ao psiquiatra. Oppenheimer e Langan podem ser ambos gênios. Mas, em outros aspectos, não poderiam ser mais diferentes.

A história da nomeação de Oppenheimer como diretor científico do Projeto Manhattan, 20 anos depois, talvez seja um exemplo ainda melhor dessa diferença. O general incumbido desse programa era Leslie Groves, e ele esquadrinhou o país tentando encontrar a pessoa certa para liderar o esforço da bomba atômica. Pela lógica, Oppenheimer tinha poucas chances. Com apenas 38 anos, era mais jovem do que muitas das pessoas que teria que dirigir. Era um teórico, e aquele cargo exigia engenheiros e especialistas em experimentos. Suas afiliações políticas eram duvidosas – possuía vários amigos comunistas. Talvez mais importante, nunca tivera nenhuma experiência administrativa. "Era um sujeito nada prático", um dos amigos de Oppenheimer disse tempos depois. "Ele andava com sapatos surrados e um chapéu engraçado. O pior de tudo é que não sabia nada sobre equipamentos." Nas palavras mais sucintas de um cientista de Berkeley: "Ele não saberia gerenciar uma barraca de hambúrgueres."

Ah, e, por acaso, *tentou matar seu professor* no curso de pós-graduação. Esse era o currículo do candidato ao que poderia ser considerado – sem exagero – um dos cargos mais importantes do século XX. E o que aconteceu? O mesmo que ocorrera 20 anos antes em Cambridge: ele fez com que o resto do mundo visse as coisas à sua maneira.

Mais um trecho do livro de Bird e Sherwin: "Oppenheimer entendeu que Groves guardava a entrada do Projeto Manhattan, por isso exibiu todo o seu charme e brilho. Foi uma atuação irresistível. Groves ficou impressionado: 'Ele é um verdadeiro gênio', disse a um repórter." Groves graduara-se em Engenharia no MIT. A grande ideia de Oppenheimer foi apelar para esse lado do general. Prosseguem Bird e Sherwin: "Oppenheimer foi o primeiro cientista encontrado por Groves em sua viagem [em busca de candidatos potenciais] a perceber que o desenvolvimento de uma bomba atômica envolvia a descoberta de soluções práticas para uma série de questões interdisciplinares. [...] Groves viu-se assentindo com a cabeça quando Oppenheimer abordou a ideia de um laboratório central dedicado àquele propósito, onde, como mais tarde declarou, eles poderiam 'começar a enfrentar os problemas químicos, metalúrgicos, militares e de engenharia até então desconsiderados'."

Teria Oppenheimer perdido sua bolsa de estudos em Reed? Teria sido incapaz de convencer seus professores de que precisava trocar de horário? Claro que não. Não porque fosse mais inteligente do que Chris Langan, e sim porque possuía um tipo de destreza que lhe permitia obter o que quisesse do mundo.

"Exigiram que todos cursassem Introdução ao Cálculo", conta Langan sobre sua breve estada em Montana State. "E tive um professor que ensinava essa matéria de maneira muito árida e monótona. Não entendi por que ele estava agindo daquele modo. Por isso fazia perguntas. Na verdade, tinha que ir atrás dele em sua sala. Perguntei: 'Por que você está ensinando desse jeito? Por que você considera essa prática importante para o cálculo?' E aquele cara alto e magro, sempre com manchas de suor sob as axilas, virou-se para mim e disse: 'Existe algo que você precisa entender. Algumas pessoas simplesmente não têm poder de fogo intelectual para serem matemáticos.'"

Ali estavam eles, o professor e o prodígio, e o que o prodígio deseja de verdade é se envolver, enfim, com uma mente que adora matemática tanto quanto ele. Mas fracassa. Na verdade – e esta é a parte mais dolorosa de todas –, ele consegue ter toda uma conversa com o mestre sem jamais lhe dar a informação que provavelmente mais o cativaria. O professor não chega a perceber que Chris Langan é bom em cálculo.

3.

A habilidade específica que permite a alguém se desvencilhar de uma acusação de assassinato ou convencer seu professor a passá-lo do período da manhã para o da tarde é aquilo que o psicólogo Robert Sternberg chama de "inteligência prática". Para Sternberg, a inteligência prática inclui elementos como "saber o que dizer e para quem, saber quando dizê-lo e saber como dizê-lo para obter o máximo de efeito". É uma questão prática: é saber *como* fazer algo, sem necessariamente saber por que se sabe aquilo nem ser capaz de explicar isso. É de natureza pragmática, ou seja, não se trata do conhecimento pelo conhecimento. É o conhecimento que ajuda a interpretar as situações de modo correto e obter o que se deseja. E, um ponto fundamental: é um tipo de inteligência diferente da capacidade analítica medida pelo QI. Usando o termo técnico, a inteligência geral e a inteligência prática são "ortogonais": a presença de uma não implica a presença da outra. Uma pessoa pode ter muita inteligência analítica e pouquíssima inteligência prática, assim como pode ser rica em inteligência prática e pobre em inteligência analítica ou – como no caso afortunado de alguém como Robert Oppenheimer – pode ter as duas.

Então, de onde vem algo como a inteligência prática? Conhecemos a origem da inteligência analítica. É algo que – ao menos em parte – está nos genes. Chris Langan começou a falar aos seis meses. Com três anos, aprendeu sozinho a ler. Ele *nasceu* inteligente. O QI é um indicador, em grande medida, de habilidade inata.[1] Mas a destreza social é construída por *conhecimento*. É um conjunto de capacidades que precisam ser aprendidas. Elas têm origem em algum lugar – e é no ambiente familiar que parecemos desenvolver essas atitudes e aptidões.

Talvez a melhor explicação disponível desse processo tenha sido apresentada pela socióloga Annette Lareau, da Universidade de Maryland. Anos atrás, ela realizou um estudo fascinante sobre um grupo de alunos da terceira série. Lareau selecionou crianças negras e brancas de lares ricos e pobres, provenientes de basicamente 12 famílias. Junto com sua equipe, visitou cada família pelo menos 20 vezes, por horas a fio. Ela e os assistentes pediram aos

---

[1] A maioria das estimativas é de que cerca de 50% do QI seja hereditário.

voluntários que os tratassem como se fossem "o cachorro da casa" e os acompanharam à igreja, a jogos de futebol e a consultas médicas com um gravador numa das mãos e um caderno de notas na outra.

Poderíamos esperar que, passando um período tão prolongado com 12 famílias, eles obteriam 12 orientações distintas sobre criação – haveria os pais rigorosos e os pais sem muita autoridade, os superenvolvidos e os desligados, e assim por diante. O que Lareau descobriu, porém, foi algo bem diferente. Parecia haver apenas duas "filosofias" de educação de filhos, e elas se distinguiam basicamente de acordo com a classe social. Os pais mais ricos criavam as crianças de um modo, enquanto os pais mais pobres adotavam outro método.

Eram os pais das classes econômicas mais altas que mais se envolviam no tempo livre dos filhos – levavam as crianças de uma atividade para outra, perguntavam sobre seus professores, treinadores e colegas de time. Um dos meninos ricos que Lareau acompanhou jogava numa equipe de beisebol, em dois times de futebol e num time de basquete no verão, além de fazer natação, tocar numa orquestra e aprender piano.

Esse tipo de programação intensiva praticamente não existia na vida das crianças pobres. Para elas, brincar não era jogar futebol duas vezes por semana. Era inventar jogos na rua, com os irmãos e amigos do bairro. O que elas faziam era considerado pelos pais algo à parte do mundo adulto, sem grandes consequências. Uma menina de uma família operária – Katie Brindle – cantava num coro após as aulas. Mas ela ingressou nessa atividade por conta própria e ia sozinha aos ensaios. Lareau escreveu:

> O que a Sra. Brindle não faz, embora isso seja rotina para mães da classe média, é considerar o apreço da filha pelo canto um motivo para procurar outros meios de ajudá-la a transformar esse interesse em um talento formal. De modo

semelhante, a Sra. Brindle não discute o gosto de Katie por teatro nem se mostra preocupada por não ter dinheiro para incentivar o talento da menina. Em vez disso, ela classifica as capacidades e os interesses da filha como traços de caráter – o fato de cantar e atuar é o que a torna 'Katie'. A mãe vê as apresentações da filha como "engraçadinhas" e como uma forma de Katie "chamar atenção".

Os pais de classe média discutiam os assuntos com os filhos, ponderando com eles. Não se limitavam a dar ordens. Esperavam que as crianças se manifestassem sobre suas determinações, negociassem seus interesses e questionassem os adultos em posições de autoridade. Quando o desempenho dos filhos não ia bem, os pais mais ricos desafiavam os professores. Intervinham em nome das crianças. Uma menina que Lareau acompanhava não fora aceita por um programa para superdotados. A mãe providenciou um novo teste particular, enviou uma petição à escola e conseguiu sua admissão. Os pais pobres, ao contrário, sentiam-se intimidados pela autoridade. Eles reagiam passivamente e ficavam em segundo plano. Lareau escreve sobre uma mãe de baixa renda:

> Numa reunião de pais, por exemplo, a Sra. McAllister (que concluiu o nível médio) parece subjugada. A natureza gregária e expansiva que exibe em casa desaparece nesse cenário. Ela se senta encolhida na cadeira e mantém o zíper da jaqueta fechado até o alto. Fica em silêncio. Quando a professora informa que Harold não vem entregando os deveres de casa, a Sra. McAllister mostra-se tremendamente surpresa, mas tudo o que diz é: "Ele fez em casa." Não questiona a professora nem tenta intervir a favor de Harold. Na sua visão, cabe aos professores cuidar da educação dele. Essa é uma tarefa deles, não sua.

Lareau chama o estilo dos pais de classe média de "cultivo orquestrado". É uma tentativa de "promover e avaliar os talentos, as opiniões e as habilidades de uma criança" de forma ativa. Os pais de baixa renda, por sua vez, tendem a seguir a estratégia "realização do crescimento natural". Eles assumem sua responsabilidade de cuidar dos filhos, mas deixando-os crescer e se desenvolver por conta própria.

Lareau enfatiza que um estilo não é melhor do que o outro em termos morais. Na verdade, teve a impressão de que as crianças mais pobres muitas vezes se comportavam melhor, além de serem menos choronas, mais criativas na utilização de seu próprio tempo e mais independentes. No entanto, em termos práticos, o "cultivo orquestrado" apresenta grandes vantagens. A criança de classe média, com sua agenda sobrecarregada, está exposta a um conjunto de experiências em constante mudança. Ela aprende a trabalhar em equipe e a enfrentar ambientes altamente estruturados. É ensinada também a interagir de forma tranquila com adultos e a se manifestar quando necessário. Nas palavras de Lareau, a criança de classe média aprende o sentido de "ter direito".

"Elas agiam como se tivessem o direito de buscar suas preferências individuais e de lidar ativamente com as interações em ambientes institucionais. Pareciam à vontade nessas situações, mostrando-se abertas a compartilhar informações e a exigir atenção [...] entre as crianças de classe média mudar as interações de acordo com seus interesses era uma prática comum", explica Lareau. Elas sabiam as regras. "Mesmo na quarta série, as crianças de classe média pareciam agir em seu próprio benefício para ganhar vantagens. Elas exigiam que professores e médicos ajustassem os procedimentos para que se tornassem mais convenientes a seus propósitos", diz.

As crianças da classe trabalhadora e pobre se caracterizavam por "uma sensação emergente de distância, desconfiança e limitação". Não sabiam como fazer o que queriam ou como adaptar aos próprios interesses qualquer ambiente onde estivessem para satisfazer seus objetivos.

Em uma cena reveladora, Lareau descreve uma consulta médica a que compareceu com Alex Williams, um menino de nove anos, e sua mãe Christina. Os William são profissionais liberais com uma excelente situação financeira.

— Alex, você deveria estar pensando nas perguntas que gostaria de fazer ao médico — diz Christina no carro a caminho do consultório. — Pode perguntar qualquer coisa a ele. Não fique com vergonha. Pergunte o que quiser.

Alex pensa por um minuto e responde:

— Tenho umas brotoejas nas axilas por causa do desodorante.

— É mesmo? Você está falando do desodorante novo? — ela pergunta.

— Sim.

— Bem, fale com o médico sobre isso.

Segundo Lareau, Christina está ensinando a Alex que ele tem o direito de se manifestar — mesmo que venha a estar numa sala com uma figura de autoridade e mais velha, é perfeitamente normal que ele se exprima. Mãe e filho se encontram com o médico, um homem afável de pouco mais de 40 anos. O doutor diz que, em termos de altura, Alexander está no 95º percentil. Alex o interrompe:

— Estou em quê?

— Isso significa que você é mais alto do que 95 jovens em cada 100 que estão na faixa dos 10 anos — explica o médico.

— Não tenho 10 anos.

— No gráfico sua idade é essa. Você tem exatamente, vejamos, nove anos e 10 meses. No gráfico se considera o ano mais próximo.

Observe com que facilidade Alex interrompe o médico: "Não tenho 10 anos." O garoto tem seus direitos: a mãe permite essa indelicadeza casual porque quer que ele aprenda a se afirmar com pessoas em posição de autoridade.

O médico se dirige a Alex:

– Agora o mais importante. Você gostaria de me perguntar alguma coisa antes que eu faça o exame físico?

– Sim. Tenho umas brotoejas no braço, bem aqui (indica as axilas).

– Nas axilas?

– É.

– Vou dar uma olhada quando me aproximar mais para realizar o exame. Verei o que posso fazer. Essas brotoejas doem ou coçam?

– Não, elas não fazem nada.

– Tudo bem, vou examiná-las.

Esse tipo de interação simplesmente não acontecia com as crianças de classe social mais baixa, diz Lareau. Elas eram caladas e submissas e desviavam o olhar. Alex assume o comando do momento. "Ao se lembrar de fazer a pergunta que preparou antes, ele obtém a atenção plena do médico, dirigindo-a para um assunto de sua escolha", ela escreve.

Fazendo isso, Alex redireciona o equilíbrio do poder dos adultos para si mesmo. A transição é tranquila. Ele está habituado a ser tratado com respeito. É considerado especial, uma pessoa digna da atenção e do interesse dos adultos. Essas são as características-chave da estratégia do "cultivo orquestrado". Alex não "se exibe" durante o exame. Ele se comporta como se estivesse com os pais: pondera, negocia e faz brincadeiras com a mesma facilidade.

É importante entender qual é a origem do domínio específico daquele momento. Não é a genética – Alex Williams não herdou dos pais e avós a habilidade para interagir com figuras de autoridade, como herdou a cor dos olhos e a forma de gesticular. Tampouco é racial: não é uma prática típica das culturas branca ou negra. Ele é negro – e Katie Brindle é branca. É uma vantagem *cultural*. Alex possui essa capacidade porque, no decorrer de seus poucos anos de vida, a mãe e o pai – como fazem as famílias instruídas – a ensinaram pacientemente a ele, persuadindo-o e incentivando-o a assimilá-la, e lhe mostrando as regras do jogo, até aquele pequeno ensaio no carro a caminho do consultório médico.

Lareau argumenta que, em grande parte, isso tem a ver com as vantagens da classe social. Alex Williams se sai melhor do que Katie Brindle porque é mais rico e vai para uma escola melhor, mas também – e talvez ainda mais importante – porque o sentido de "ter direito" que lhe transmitiram é uma atitude perfeitamente adequada ao sucesso no mundo moderno.

4.

Essa é a vantagem que Oppenheimer tinha em relação a Chris Langan. Filho de um fabricante de roupas bem-sucedido e de uma artista, ele foi criado numa das áreas mais ricas de Manhattan. Sua infância foi a corporificação do "cultivo orquestrado". Nos fins de semana, os Oppenheimer passeavam de carro pelo campo, num Packard conduzido por um motorista. Nos verões, ele era levado à Europa para ver o avô. Frequentou a que talvez tenha sido a escola mais progressista do país – a Ethical Culture School em Central Park West –, onde, segundo seus biógrafos, os alunos eram "impregnados com a ideia de que estavam sendo educados para reformar o mundo". Quando sua professora de matemática percebeu que ele estava entediado, mandou-o fazer trabalhos independentes fora da sala.

Quando criança, a grande paixão de Oppenheimer era colecionar pedras. Aos 12 anos, começou a corresponder-se com geólogos locais sobre formações rochosas que havia visto no Central

Park, e eles se impressionaram tanto que o convidaram para dar uma palestra no Clube Mineralógico de Nova York. Como escrevem Sherwin e Bird, a reação dos pais de Oppenheimer ao hobby do filho constitui um exemplo perfeito de "cultivo orquestrado":

> Apavorado diante da ideia de falar para um público de adultos, Robert implorou ao pai que explicasse que haviam convidado um menino de 12 anos. Feliz com o convite, Julius encorajou-o a aceitar a honraria. Na noite marcada, Robert apareceu no clube com os pais, que orgulhosamente o apresentaram como J. Robert Oppenheimer. Surpresa, a plateia de geólogos e colecionadores amadores de rochas caiu na gargalhada quando ele subiu ao pódio: uma caixa de madeira teve que ser trazida às pressas para que ele subisse nela e o público pudesse ver mais do que apenas seus cabelos negros e crespos destacando-se acima do atril. Tímido e desajeitado, Robert mesmo assim leu as observações que preparara e recebeu uma rodada entusiástica de aplausos.

É espantoso que Oppenheimer tenha enfrentado tão brilhantemente os desafios da sua vida? Se você é alguém cujo pai fez sucesso no mundo dos negócios, viu em primeira mão o que significa sair dos apertos por meio da negociação. Se você é alguém enviado à Ethical Culture School, não será intimidado por uma fila de professores de Cambridge reunidos para condená-lo. Se você estudou física em Harvard, sabe como se dirigir a um general do exército que fez o curso de Engenharia lá perto, no MIT.

Chris Langan, por sua vez, teve apenas a desolação vivida em Bozeman e um lar dominado por um padrasto raivoso e bêbado. "[Jack] Langan fez isso com todos nós", disse Mark. "Todos nós temos ressentimento da autoridade." Esta foi a lição que Langan recebeu na infância: desconfie da autoridade, seja independente.

Ele nunca teve pais que o ensinassem a se expressar a caminho do médico, a ponderar e argumentar com aqueles em posição de autoridade. Não aprendeu que possuía direitos. Descobriu desconfiança, distância e limitação. Isso pode parecer bobagem, mas é uma desvantagem significativa na hora de enfrentar o mundo que está fora de Bozeman.

"Também não consegui nenhuma ajuda financeira. Simplesmente tínhamos conhecimento zero do processo. Não sabíamos como fazer a requisição. Declarações. Talões de cheque. Isso não fazia parte do nosso ambiente", diz Mark.

Seu irmão Jeff acrescenta: "Se Christopher tivesse nascido numa família rica, se fosse o filho de um médico bem relacionado em algum setor importante, garanto que teria sido um daqueles caras que obtêm o Ph.D aos 17 anos, como vemos nas revistas. Todos seríamos médicos formados. É a cultura em que a pessoa está que determina isso. O problema de Chris é que ele se sentia entediado demais para ficar sentado ouvindo os professores. Se alguém tivesse reconhecido sua inteligência e se ele fosse de uma família que valorizasse a educação, teriam feito o necessário para que ele não se aborrecesse."

5.

Quando as Térmites atingiram a idade adulta, Terman examinou os históricos de 730 dos homens, separando-os em três grupos. Cento e cinquenta – os 20% superiores – enquadraram-se no que ele chamou de grupo A. As verdadeiras histórias de sucesso, os astros: advogados, médicos, engenheiros e acadêmicos. Noventa por cento dos integrantes desse grupo formaram-se na faculdade, e 98 fizeram pós-graduação. Os 60% do meio constituíram o grupo B – aqueles que se saíram "satisfatoriamente". Os últimos

150 integraram o grupo C, os que se saíram pior, apesar de sua elevada capacidade mental. Entre eles havia bombeiros, contadores, vendedores de sapatos e os homens que não saíam do sofá em casa, os desempregados.

Um terço dos que compunham o grupo C havia abandonado a faculdade, enquanto um quarto deles só tinha um diploma do nível médio. E, dos 150 componentes desse grupo, somente oito fizeram pós-graduação – um resultado pífio, considerando o fato de que cada um deles foi classificado como gênio em determinado momento da vida.

Qual foi a diferença entre os membros dos grupos A e C? Terman averiguou todas as explicações possíveis. Examinou sua saúde física e mental, seus "graus de masculinidade/feminilidade", seus hobbies e interesses vocacionais. Comparou as idades em que começaram a andar e falar. Investigou quais haviam sido precisamente seus QIs no ensino fundamental e no nível médio. No fim, só um fator importou: o ambiente familiar.

As térmites do grupo A pertenciam às classes média e alta. Suas casas eram cheias de livros. Metade dos pais de integrantes desse grupo tinha se formado na faculdade ou feito pós-graduação – e numa época em que a educação superior era raridade. Já os membros do grupo C procediam do outro extremo. Quase um terço deles tinha um pai ou mãe que havia abandonado a escola antes da oitava série.

A certa altura, Terman mandou que seus pesquisadores de campo visitassem todas as pessoas dos grupos A e C para avaliar suas personalidades e hábitos. O que descobriram é tudo o que você esperaria constatar se estivesse comparando crianças educadas no sistema de "cultivo orquestrado" com as criadas num ambiente de crescimento natural. Os membros do grupo A foram considerados mais atentos, equilibrados, atraentes e bem vestidos. Na verdade, as notas concedidas nessas quatro categorias foram tão diferentes que a impressão era de que havia duas espécies distintas de seres humanos sendo examinadas. Claro que não era isso. Tratava-se apenas do contraste entre os que haviam sido educados para apresentar ao mundo o que tinham de melhor e aqueles aos quais essa experiência fora negada.

Os resultados de Terman são, sem dúvida, profundamente perturbadores. Não podemos nos esquecer de que as pessoas do grupo C tinham uma inteligência extraordinária. Se você as tivesse conhecido aos cinco ou seis anos, teria se impressionado com sua curiosidade, agilidade mental e brilho. Elas eram verdadeiros *outliers*. A verdade nua e crua do estudo de Terman, porém, é que, no fim das contas, quase *nenhuma* das crianças geniais da classe social e econômica mais baixa conseguiu se destacar.

O que faltou àquelas pessoas? Não foi nada dispendioso nem impossível de encontrar; não foi uma característica codificada no DNA nem programada nos circuitos do cérebro. O que elas não tiveram foi algo que poderiam ter recebido, se soubessem que era daquilo que necessitavam: uma comunidade ao redor que as preparasse para o mundo. Os componentes do grupo C foram talentos desperdiçados. Mas não precisavam ter sido.

6.

Atualmente Chris Langan vive no interior do estado de Missouri, numa fazenda de criação de cavalos. Mudou-se para lá anos atrás, depois de se casar. Embora esteja na casa dos 50 anos, parece bem mais novo. Ainda tem a constituição de um jogador de futebol americano, tórax avantajado, bíceps enormes. Seus cabelos são penteados para trás. Tem um bigode grisalho bem cuidado e óculos de aviador. Quando olhamos para seus olhos, podemos ver a inteligência flamejando atrás deles.

"Num dia típico, me levanto e preparo o café. Vou para a frente do computador e retomo o que estava fazendo na noite anterior", ele diz. "Descobri que, se for para a cama pensando numa questão, basta que me concentre nela antes de dormir porque quase sempre a resposta surgirá de manhã. Às vezes, percebo a resposta porque sonhei com ela e consigo me lembrar. Em outros casos, eu simplesmente a sinto. Então, começo a digitar e ela surge na página."

Ele acabara de ler a obra do linguista Noam Chomsky. Havia pilhas de livros em seu escritório. Ele sempre os solicitava à biblioteca. "Sinto que, quanto mais nos aproximamos das fontes originais, mais avançamos", ele afirma.

Langan parecia contente. Tinha animais de fazenda para cuidar, livros para ler e uma mulher que adorava. Uma vida bem melhor do que ser um segurança.

"Não acredito que exista alguém mais inteligente do que eu por aí", ele prossegue. "Nunca conheci ninguém como eu nem vi sinal de que exista uma pessoa com uma capacidade de compreensão melhor do que a minha. Mas eu poderia ver, porque minha mente está aberta para essa possibilidade. Se alguém me desafiar, dizendo 'Acredito que sou mais inteligente do que você', acho que consigo superá-lo."

O que ele disse soa arrogante. Porém, não é, na realidade. É o contrário: um toque defensivo. Langan vinha pesquisando por décadas, porém quase nada do seu trabalho chegara a ser publicado, menos ainda lido por físicos, filósofos e matemáticos capazes de julgar seu valor. Ali estava ele, um homem com uma mente em um milhão, mas que ainda não exercera nenhum impacto no mundo. Não estava participando de conferências acadêmicas. Não estava realizando um seminário de pós-graduação em uma universidade de prestígio. Estava vivendo numa fazenda de cavalos ligeiramente decadente no norte do Missouri, sentando na varanda de trás, vestindo jeans e uma camiseta sem mangas. Ele sabia que impressão aquela imagem transmitia: o grande paradoxo da genialidade de Chris Langan.

"Não fui atrás das grandes editoras com o empenho que deveria", admite. "Ir à luta, consultar editoras, tentar encontrar um agente, esse tipo de coisa. Não fiz isso nem estou interessado em fazer."

Aquilo foi uma admissão da derrota. Toda experiência que ele teve fora da sua própria mente acabara em frustração. Langan sabia que necessitava melhorar suas relações com o mundo, mas como? Nem sequer conseguia conversar com seu professor de cálculo – algo que outros, com mentes menos brilhantes, faziam com a maior facilidade. Isso ocorria, no entanto, porque aquelas pessoas haviam recebido ajuda ao longo do caminho, enquanto Chris Langan nunca tivera. Não era uma desculpa. Era um fato. Ele precisou abrir caminho por si mesmo, e ninguém – nem os astros do rock, nem os atletas profissionais, nem os bilionários do software, nem mesmo os gênios – faz sucesso sozinho.

CAPÍTULO 5

As três lições de Joe Flom

"MARY GANHAVA UMA MOEDA."

1.

Joe Flom é o último sócio vivo mencionado no nome do escritório de advocacia Skadden, Arps, Slate, Meagher and Flom. Ele tem uma sala bem no alto da torre Condé Nast, em Manhattan. É baixo e um pouco corcunda. Sua cabeça é grande, emoldurada por orelhas longas e proeminentes, e seus pequenos olhos azuis ficam escondidos atrás de óculos de aviador. Está em forma agora, mas no seu apogeu Flom era ligeiramente obeso. Ele se balança quando anda. Rabisca enquanto conversa. E, quando envereda pelos corredores da empresa, a conversa cai no silêncio.

Flom cresceu na época da Depressão na área de Borough Park, no Brooklyn. Seus pais eram imigrantes judeus da Europa Oriental. O pai, Isadore, um recrutador do sindicato da indústria de confecções, acabou indo trabalhar tempos depois com costura de ombreiras para vestidos. Sua mãe trabalhava em casa fazendo apliques em tecidos e recebia pela quantidade produzida. Eram desesperadamente pobres. Durante a infância de Flom, sua família se mudava de casa quase todo ano porque na época os senhorios costumavam conceder um mês de aluguel grátis a novos inquilinos – sem isso não teriam conseguido sobreviver.

No fim do primeiro ciclo do ensino fundamental, Flom foi aprovado no exame de admissão para a escola pública Townsend

Harris, na Lexington Avenue, em Manhattan. Em apenas 40 anos, essa instituição de ensino de alto nível produzira três vencedores do Prêmio Nobel, seis ganhadores do Prêmio Pulitzer e um juiz da Suprema Corte, sem falar no músico George Gershwin e no cientista Jonas Salk, o inventor da vacina contra a poliomielite. Todo dia a mãe de Flom lhe dava uma moeda de 10 centavos para o café da manhã no bar Nedick's: três rosquinhas, suco de laranja e café. Após a escola, ganhava uns trocados empurrando um carrinho de entregas no bairro das fábricas de confecções. Estudou dois anos à noite no City College, em Upper Manhattan – trabalhando durante o dia para pagar as contas. Alistou-se no Exército e, ao sair, candidatou-se à faculdade de Direito de Harvard.

"Desde os seis anos eu queria estudar Direito", diz Flom. Ele não tinha diploma superior, o que é exigido pela universidade. Harvard aceitou-o mesmo assim. "Por quê? Escrevi uma carta a eles dizendo por que merecia aquela oportunidade", explica ele com sua típica brevidade. Em Harvard, no final da década de 1940, ele nunca tomava notas. "Todos nós estávamos passando por aquela idiotice do primeiro ano de copiar tudo com o maior cuidado na sala de aula, depois fazer um esboço, em seguida um sumário e, por fim, passar a limpo em papel fino em cima de outro papel", recorda-se Charles Haar, colega de turma de Flom. "Era uma forma tradicional de tentar aprender os processos. Mas não para Joe, que não fazia nada daquilo. Mas ele possuía a qualidade que costumamos vagamente associar a 'pensar como um advogado'. Tinha grande capacidade de julgamento."

Flom participou da *Law Review*, revista de Direito da faculdade – honra reservada somente aos alunos mais destacados. No seu segundo ano, durante a "temporada de contratações" (as férias de Natal), ele foi a Nova York para uma entrevista num grande escritório de advocacia da época. "Eu era um rapaz gorducho, deselegante, desajeitado. Não me senti à vontade ali", lembra-se Flom. "E continuei como um dos dois alunos da minha turma ainda sem emprego. Até que um dia um dos meus professores disse que uns advogados iam abrir uma firma. Fui conversar com eles. O tempo todo eles me alertaram dos riscos de se criar uma empresa sem ter nenhum cliente. Quanto mais falavam, mais eu gostava deles. Por fim eu disse: 'Seja o que Deus quiser. Vou arriscar.' Eles tiveram que batalhar para conseguir os US$3.600 do salário anual inicial." No princípio, eram apenas Marshall Skadden, Leslie Arps – que haviam acabado de ser recusados como sócios num escritório de advocacia de Wall Street – e John Slate, que trabalhara na companhia aérea Pan Am. Flom entrou como associado. Ocupavam um conjunto minúsculo de salas no andar superior do edifício Lehman Brothers, em Wall Street. "Que tipo de Direito praticávamos?", Flom diz, rindo. "O que aparecesse pela frente!"

Em 1954, ele assumiu a posição de sócio-gerente da Skadden, e a firma começou a crescer com uma rapidez surpreendente. Logo tinha 100 advogados. Depois 200. Quando atingiu 300, um dos sócios de Flom – Morris Kramer – lhe disse que se sentia culpado por atrair jovens recém-formados em Direito. A Skadden havia se expandido tanto, Kramer afirmou, que era difícil imaginá-la maior do que aquilo e sendo capaz de promover qualquer um daqueles contratados. Flom respondeu: "Ah, vamos chegar a mil." Ele nunca sofreu de falta de ambição.

Hoje em dia, a Skadden possui quase 2 mil advogados em 23 escritórios em todo o mundo e fatura acima de US$1 bilhão por ano, o que a torna uma das maiores e mais poderosas firmas internacionais de advocacia. Em sua sala, Flom tem fotos suas com George Bush (pai) e Bill Clinton. Vive num amplo apartamento, num prédio luxuoso no Upper East Side, em Manhattan. Ao longo de 30 anos, figurões em apuros, assim como grandes empresas que estivessem sob o risco de perder o controle para outras ou tentando assumir o controle de outras, eram clientes de Joseph Flom e da Skadden. Se não fossem, estariam em maus lençóis.

2.

Espero que, a esta altura, você já não acredite tão facilmente nesse tipo de história. Um brilhante filho de imigrantes supera a pobreza e a Depressão, não consegue emprego nos escritórios tradicionais de advocacia e vence por conta própria, graças à sua ambição e capacidade. É a história do desvalido que enriquece, porém tudo o que vimos até agora envolvendo jogadores de hóquei, bilionários do software e os Térmites indica que o sucesso não surge dessa maneira. As pessoas não se tornam bem-sucedidas sem ajuda. A sua origem importa. Elas são produtos de lugares e ambientes específicos.

Assim como fiz com Bill Joy e Chris Langan, farei agora com Joseph Flom. Desta vez, no entanto, aplicarei tudo o que aprendemos nos quatro primeiros capítulos deste livro. Portanto, nada de falar da inteligência, da personalidade nem da ambição de Joe Flom, embora ele, obviamente, possua essas qualidades em abundância. Nada também de citações brilhantes de clientes atestando a sua genialidade, muito menos de casos fascinantes sobre a ascensão meteórica da Skadden, Arps, Slate, Meagher e Flom.

Em vez disso, vou contar uma série de histórias do mundo dos imigrantes em Nova York onde Joe Flom cresceu – a de um bolsista de Direito, a de um pai e um filho chamados Maurice e Mort Janklow e a do extraordinário casal Louis e Regina Borgenicht – na esperança de responder a uma pergunta fundamental: quais foram as oportunidades que ele teve? Como sabemos que as pessoas fora de série sempre recebem ajuda ao longo do caminho, podemos analisar o ambiente em que Flom foi criado e identificar as condições que o ajudaram a alcançar o sucesso?

Gostamos de contar histórias de pessoas pobres que enriqueceram porque sentimos que existe algo cativante na ideia de um herói solitário que luta contra terríveis adversidades. No entanto, a trajetória real de Joe Flom é bem mais intrigante do que a versão mitológica. Todos os fatores que parecem ter sido desvantagens em sua vida – o fato de ser um filho pobre de trabalhadores da indústria do vestuário, de ser judeu numa época de forte discriminação contra seu povo, de crescer na Depressão – se revelaram vantagens. Joe Flom é um *outlier*. Porém, não pelos motivos que você poderia imaginar. No final deste capítulo, ficará evidente que é possível pegar as lições dele, aplicá-las ao mundo jurídico de Nova York e apontar os antecedentes familiares, a idade e as origens dos advogados mais célebres da cidade *sem conhecer nenhum fato adicional sobre eles*. Mas estamos colocando o carro na frente dos bois.

LIÇÃO NÚMERO UM:
A IMPORTÂNCIA DE SER JUDEU

* * *

Um dos colegas de turma de Joe Flom na faculdade de Direito de Harvard foi um homem chamado Alexander Bickel. Assim como Flom, Bickel era filho de imigrantes judeus originários da Europa Oriental que viviam no Brooklyn. Também como Flom, ele estudara numa escola pública de Nova York e, depois, no City College. E, ainda como Flom, fora uma estrela em sua turma da faculdade de Direito. Na verdade, antes de sua carreira ser interrompida pelo câncer, Bickel tornou-se a maior autoridade em

Direito Constitucional de sua geração. E, a exemplo de Flom e dos outros colegas, ele foi a Manhattan no Natal de 1947, durante a "estação de contratações", à procura de emprego.

Sua primeira parada foi na Mudge Rose, uma firma de Wall Street fundada em 1869 e tão tradicional e conservadora quanto qualquer outra daquela época. Ali Richard Nixon praticou a advocacia antes de chegar à presidência, em 1968. "Somos como a dama que só quer ver seu nome no jornal duas vezes: quando nasce e quando morre", disse um dos sócios mais importantes. Bickel foi entrevistado por um advogado após o outro até ser levado à biblioteca para se encontrar com o sócio principal. Não é difícil imaginar a cena: uma sala revestida de madeira escura, um tapete persa artificialmente desgastado, fileiras e mais fileiras de livros de Direito com encadernação de couro. Na parede, pinturas a óleo dos senhores Mudge e Rose.

Anos mais tarde, Bickel contaria essa história. "Depois de ter passado por todas aquelas entrevistas, fui encaminhado ao sócio principal, que se incumbiu de me dizer que eu tinha conseguido chegar longe para um rapaz com meus *antecedentes*" – e você pode imaginar a pausa de Bickel antes de pronunciar esse eufemismo para sua criação no Brooklyn e suas raízes judaicas. "Mesmo assim, ele explicou, eu deveria entender que a possibilidade de uma firma como a dele contratar um rapaz com meus *antecedentes* era muito limitada. E, embora me parabenizasse pelo meu progresso, não poderia me contratar. Mas havia sido um prazer me conhecer, etc."

A transcrição das lembranças de Bickel deixa claro que seu entrevistador não tinha a menor ideia do que fazer com aquela informação. Naquela época, a reputação de Bickel estava no auge. Ele havia defendido causas na Suprema Corte. Escrevera livros brilhantes. A atitude da Mudge Rose de recusá-lo por causa de seus "antecedentes" seria como o Chicago Bulls dispensar Michael Jordan por não se sentir à vontade com rapazes negros da Carolina do Norte. Não fazia sentido.

O entrevistador perguntou a Bickel se aquela orientação também valia para estrelas, querendo dizer: "Mas eles não abririam uma exceção para *você*?" Sua resposta foi que aquilo estava totalmente fora de cogitação.

Nas décadas de 1940 e 1950, os escritórios tradicionais de advocacia de Nova York funcionavam como um clube particular. Todos se situavam no centro de Manhattan, em Wall Street ou em volta, em prédios sombrios de fachada de granito. Os sócios dos escritórios maiores graduavam-se pelas mesmas faculdades da Ivy League, frequentavam as mesmas igrejas e passavam as férias de verão nas mesmas cidadezinhas à beira-mar em Long Island. Vestiam ternos cinza conservadores. Suas empresas eram conhecidas como firmas dos "sapatos brancos" – uma alusão aos calçados de camurça que aquelas pessoas gostavam de usar em clubes e coquetéis. E elas eram muito específicas em suas contratações. Como escreveu Erwin Smigel em *The Wall Street Lawyer* (O advogado de Wall Street), seu estudo do *establishment* jurídico tradicional nova-iorquino, a busca desses indivíduos era por

> advogados nórdicos dotados de personalidade agradável e aparência elegante, que tenham se formado nas "faculdades certas", que apresentem os antecedentes sociais "certos" e experiência nos assuntos do mundo e que sejam dotados de uma tremenda energia. Um antigo reitor de uma faculdade de Direito, discutindo as qualidades de que os estudantes necessitavam para conseguir um emprego, fornece um quadro mais realista: "Para obterem um emprego, eles precisam ter o melhor em termos de relações familiares, competência e personalidade ou uma combinação desses

elementos. Algo chamado 'aceitabilidade' constitui-se da soma dessas partes. O homem que possuísse qualquer uma delas, conseguia um emprego. Se contasse com duas, podia escolher entre vários empregos. Se tivesse três, podia ir para o emprego que quisesse."

Os cabelos de Bickel não eram claros. Seus olhos não eram azuis e ele falava com sotaque. Suas relações familiares consistiam, sobretudo, em ser filho de Solomon e Yetta Bickel, romenos de Bucareste, que agora viviam no Brooklyn. As credenciais de Flom não eram as melhores. Ele diz que se sentiu "pouco à vontade" nas entrevistas a que compareceu, e com toda razão: baixo, desajeitado, judeu, falava no tom monótono e nasalado de sua Brooklyn nativa – dá para imaginar a imagem que alguns "aristocratas" de cabelos grisalhos devem ter feito dele naquelas firmas. Quem se formasse em Direito naquela época e não tivesse a classe social, a religião e os antecedentes certos ingressava em algum escritório de advocacia menor, de segunda classe, num patamar abaixo dos grandes nomes que figuravam nas firmas do centro da cidade. Ou apenas abria seu próprio negócio e aceitava "o que aparecesse pela frente", isto é, o serviço jurídico que as grandes empresas desprezavam. Isso soa terrivelmente injusto, e era mesmo. No entanto, como costuma acontecer com os *outliers*, havia uma oportunidade de ouro soterrada sob aquelas desvantagens.

***

Os escritórios de advocacia tradicionais de Wall Street tinham uma ideia muito específica sobre a atividade que realizavam. Eles eram advogados das grandes corporações. Representavam as maiores e mais conceituadas empresas dos Estados Unidos.

E o fato de "representá-las" significava que cuidavam dos impostos e do trabalho jurídico envolvido na emissão de ações e títulos, assegurando que seus clientes não enfrentassem problemas com as agências federais reguladoras. Eles não lidavam com litígios, isto é, poucos deles mantinham um departamento dedicado a defender clientes em ações judiciais ou a movê-las. Nas palavras de Paul Cravath – um dos fundadores de uma das mais típicas firmas dos sapatos brancos, a Cravath, Swaine e Moore –, a função do advogado era resolver litígios nas salas de reunião, não nos tribunais. "Entre meus colegas de turma em Harvard, aquilo com que jovens e brilhantes advogados trabalhavam eram valores mobiliários ou impostos", lembra-se outro advogado de sapatos brancos. "Aquelas eram as áreas nobres. Contendas eram para canastrões, não para pessoas sérias. As corporações simplesmente não processavam umas às outras naqueles tempos."

O que aquelas empresas tampouco faziam era envolver-se em operações de aquisição hostis. É difícil imaginar isso hoje – afinal especuladores e fundos de *private-equity* estão constantemente engolindo uma organização após a outra –, mas até a década de 1970 era considerado um escândalo comprar uma empresa sem que esta concordasse em ser adquirida. Firmas como a Mudge Rose e os outros escritórios de advocacia de Wall Street não lidavam com esse tipo de transação.

"O problema com essas tomadas do controle acionário é que, como o nome diz, elas eram realmente hostis", afirma Steven Brill, fundador da revista *American Lawyer*. "Não havia nada cortês naquilo. Se o seu melhor colega de Princeton é o CEO da empresa X e vem se saindo bem por um longo tempo, você se sente incomodado quando um especulador aparece e diz que aquela organização está mal. Você pensa: se meu amigo perder o cargo, talvez eu acabe perdendo o meu também. É toda essa ideia de não perturbar a calma básica e a ordem natural das coisas."[1]

O trabalho que "apareceu pela frente" para a geração de advogados judeus oriundos do Bronx e do Brooklyn nas décadas de 1950 e 1960 foi aquele que os escritórios tradicionais desprezavam: litígios e, mais importante, as chamadas *proxy fights*, isto é, brigas por procuração, que eram a manobra legal no centro de qualquer operação de aquisição hostil. Um investidor que se interessasse por uma empresa denunciava sua direção por incompetência e enviava cartas aos acionistas tentando obter procurações deles para que pudesse derrubar, por meio dos votos, os executivos da companhia. E, para conduzir esse tipo de "briga", o único advogado que o investidor conseguia obter era alguém como Joe Flom.

Em *Skadden*, o historiador da área de Direito Lincoln Caplan descreve aquele mundo inicial das aquisições hostis:

> A vitória de uma briga por procuração era determinada no "asilo de loucos" (oficialmente conhecido como sala de con-

---

[1] O advogado e escritor Louis Auchincloss, que pertence ao velho *establishment* jurídico de Nova York, apresenta no livro *O diário escarlate* uma cena em que reflete com perfeição a antipatia que os escritórios tradicionais sentiam pelo trabalho legal em operações de aquisição. "Caia na real, minha cara, seu marido e eu estamos dirigindo uma firma de crápulas", um advogado que trabalha nessa área explica à mulher do sócio. E continua: "Hoje em dia, quando alguém quer comprar uma empresa que não deseja ser adquirida, movemos todo tipo de ação desagradável para induzi-la a mudar de ideia. Processamos por má gestão, dividendos não pagos, violação de estatutos, emissão indevida de ações. Alegamos conduta criminosa, invocamos a lei antitruste, processamos por passivos antigos e duvidosos. E o advogado oponente reage fazendo exigências absurdas de todos os nossos arquivos e realiza interrogatórios intermináveis, a fim de envolver nosso cliente numa burocracia desesperadora. Trata-se de uma guerra, e você sabe muito bem o que é amor e o que é guerra."

tagem). Os advogados de ambas as partes encontravam-se ali com inspetores das eleições, cuja função era aprovar ou eliminar procurações questionáveis. O evento costumava ser informal, litigioso e bagunçado. Os adversários às vezes ficavam de camiseta, comendo melancia ou compartilhando uma garrafa de scotch. Eram raros os casos em que a contagem no "asilo de loucos" podia modificar o resultado de uma disputa.

Vez por outra, os advogados tentavam manipular uma eleição arquitetando a nomeação de inspetores que lhes devessem favores. Os inspetores costumavam fumar charutos oferecidos pelos dois lados. O advogado da diretoria contestava as procurações dos insurgentes ("Estou impugnando este voto!") e vice-versa [...] Os advogados que predominavam no asilo de loucos eram mestres da improvisação. Alguns deles conheciam melhor as regras da briga por procuração, mas ninguém era melhor numa disputa do que Joe Flom...

Flom era gordo (45kg acima do peso, disse um advogado), fisicamente sem atrativos (para um dos sócios, parecia um sapo) e indiferente às convenções sociais (soltava puns em público e também aproximava o charuto do rosto do interlocutor sem pedir desculpas). No entanto, na opinião de colegas e de alguns adversários, seu desejo de vencer era insuperável, e ele era sempre magistral.

As firmas dos sapatos brancos também chamavam Flom quando um especulador ameaçava o negócio de um de seus clientes. Elas não se interessavam pelo caso. Porém, ficavam satisfeitas em terceirizá-lo para a Skadden, Arps. "As brigas por procuração sempre foram a especialidade de Flom, e nós não lidávamos com aquilo, assim como não trabalhávamos com serviço matrimonial", disse Robert Rifkind, um sócio antigo da Cravath, Swaine and Moore. "Portanto, fazíamos questão de não saber nada daquilo. Certa vez, num dos nossos casos envolvendo briga por procuração, um dos meus sócios veteranos sugeriu que chamássemos o Joe. Ele nos encontrou numa sala de reunião. Descrevemos o problema, ele nos disse o que fazer e foi embora. Eu perguntei: 'Podemos fazer isso também, não é?' Meu sócio respondeu: 'Não, de jeito nenhum. Não vamos fazer esse tipo de coisa.' Simplesmente não trabalhávamos daquele jeito."

Até que chegou a década de 1970. A antiga aversão pelos processos judiciais desapareceu. Ficou mais fácil pegar dinheiro emprestado. As regulamentações federais não eram tão rígidas. Os mercados se internacionalizaram. Os investidores tornaram-se mais agressivos. O resultado foi um espantoso aumento no número e no tamanho das aquisições hostis. "Em 1980, se alguém fizesse uma pesquisa de opinião com os membros da Business Roundtable [a associação dos maiores executivos americanos] para saber se operações desse tipo deveriam ser permitidas, dois terços responderiam que não", diz Flom. "Mas numa votação o resultado seria um sim quase unânime." As empresas precisavam se defender dos processos movidos pelos concorrentes. Os litigantes hostis tinham que ser combatidos. Os investidores determinados a devorar alvos que se recusavam a ser engolidos necessitavam de ajuda em sua estratégia legal, enquanto os acionistas careciam de representação formal. Os valores que cercavam essas transações eram altíssimos. De meados da década de 1970 até o fim dos anos 1980, a quantidade de dinheiro envolvida em fusões e aquisições a cada ano em Wall Street aumentou *2.000%*, atingindo o pico de US$250 bilhões.

De uma hora para outra, tudo aquilo com que os escritórios de advocacia tradicionais não queriam lidar – tomadas hostis de controles acionários e litígios – tornou-se o trabalho que *todo* escritório de advocacia desejava executar. E quem era expert naquelas duas áreas do Direito que, subitamente, se tornaram cruciais? As antigas firmas de advocacia marginais, de segunda classe, fundadas pelas pessoas que não haviam conseguido emprego nas empresas tradicionais 10 ou 15 anos antes.

"Os escritórios consagrados passaram um longo tempo considerando as aquisições hostis algo desprezível. Até decidirem que talvez devessem atuar nessa área também, deixaram-me sozinho", conta Flom. "E uma vez que uma pessoa adquire a reputação de fazer esse tipo de trabalho, ela tem a preferência dos clientes."

Pense em como essa história se assemelha às de Bill Joy e Bill Gates. Ambos batalhavam num campo relativamente obscuro, sem grandes esperanças de sucesso. Até que – bum! – aconteceu a revolução dos computadores pessoais, e eles tinham as suas 10 mil horas de prática. Estavam preparados. Flom passou por uma experiência similar. Durante 20 anos, aperfeiçoou sua arte na Skadden, Arps. Depois o mundo se transformou, e ele estava pronto. Não triunfou contra a adversidade. Pelo contrário, o que começou como dificuldade acabou sendo uma oportunidade.

"Não é que aqueles caras fossem advogados mais inteligentes do que todos os outros", explica Rifkind. "É que eles tinham uma habilidade que vinham colocando em prática havia muitos anos e que, de repente, se tornou valiosa."[2]

---

[2] A melhor análise de como a adversidade se tornou uma oportunidade para os advogados judeus está no artigo do especialista em Direito Eli Wald, que tem o cuidado de afirmar, porém, que Flom e seu grupo não foram apenas sortudos. Sorte é ganhar na loteria. Eles se depararam com uma oportunidade e a agarraram. Nas palavras de Wald: "Os advogados judeus foram sortudos *e* se dedicaram. Essa é a melhor maneira de explicar o que houve. Eles souberam tirar proveito das circunstâncias que surgiram em seu caminho. A parte da sorte foi a recusa por parte das firmas tradicionais de lidar com as leis relativas a tomadas de controle acionário. Mas a palavra sorte não reflete o trabalho, os esforços, a imaginação e o aproveitamento de oportunidades que podiam estar ocultas e não ser tão óbvias assim."

LIÇÃO NÚMERO DOIS: SORTE DEMOGRÁFICA

Maurice Janklow matriculou-se na Brooklyn Law School em 1919. Era o filho mais velho de imigrantes judeus da Romênia. Tinha sete irmãos e irmãs. Um deles acabou dirigindo uma pequena loja de departamentos no Brooklyn. Dois entraram para o ramo dos armarinhos. Outro tinha um estúdio de artes gráficas, outro produzia chapéus de pena, outro trabalhava no departamento financeiro da Tishman Realty.

Maurice, porém, foi o intelectual da família, o único a cursar faculdade. Tornou-se advogado e abriu um escritório em Court Street, no centro do Brooklyn. Elegante, usava chapéus de feltro e ternos da Brooks Brothers. No verão, optava por um chapéu de palha. Casou-se com a belíssima Lillian Levantin, filha de um proeminente talmudista. Dirigia um carrão. Mudou-se para o Queens. Ele e um sócio assumiram o controle de uma companhia de papel de carta que, aparentemente, renderia uma fortuna.

Aquele era um homem que parecia, para o mundo inteiro, o tipo de pessoa que prosperaria como advogado em Nova York. Era inteligente e instruído. Vinha de uma família que conhecia bem as regras do sistema. Estava vivendo na cidade mais vibrante do planeta em termos econômicos. Mas houve um fato estranho: Maurice Janklow nunca se destacou. Sua carreira não deslanchou do jeito que ele esperava. Intimamente, sabia que jamais tinha ido além de Court Street, no Brooklyn. Ele lutou e tropeçou.

Mas Maurice Janklow teve um filho chamado Mort, que também se tornou advogado. Sua história, contudo, é bem diferente da do pai. Ele abriu uma firma de advocacia do nada na década de 1960. Depois, criou uma das primeiras franquias de televisão a cabo e a vendeu por uma fortuna à Cox Broadcasting. Criou uma agência literária na década de 1970 que é hoje uma das mais conceituadas do mundo.[3] Ele tem seu próprio avião. Mort realizou cada um dos sonhos frustrados do pai.

Por que Mort Janklow venceu e Maurice Janklow fracassou? Claro que existe uma centena de respostas potenciais a essa pergunta. Mas vamos dar uma olhada numa página da análise dos industriais americanos da década de 1830 e dos programadores de software de 1955 e examinar as diferenças entre os dois Janklow em termos de suas gerações. Existe uma época perfeita para um advogado judeu de Nova York ter nascido? Ao que parece, existe sim. E esse mesmo fato que ajuda a explicar o sucesso de Mort Janklow é um fator-chave para o êxito de Joe Flom também.

* * *

O estudo da genialidade feito por Lewis Terman foi uma análise de como crianças com QIs altos, nascidas entre 1903 e 1917, se saíram na vida adulta. Essa pesquisa constatou que uma parte deles se tornou um verdadeiro sucesso e que outra parte se revelou um autêntico fracasso. Outra conclusão foi que os bem-sucedidos vinham, em geral, de famílias mais ricas. Nesse sentido, o trabalho de Terman ressalta o argumento de Annette Lareau: a profissão dos pais e os pressupostos ligados à classe social a que eles pertencem *importam*.

Mas existe outra maneira de analisar os resultados do estudo de Terman: pelo ano de nascimento das Térmites. Se os participantes dessa pesquisa forem separados em dois blocos – aqueles nascidos entre 1903 e 1911 de um lado e, de outro, os nascidos entre 1912 e 1917 –, constataremos que os malsucedidos em geral provêm do primeiro grupo.

---

[3] A Janklow and Nesbit, a agência literária que ele fundou, é a que utilizo. Foi assim que tomei conhecimento da história da sua família.

A explicação tem a ver com dois dos grandes acontecimentos cataclísmicos do século XX: a Depressão e a Segunda Guerra Mundial. Os americanos nascidos após 1912 saíram da faculdade depois que o pior da Depressão já havia passado e foram recrutados quando ainda eram suficientemente jovens para que a ida à guerra por três ou quatro anos não representasse apenas uma quebra na evolução natural da sua vida, mas também uma oportunidade (desde que não tenham sido mortos em combate, é claro).

As crianças do estudo de Terman nascidas antes de 1911, porém, formaram-se na faculdade no auge da Depressão, uma época em que as oportunidades de emprego eram escassas, e já estavam com 30 e tantos anos quando a Segunda Guerra Mundial irrompeu. Isso significa que, ao serem recrutadas, tiveram que abandonar carreiras, famílias e vidas adultas que já estavam consolidadas. Ter nascido antes de 1911 é ter sido "demograficamente azarado". Os eventos mais devastadores do século XX atingiram essas pessoas no momento errado.

A mesma lógica demográfica aplica-se à experiência dos advogados judeus de Nova York, como Maurice Janklow. As portas estavam fechadas para eles nos principais escritórios de advocacia tradicionais. Por isso, a maioria deles exerceu a profissão por conta própria, tratando de testamentos, divórcios e contratos e litígios menores. Durante a Depressão, porém, o trabalho do advogado autônomo praticamente desapareceu. "Quase metade dos membros da ordem dos advogados ganhava menos do que o nível de subsistência mínimo para as famílias americanas", escreve Jerold Auerbach sobre os anos da Depressão em Nova York. "Um ano depois, 1.500 advogados prestaram juramento de que estavam na miséria para poderem participar das frentes de trabalho. Os advogados judeus (cerca de metade dos advogados da ordem da cidade) descobriram que sua atividade se tornara um 'caminho digno para a morte por inanição'." Independentemente do número de anos de prática, sua renda era "bem inferior" à dos colegas cristãos. Maurice Janklow nasceu em 1902. Quando a Depressão começou, ele estava recém-casado e tinha acabado de comprar um belo carro, mudar-se para o Queens e fazer sua grande aposta no ramo do papel de carta. O momento não poderia ter sido pior.

"Ele ia ganhar uma fortuna", Mort Janklow conta sobre o pai. "Mas a Depressão o matou economicamente. Ele não tinha nenhuma reserva. Também não possuía uma família a que pudesse recorrer. Dali em diante, tornou-se um advogado do tipo escrivão. Não teve coragem de correr riscos depois daquilo. Meu pai se matava escriturando títulos em cartórios por US$25. Ele tinha um amigo que trabalhava num banco de investimentos que lhe passava uns serviços. Ainda me lembro dele e da minha mãe de manhã. Ele dizia: 'Consegui US$1,75. Preciso de 10 centavos para o ônibus, 10 para o metrô e 25 para um sanduíche', e dava o resto para ela. A situação era difícil assim."

3.

Agora compare essa experiência com a de alguém que, como Mort Janklow, nasceu na década de 1930.

Dê uma olhada na tabela a seguir, que mostra as taxas de natalidade nos Estados Unidos entre 1910 e 1950. Em 1915, nascem quase 3 milhões de bebês. Em 1935, esse número cai em cerca de 600 mil. Uma década e meia depois, ultrapassa os 3 milhões. Em termos mais precisos: para cada mil americanos, nasceram 29,5 bebês em 1915, 18,7 bebês em 1935 e 24,1 bebês em 1950. A década de 1930 constitui o que se denomina um "vale demográfico". Em resposta à adversidade econômica causada pela Depressão, as famílias pararam de ter filhos, por isso a geração nascida naquela década foi significativamente menor do que a geração precedente e a geração subsequente.

1910	2.777.000	30,1
1915	2.965.000	29,5
1920	2.950.000	27,7
1925	2.909.000	25,1
1930	2.618.000	21,3
1935	2.377.000	18,7
1940	2.559.000	19,4
1945	2.858.000	20,4
1950	3.632.000	24,1

Veja o que o economista H. Scott Gordon escreveu sobre os benefícios específicos de pertencer a uma geração de poucos indivíduos:

> No momento em que abre os olhos pela primeira vez, ele está num hospital espaçoso, aparelhado para atender à onda que o precedeu. Os funcionários são generosos com seu tempo, pois têm pouco a fazer enquanto desfrutam o breve período de calma até à próxima onda. Quando ele atinge a idade escolar, os prédios magníficos já estão ali para recebê--lo. A grande equipe de professores o acolhe de braços abertos. No nível médio, o time de basquete não é mais tão bom, porém é fácil conseguir tempo no ginásio de esportes. A universidade é um lugar maravilhoso: há espaço à beça nas salas de aula e nos dormitórios, nenhuma aglomeração no refeitório, e os professores são prestativos. Depois ele chega ao mercado de trabalho. A oferta de profissionais novos é baixa e a procura é alta, porque há uma grande onda vindo

atrás dele e estabelecendo uma forte demanda por produtos e serviços dos seus empregadores potenciais.

No início da década de 1930, o número de pessoas com aproximadamente a mesma idade na cidade de Nova York era tão pequeno que as turmas de colégio não chegavam a ter metade do tamanho que apresentavam 25 anos antes.

As escolas eram novas, construídas para a grande geração que viera antes, e os professores possuíam o que durante a Depressão era considerado um emprego de status elevado.

"As escolas públicas de Nova York da década de 1940 eram apontadas como as melhores do país", conta Diane Ravitch, uma professora da Universidade de Nova York que já escreveu muito sobre a história educacional da cidade. "Houve aquela geração de educadores nas décadas de 1930 e 1940 que, em outra época e lugar, teriam sido professores universitários. Eles eram brilhantes, porém não conseguiam obter os empregos que queriam. Por isso, dedicaram-se ao ensino público, porque era seguro, havia uma pensão e ninguém era despedido."

A mesma dinâmica beneficiou os membros daquela geração quando foram para a universidade. Vejamos o depoimento do advogado Ted Friedman, um dos maiores especialistas em litígios de Nova York nas décadas de 1970 e 1980. Assim como Flom, ele cresceu pobre, filho de imigrantes judeus batalhadores.

"As minhas opções eram o City College e a Universidade de Michigan", Friedman conta. O City College era gratuito, e Michigan – então, como agora, uma das melhores universidades dos Estados Unidos – custava US$450 por ano. "A questão era que, após o primeiro ano, quem tivesse notas altas conseguia uma bolsa", diz. "Portanto, se eu tivesse um bom desempenho, só precisaria pagar por aquele tempo." Sua primeira inclinação foi permanecer em Nova York. Ficou no City College por um dia, mas não gostou. Achou que aquilo seria como mais quatro anos de Bronx Science, a escola de nível médio que cursara. Voltou para casa, fez as malas e pegou carona até Ann Arbor.

Ele tinha no bolso algumas centenas de dólares que haviam sobrado do verão. Trabalhara no resort de Catskills para pagar os US$450 da anuidade, e restara um pouco de dinheiro. "Depois me empreguei como garçom num restaurante sofisticado em Ann Arbor. Trabalhei também no turno da noite em River Rouge, a grande fábrica da Ford. Ali ganhei um bom dinheiro. Não foi tão difícil conseguir o emprego. As fábricas estavam em busca de pessoas. Também passei pela construção civil – e foi onde ganhei meu melhor salário antes de me tornar advogado. Construímos os campos de provas da Chrysler em Ann Arbor. Trabalhei ali alguns verões durante a faculdade de Direito. E o pagamento foi realmente muito bom, talvez por causa das muitas horas extras", lembra-se Friedman.

Pense por um momento nessa história. A primeira lição é que Friedman estava disposto a trabalhar duro, assumir a responsabilidade por si mesmo e completar os estudos. Mas a segunda lição, talvez a mais importante, é que ele surgiu numa época da história americana em que, se a pessoa estivesse determinada a trabalhar para valer, *conseguia* se bancar e se formar. Friedman era então o que hoje em dia chamaríamos de "economicamente carente": um rapaz de uma área pobre, o Bronx, com pais sem formação universitária. No entanto, veja como foi fácil obter uma boa educação. Ele concluiu o ensino médio numa escola pública de Nova York num momento em que essas instituições eram invejadas em todo o mundo. Sua primeira opção de faculdade, o City College, era gratuita, e sua segunda opção, a Universidade de Michigan, custava apenas US$450. Além disso, o processo de admissão parecia ser tão liberal que uma pessoa podia tentar uma faculdade num dia, e outra, no dia seguinte.

E como ele conseguiu? Pediu carona, levou no bolso o dinheiro que ganhara no verão e, ao chegar, logo conseguiu uma série de empregos excelentes que o ajudaram a pagar as contas, porque as fábricas estavam "em busca de pessoas". E certamente estavam: era preciso atender as necessidades da numerosa geração que viera antes daqueles nascidos no "vale demográfico" dos anos de 1930 e as da grande geração de *baby boomers* que surgiria depois. A questão da possibilidade, tão necessária ao sucesso, não vem apenas de nós ou dos nossos pais. Ela surge também da época em que vivemos: das oportunidades específicas que nosso local particular na história nos apresenta. Para um jovem aspirante a advogado, nascer no início da década de 1930 teve um significado mágico. E o mesmo vale para programadores de software nascidos em 1955 e empresários nascidos em 1835.

Hoje Mort Janklow possui um escritório num andar bem alto em Park Avenue, repleto de obras maravilhosas de arte moderna: um Dubuffet, um Anselm Kiefer. Ele transmite a sensação de que pode conseguir o que quiser da vida. "Sempre corri grandes riscos", diz. "Nos estágios iniciais, quando criei a empresa de televisão a cabo, estava fechando negócios que poderiam ter me levado à falência se eu não tivesse feito aquilo funcionar. Mas acreditava que era capaz de fazer com que desse certo."

Mort Janklow estudou em escolas públicas da cidade de Nova York quando essas instituições estavam no auge. Maurice Janklow as frequentou numa época em que elas estavam mais lotadas. Mort Janklow cursou a faculdade de Direito da Universidade de Columbia, porque bebês de "vales demográficos" têm acesso a boas faculdades. Maurice Janklow formou-se na Brooklyn Law School, que era a conquista máxima que um filho de imigrantes poderia almejar em 1919. Mort Janklow vendeu seu negócio de televisão a cabo por milhões de dólares. Maurice Janklow fazia pesquisas em cartórios por US$25. A história dos Janklow mostra que a ascensão meteórica de Joe Flom não poderia ter ocorrido em qualquer época. Até os advogados mais talentosos, beneficiados pela melhor educação familiar, não conseguem escapar das limitações de sua geração.

"Minha mãe permaneceu lúcida até os últimos cinco ou seis meses de sua vida", conta Mort Janklow. "Em seu delírio, falou de coisas que nunca havia mencionado. Chorou pelos amigos mortos na epidemia de gripe de 1918. A geração dos meus pais enfrentou muitas dificuldades. Aquelas pessoas passaram pela epidemia, que matou uns 10% da população mundial. Pânico nas ruas. Amigos morrendo. E depois a Primeira Guerra Mundial, seguida da Depressão e da Segunda Guerra. Eles não tiveram muitas chances. Foi um período duro. Meu pai teria tido mais êxito num mundo diferente."

LIÇÃO NÚMERO TRÊS:
A INDÚSTRIA DE CONFECÇÕES E UM TRABALHO SIGNIFICATIVO

Em 1889, Louis e Regina Borgenicht embarcaram num transatlântico em Hamburgo, Alemanha, com destino aos Estados Unidos. Louis era da Galícia, região entre o sul da Polônia e o oeste da Ucrânia. Regina vinha de uma cidade pequena da Hungria. Estavam casados havia poucos anos. Tinham um filho pequeno e outro estava a caminho. Nos 13 dias de viagem, dormiram em colchões de palha num convés sobre a sala de máquinas em pequenos beliches enquanto o navio avançava e jogava. Conheciam uma pessoa em Nova York: a irmã de Borgenicht, Sallie, que havia emigrado 10 anos antes. Dispunham de dinheiro suficiente para sobreviver durante algumas semanas, na melhor das hipóteses. Como tantos outros que partiram para os Estados Unidos naqueles anos, eles deram um salto de fé.

Louis e Regina encontraram um apartamento minúsculo em Eldridge Street, no Lower East Side, em Manhattan, por US$8 ao mês. Louis então saiu às ruas em busca de trabalho. Viu ambulantes, vendedores de frutas e calçadas repletas de carroças com mercadorias. O barulho, a atividade e a energia deixavam para trás o que ele havia conhecido no Velho Mundo. Primeiro, se sentiu esmagado, depois revigorado. Foi à peixaria da irmã, em Ludlow Street, e a convenceu a lhe consignar arenques a crédito. Ele abriu seu negócio na calçada com dois barris de peixe, saltitando entre eles e entoando em alemão:

Para fritar
Para assar
Para cozinhar
Bom também para comer
Arenque serve para qualquer refeição
E é para qualquer classe!

No fim da semana, havia lucrado US$8. Na segunda semana, US$13. Aquelas eram somas consideráveis. Mas Louis e Regina não acreditavam que vender arenques na rua poderia levar a um negócio construtivo. Louis então decidiu tentar ser vendedor com uma carroça. Começou com toalhas de banho e mesa, sem muita sorte. Mudou para cadernos, depois para bananas, depois para meias masculinas e femininas. Haveria realmente futuro em vender mercadorias em carroças? Regina deu à luz o segundo filho, uma menina, e as dificuldades de Louis aumentaram. Ele tinha agora quatro bocas para alimentar.

A resposta lhe ocorreu após passar cinco longos dias subindo e descendo as ruas do Lower East Side, quando já ia perdendo as esperanças. Estava sentado sobre um caixote virado, comendo o último dos sanduíches que Regina havia preparado. *O negó-*

cio eram roupas. Por toda parte, lojas vinham sendo inauguradas – ternos, vestidos, macacões, camisas, saias, blusas, calças, tudo pronto para ser comprado e usado. Como Louis viera de um mundo onde as roupas eram feitas à mão ou encomendadas a um alfaiate, aquilo era uma revelação.

"Para mim, a maior maravilha não foi a mera quantidade de roupas – embora aquilo já fosse um milagre –, mas o fato de que, nos Estados Unidos, até as pessoas pobres podiam se poupar do trabalho fatigante e demorado de costurar suas próprias vestimentas indo simplesmente a uma loja e saindo de lá com as peças de que precisavam. *Aquele* era um ramo em que valia a pena entrar", escreveria Borgenicht anos depois, já estabelecido como um próspero fabricante de roupas femininas e infantis.

Borgenicht pegou um pequeno caderno. Aonde quer que fosse, anotava o que as pessoas estavam vestindo e o que estava à venda: roupa masculina, feminina, infantil. Queria encontrar um item "novo" – algo que fosse ser usado e que ainda não estivesse sendo comercializado. Ele percorreu as ruas por mais quatro dias. Na noite do último dia, ao caminhar de volta para casa, viu meia dúzia de meninas brincando de amarelinha. Uma delas chamou sua atenção. Ela estava com um pequeno avental bordado sobre o vestido – ele tinha cintura baixa na frente e um lacinho atrás. Ocorreu-lhe de imediato que nos dias de sua incessante pesquisa nas lojas não vira nenhuma peça daquele tipo.

Ao chegar em casa, conversou sobre aquilo com Regina. Eles tinham uma máquina de costura velha que haviam comprado logo após seu desembarque no Novo Mundo. Na manhã seguinte, Borgenicht comprou 90m de tecidos branco e xadrez e 45m de fita branca. Voltou ao apartamento minúsculo e dispôs as mercadorias na mesa da sala de jantar. Regina começou a cortar o pano. Fez tamanhos pequenos para bebês e maiores para crianças, até ter 40 aventais. Depois deu início à costura. À meia-noite foi para a cama. Louis prosseguiu o trabalho. Ao amanhecer, ela se levantou e começou a cortar as casas dos botões e a prendê-los. Às 10h, os aventais estavam prontos. Louis juntou-os sobre o braço e aventurou-se na Hester Street.

"Aventais para crianças! Aventais para meninas! Coloridos, 10 centavos. Brancos, 15 centavos! Aventais para meninas!"

Às 13h, os 40 aventais estavam vendidos. Ele não tinha mais dúvidas.

"Regina, encontramos nosso negócio", gritou Borgenicht para a esposa, após correr todo o caminho de Hester Street até em casa. "Ganhamos US$2,60 em três horas de vendas!"

Ele a enlaçou pela cintura e começou a dançar.

"Você tem que me ajudar", ele exclamou. "Vamos trabalhar juntos! Mulher, *este é o nosso negócio*."

4.

Os imigrantes judeus, como os Flom, os Borgenicht e os Janklow, não eram como os demais estrangeiros que chegaram aos Estados Unidos no século XIX e no início do século XX. Os irlandeses e italianos eram camponeses, arrendatários de terras do interior pobre da Europa. Os judeus eram diferentes. Durante séculos no Velho Mundo, haviam sido proibidos de possuir terras, de modo que se concentraram em cidades e vilas, trabalhando no comércio e exercendo outras profissões urbanas. Setenta por cento dos judeus europeus orientais que desembarcaram em Nova York nos 30 anos que precederam a Primeira Guerra Mundial tinham algum tipo de habilidade profissional. Eles haviam sido encadernadores, relojoeiros ou proprietários de pequenas mercearias ou joalherias. Mas sua maior experiência era no ramo do vestuário. Eram alfaiates e costureiras, chapeleiros, barreteiros, peleteiros e curtidores de couro.

Louis Borgenicht, por exemplo, deixou a casa pobre dos pais aos 12 anos de idade para ser balconista em uma loja de artigos variados na cidade polonesa de Brzesko. Quando surgiu a oportunidade de trabalhar com *Schnittwaren Handlung* (o manuseio de retalhos e tecidos, ou de "peças de tecido"), ele aproveitou. "Naquela época, o comerciante de tecidos vendia para o mundo", ele escreve. "E, numa sociedade simples como aquela, dos três itens básicos necessários à vida, os alimentos e o abrigo eram humildes, enquanto as roupas eram a parte nobre. Os profissionais da arte do vestuário, os que negociavam tecidos maravilhosos de todos os cantos da Europa e visitavam os centros dessa indústria em suas viagens de compras anuais – esses eram os príncipes mercadores da minha juventude. Suas vozes eram ouvidas, sua importância era sentida."

Borgenicht trabalhou com peças de tecidos para um homem chamado Epstein, depois passou para a loja Brandstatter's na cidade vizinha de Jaslow. A Brandstatter's era famosa. Um lugar enorme. Foi ali que na juventude ele aprendeu os detalhes de uma imensa variedade de tecidos, a ponto de passar a mão sobre um deles e conseguir identificar a densidade de fios, o nome do fabricante e o local de origem. Alguns anos depois, mudou-se para a Hungria e conheceu Regina. Ela dirigia uma confecção de vestidos desde os 16 anos. Juntos abriram uma série de lojinhas de tecidos, aprendendo com esmero os pormenores da administração de pequenos negócios.

Portanto, a ideia genial que Borgenicht teve naquele dia em que estava comendo seu sanduíche sobre um caixote virado não surgiu do nada. Ele era um veterano no trabalho com *Schnittwaren Handlung*, e sua esposa, uma costureira experiente. Esse era o ramo deles. Ao mesmo tempo que os Borgenicht abriam seu negócio naquele apartamento minúsculo, milhares de outros imigrantes judeus faziam o mesmo. Eles estavam colocando em prática suas habilidades de costura, confecção e alfaiataria, tanto que, em 1900, a indústria de confecções passou quase inteiramente às mãos dos recém-chegados europeus orientais. Nas palavras de Borgenicht, os judeus "entraram fundo na terra que os recebeu e trabalharam feito loucos *naquilo que conheciam*".

Hoje em dia, numa época em que Nova York está no centro de uma área metropolitana enorme e diversificada, é fácil esquecer a importância do conjunto de habilidades que imigrantes como os Borgenicht introduziram no Novo Mundo. Do final do século XIX até meados do século XX, o comércio de vestuário foi a maior e mais vibrante atividade econômica da cidade. Em Nova York, mais pessoas trabalhavam na confecção de roupas do que em qualquer outra coisa, e mais peças de vestuário eram fabricadas ali do que em qualquer outro centro urbano do mundo. Os edifícios inconfundíveis que até hoje permanecem na metade mais baixa da Broadway, em Manhattan – dos depósitos industriais de 10 e 15 andares que se estendem por 20 quarteirões após a Times Square aos prédios de apartamentos do tipo loft com fachadas de ferro fundido do Soho e de Tribeca –, foram quase todos erguidos para abrigar fabricantes de sobretudos, chapéus e lingeries. Em suas salas enormes se viam homens e mulheres curvados sobre máquinas de costura. Chegar àquela cidade na década de 1890 tendo experiência em confecção de vestidos, costura ou *Schnittwaren Handlung* era um golpe de sorte extraordinário. Assim como aparecer no Vale do Silício em 1986 com 10 mil horas de programação de computadores no currículo.

"Não há dúvida de que aqueles imigrantes judeus apareceram na hora certa, com as habilidades certas", afirma o sociólogo Stephen Steinberg. "Para explorar aquela oportunidade, era necessário ter determinadas virtudes, e esses imigrantes trabalharam duro. Fizeram sacrifícios. Economizaram o máximo possível e investiram com inteligência. Mesmo assim, é preciso lembrar que a indústria de confecções vinha crescendo com grande rapidez. A economia estava desesperada pelas habilidades que eles possuíam."

Louis e Regina Borgenicht receberam uma oportunidade de ouro, assim como outros milhares de imigrantes que ali chegaram em navios. O mesmo ocorreu com seus filhos e netos, porque as lições que aqueles trabalhadores de confecções levavam para casa à noite revelaram-se fundamentais para quem desejava progredir na vida.

5.

Um dia depois que Louis e Regina Borgenicht venderam seu primeiro lote de 40 aventais, ele se dirigiu à H. B. Claflin and Company, uma loja de têxteis que pagava comissões aos vendedores, assim como fazia a Brandstatter's na Polônia. Pediu que chamassem um funcionário que falasse alemão, pois ainda se comunicava muito mal em inglês. Em suas mãos estavam as economias que ele e Regina haviam juntado a vida inteira: US$125. Com o dinheiro comprou tecido suficiente para fazer 10 dúzias de aventais. Dia e noite, ele e Regina cortavam e costuravam. Conseguiram vender toda a produção em dois dias. Borgenicht voltou à Claflin para outra rodada de compras. E os novos aventais também foram vendidos. Em pouco tempo, o casal contratou um imigrante recém-chegado para ajudar a cuidar das crianças. Isso permitiu que Regina costurasse durante todo o dia. Logo depois, contrataram mais um imigrante, este como aprendiz. Louis aventurou-se pelos bairros residenciais, indo até o Harlem, onde vendia seus produtos para as mães que moravam nos enormes prédios de apartamentos. Alugou uma loja em Sheriff Street, com cômodos residenciais na parte de trás. Contratou mais três moças e comprou máquinas de costura para todas elas. Ficou conhecido como o homem dos "aventais". Ele e Regina vendiam as peças com a mesma rapidez com que conseguiam produzi-las.

Em pouco tempo, os Borgenicht decidiram diversificar. Começaram a confeccionar aventais de adultos, depois anáguas e, em seguida, vestidos. Em janeiro de 1892, havia 20 pessoas trabalhando para eles – imigrantes judeus, em sua maioria. Os Borgenicht tinham sua própria fábrica, no Lower East Side de Manhattan, e uma lista crescente de clientes, inclusive uma loja na zona residencial pertencente a outra família de imigrantes judeus – os irmãos Bloomingdale. Àquela altura, os Borgenicht estavam no país havia apenas três anos. Mal falavam inglês. E ainda não haviam enriquecido nem em sonho. Todo lucro auferido era reaplicado no negócio, e Louis diz que tinha somente US$200 no banco. Mas já estava no controle de seu destino.

Esta era outra grande vantagem da indústria de vestuário: além de estar crescendo a olhos vistos, envolvia um claro espírito empreendedor. As roupas não eram produzidas em uma única e imensa fábrica. Pelo contrário, várias firmas conceituadas criavam os padrões e preparavam os tecidos. Depois, o trabalho complicado de costurar, passar a ferro e prender botões era repassado a pequenos fornecedores de serviços. E, quando um desses fornecedores se tornava suficientemente grande ou ambicioso, começava a desenhar seus próprios padrões e preparar seus próprios tecidos. Em 1913, havia em torno de 16 mil empresas na indústria de vestuário em Nova York – muitas delas como a confecção de Borgenicht em Sheriff Street.

"O limiar para se envolver no negócio era muito baixo. Necessitava-se basicamente de máquinas de costura, e elas não custavam tanto assim", explica Daniel Soyer, um historiador com vasta obra sobre a indústria de confecções. "Portanto, ninguém precisava de um capital muito alto. Na virada para o século XX, era possível comprar um máquina ou duas com cerca de US$50. Para ser um prestador de serviços, bastava ter algumas máquinas de costura, alguns ferros de passar e alguns trabalhadores. As margens de lucro eram baixas, mas dava para ganhar dinheiro."

Veja como Borgenicht descreve sua decisão de expandir o negócio além dos aventais:

> Com base no estudo que fiz do mercado, eu sabia que somente três homens vinham confeccionando vestidos para crianças em 1890. Um deles era um alfaiate que ficava próximo à minha fábrica no Lower East Side e trabalhava apenas sob encomenda. Os outros dois fabricavam um produto caro com o qual eu não tinha o menor desejo de competir. Minha intenção era fazer artigos com "preços populares": vestidos laváveis de seda e de lã. Eu queria produzir peças que a maior parte das pessoas tivesse condições de adquirir, aquelas que, do ponto de vista comercial, vendessem igualmente bem em lojas grandes e pequenas – tanto nas cidades quanto no interior. Com a ajuda de Regina, que sempre teve bom gosto e capacidade de julgamento, preparei uma linha de modelos. Enquanto exibia essas amostras a todos os meus amigos e "antigos" clientes, enfatizava cada vantagem dos vestidos da nossa confecção: eles poupariam às mães um trabalho interminável, suas costuras e seus materiais eram tão bons ou até melhores do que os das roupas feitas em casa e tinham um preço justo para a disponibilidade imediata.

Em outra ocasião, Borgenicht percebeu que sua única chance de vender mais barato do que as fábricas maiores era convencer os atacadistas a fornecer os tecidos diretamente para ele, eliminando a figura do intermediário. Assim, foi procurar um tal

Sr. Bingham, da Lawrence and Company, um "ianque alto, magro, de barba branca e olhos azuis acinzentados". Ali estava ele, um imigrante da Polônia rural, com olheiras de fadiga, enfrentando, com seu inglês deficiente, o ianque prepotente. Borgenicht disse que queria comprar 40 caixas de caxemira. Bingham nunca havia vendido para uma empresa individualmente, muito menos realizado uma transação pé de chinelo com uma pequena fábrica de Sheriff Street.

"Muita ousadia sua vir aqui me pedir favores!", ele trovejou. Mas acabou dizendo sim.

O que Borgenicht vinha obtendo em seus dias de 18 horas era uma aula de economia moderna. Estava aprendendo a fazer pesquisa de mercado, a fabricar, a negociar com ianques arrogantes e a se familiarizar com a cultura popular para entender as tendências da moda.

Os imigrantes irlandeses e italianos que chegaram a Nova York naquele período não contavam com essa vantagem. Eles não possuíam um tipo de habilidade que fosse específico da economia urbana. Foram trabalhar como empregadas domésticas, diaristas e operários da construção civil. Esses eram serviços que uma pessoa podia realizar todos os dias por 30 anos e nunca aprender a fazer pesquisa de mercado, a fabricar, a conhecer a cultura popular e a negociar com ianques arrogantes.

Considere também o destino dos mexicanos que foram para a Califórnia entre 1900 e o final da década de 1920 para trabalhar nos campos dos grandes plantadores de frutas e legumes. Eles apenas trocaram a vida de um camponês feudal no México pela vida de um camponês feudal na Califórnia. "As condições na indústria de vestuário eram igualmente ruins", prossegue Soyer. "Mas naquelas fábricas as pessoas estavam mais perto do centro da indústria. Quem se empregava num campo da Califórnia não tinha a menor ideia do que acontecia com os produtos agrícolas depois que estes eram colocados no caminhão. Os que trabalhavam numa pequena confecção ganhavam salários baixos, suas condições eram terríveis e cumpriam um longo expediente, mas conseguiam ver o que os indivíduos bem-sucedidos estavam fazendo e como abrir seu próprio negócio."[4]

Quando Borgenicht chegava em casa à noite e se encontrava com os filhos, podia estar esgotado e sem dinheiro, porém estava vivo. Ele era seu próprio chefe. Era o responsável por suas decisões e por seu destino. Seu trabalho era complexo: envolvia mente e imaginação. E naquela atividade havia uma relação entre esforço e recompensa: quanto mais tempo ele e Regina ficassem acordados à noite costurando aventais, mais dinheiro ganhariam no dia seguinte nas ruas.

Esses três fatores – autonomia, complexidade e relação entre esforço e recompensa – são as qualidades que o trabalho precisa ter para ser significativo. Em última análise, não é quanto ganhamos que nos deixa satisfeitos, e sim o fato de estarmos realizando uma atividade a que atribuímos importância. Se eu pedisse a você que escolhesse entre ser um funcionário de pedágio que ganhasse R$300 mil por ano para ficar numa cabine todos os dias pelo resto da vida ou um arquiteto com uma renda anual de R$150 mil, qual seria sua opção? Acredito que a segunda porque nela há autonomia, complexidade e uma relação entre esforço e ganho

---

[4] Sei que parece estranho referir-se aos imigrantes judeus americanos como afortunados, uma vez que as famílias e os parentes que eles deixaram na Europa estavam à beira do extermínio nas mãos dos nazistas. Borgenicht capta involuntariamente essa comoção em suas memórias, publicadas em 1942 com o título *The Happiest Man* (O homem mais feliz). No entanto, após numerosos capítulos cheios de otimismo, ele cai na realidade da Europa dominada pelo nazismo. Se o livro tivesse sido publicado em 1945, quando se conheceu a história completa do Holocausto, imagina-se que teria recebido um título diferente.

financeiro envolvidos numa ocupação criativa, algo que, para a maioria das pessoas, vale mais do que dinheiro.

O trabalho que satisfaz esses critérios é *significativo*. Ser professor ou médico é significativo. Ser empresário também é. E o milagre da indústria de confecções – por mais impiedosa e implacável que fosse – era permitir que imigrantes recém-desembarcados do navio encontrassem algo assim para fazer. Quando Louis Borgenicht chegou em casa após vender pela primeira vez os aventais, ele segurou Regina pela cintura e começou a dançar. Ele sabia que, para obter frutos de sua ideia, teria que dar duro durante anos. No entanto, estava eufórico porque a perspectiva daqueles anos de intensa dedicação não lhe pareceu um fardo. Bill Gates sentiu uma sensação idêntica ao se sentar pela primeira vez diante do teclado em Lakeside. E os Beatles não recuaram horrorizados quando souberam que teriam que tocar por oito horas toda noite, sete noites por semana. Eles se empolgaram com a oportunidade. O trabalho árduo só representa uma sentença de prisão quando não é significativo. Se for, torna-se aquele tipo de coisa que faz uma pessoa enlaçar a esposa e dançar uma giga.[5]

A consequência mais importante do milagre da indústria de confecções foi o que aconteceu com as crianças criadas naqueles lares onde o trabalho significativo constituía a norma. Imagine como seria observar a ascensão meteórica de Louis e Regina

---

[5] Um esclarecimento: dizer que o trabalho nas confecções era significativo não é romantizá-lo. Tratava-se de uma atividade incrivelmente dura e, muitas vezes, deplorável. As condições eram desumanas. Segundo uma pesquisa da década de 1890, a semana de trabalho média perfazia 84 horas, o que corresponde a 12 horas diárias. Às vezes mais. "Durante a temporada mais movimentada, não era incomum encontrar trabalhadores em bancos ou cadeiras quebradas, inclinados sobre a costura ou o ferro de passar, das 5h às 21h, totalizando 100 ou mais horas por semana. Na verdade, dizia-se que, durante as épocas de maior movimento, o barulho desagradável das máquinas de costura nunca cessava por completo no Lower East Side, de dia e de noite", registra David Von Drehle em *Triangle: The Fire That Changed America* (Triangle: o incêndio que mudou a América).

Borgenicht pelos olhos de um de seus filhos. Eles aprenderam a mesma lição que o pequeno Alex Williams viria a assimilar quase um século depois, um ensinamento crucial para aqueles que almejavam alcançar profissões de alto nível, como a de médicos e advogados: se você trabalhar com esforço, fizer valer os seus direitos e usar sua mente e imaginação, poderá moldar o mundo aos seus desejos.

6.

Em 1982, uma estudante de pós-graduação em sociologia chamada Louise Farkas visitou uma série de abrigos e hotéis-residências para idosos em Nova York e Miami Beach. Estava em busca de pessoas como os Borgenicht, ou, mais precisamente, de filhos de pessoas como eles, que haviam chegado a Nova York na grande onda de imigração judaica na virada para o século XX. E para cada indivíduo entrevistado ela construiu uma árvore genealógica mostrando a profissão de uma linhagem de pais, filhos, netos e, em alguns casos, bisnetos.

Este é o registro que ela fez do "entrevistado nº 18":

> Um alfaiate russo chega aos Estados Unidos, ingressa na indústria de confecções e trabalha numa fábrica com péssimas condições e um salário exíguo. Mais tarde, leva roupas para acabar em casa, com a ajuda da esposa e dos filhos mais velhos. Para aumentar a renda, trabalha noite adentro. Depois passa a confeccionar roupas e vende nas ruas de Nova York. Acumula um pouco de capital e inicia um empreendimento comercial com os filhos. Abrem uma confecção para criar artigos de vestuário masculinos. Seus produtos têm mais qualidade do que aqueles dispo-

níveis no Novo Mundo, e eles logo descobrem uma grande demanda pelas roupas que confeccionam. O alfaiate russo e os filhos passam a ser fabricantes de ternos, fornecendo suas peças para diversas lojas masculina [...] Prosperam. Os netos tornam-se profissionais com curso universitário.

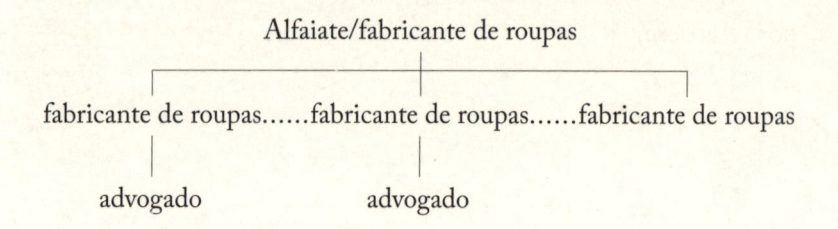

```
                 Alfaiate/fabricante de roupas
        ┌──────────────────────┼──────────────────────┐
fabricante de roupas......fabricante de roupas......fabricante de roupas
        │                      │
     advogado               advogado
```

Veja outro registro. Trata-se de um curtidor de couro que emigrou da Polônia no final do século XIX.

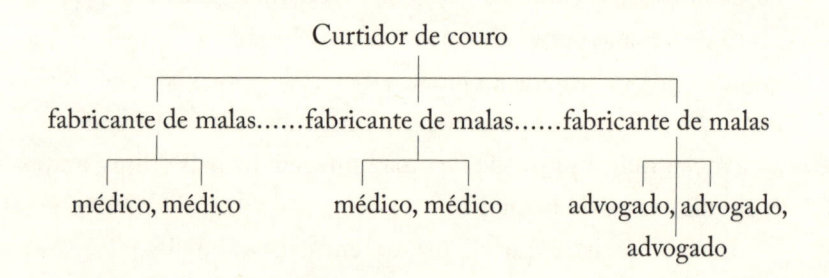

```
                        Curtidor de couro
        ┌──────────────────────┼──────────────────────┐
fabricante de malas......fabricante de malas......fabricante de malas
        │                      │                      │
   médico, médico         médico, médico        advogado, advogado,
                                                     advogado
```

As árvores genealógicas feitas por Farkas se estendem por páginas, cada uma delas praticamente idêntica à anterior, até que a conclusão se torna clara: os médicos e advogados judeus não se tornaram profissionais liberais apesar das suas origens. Tornaram-se profissionais liberais *por causa* das suas origens.

O advogado Ted Friedman, renomado especialista em litígios das décadas de 1970 e 1980, lembra-se de que, quando criança, ia a concertos com a mãe no Carnegie Hall. Eles eram pobres e viviam na parte mais distante do Bronx. Como conseguiam comprar ingressos? "Mary ganhava uma moeda", explica

Friedman. "Havia uma moça chamada Mary que recebia os ingressos. Quem desse a ela uma moeda de 25 centavos podia ficar de pé na galeria, sem ingresso. A administração do Carnegie Hall não sabia disso. Era uma transação entre a pessoa e Mary. Ir até lá era uma verdadeira viagem, mas fazíamos isso uma ou duas vezes por mês."[6]

A mãe de Friedman era uma imigrante russa que mal falava inglês. No entanto, aos 15 anos foi trabalhar como costureira e tornou-se uma destacada recrutadora do sindicato dos trabalhadores de confecções. E o que ela aprendeu naquele mundo foi que, por meio de sua iniciativa e de seus próprios poderes de persuasão, podia levar o filho ao Carnegie Hall. Não há lição melhor do que essa para um futuro advogado. A indústria de confecções funcionou como o campo de treinamento para as profissões liberais.

O que fazia o pai de Joe Flom? Costurava ombreiras para vestidos de mulheres. Em que trabalhava o pai de Robert Oppenheimer? Era fabricante de roupas, como Louis Borgenicht. Um andar acima da sala de Flom na Skadden, Arps fica a de Barry Garfinkel, que está na empresa há quase tanto tempo quanto Flom e, por vários anos, dirigiu o departamento de litígios. O que a mãe de Garfinkel fazia? Era chapeleira. Confeccionava chapéus femininos em casa. O que dois dos filhos de Louis e Regina Borgenicht fizeram? Cursaram a faculdade de Direito, e nada menos que nove de seus netos se tornaram médicos e advogados também.

---

[6] A explicação convencional para o sucesso dos judeus é que eles vêm de uma cultura letrada, intelectual. São conhecidos como "o povo do livro". Há um fundo de verdade nisso. Mas não foram apenas os filhos de rabinos que ingressaram em faculdades de Direito. Os filhos dos trabalhadores da indústria de confecções também conseguiram isso. E sua vantagem crucial na ascensão profissional não foi o rigor intelectual alcançado com o estudo do Talmude, e sim a inteligência prática e a destreza que se obtém vendo o pai vender aventais em Hester Street.

Você verá a seguir a mais notável das árvores genealógicas organizadas por Farkas. É de uma família judia da Romênia. Eles tinham uma pequena mercearia em seu país natal e depois que se mudaram para Nova York abriram outro estabelecimento do gênero no Lower East Side, em Manhattan. Essa história é uma resposta elegante à pergunta sobre a origem de todos os Joe Flom.

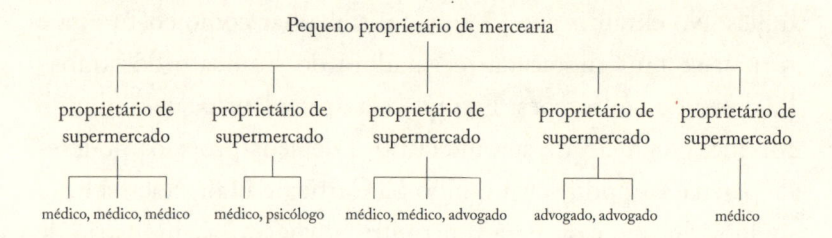

```
                        Pequeno proprietário de mercearia
    ┌──────────────┬──────────────┬──────────────┬──────────────┬──────────────┐
proprietário de  proprietário de  proprietário de  proprietário de  proprietário de
 supermercado     supermercado     supermercado     supermercado     supermercado
     │                │                │                │                │
médico, médico,  médico,          médico, médico,  advogado,        médico
    médico       psicólogo          advogado        advogado
```

7.

Dez quarteirões ao norte da sede da Skadden, Arps, no centro de Manhattan, está instalado o maior concorrente de Joe Flom, o escritório de advocacia que muitos consideram o melhor do mundo.

A sede fica num prédio comercial de grande prestígio, conhecido como BlackRock. Ser contratado por essa firma requer um pequeno milagre. Ao contrário dos outros grandes escritórios de advocacia de Nova York, todos com centenas de advogados atuando nas maiores capitais do mundo, ela opera apenas naquele edifício de Manhattan. Recusa um número muito maior de serviços do que aceita. Não cobra por hora como todos os concorrentes. Simplesmente especifica uma taxa. Certa vez, ao defender a Kmart contra uma tentativa de tomada do controle acionário, o valor cobrado foi US$20 milhões por duas semanas de trabalho. A Kmart pagou – satisfeita. Se os advogados dessa firma não forem mais espertos do que o concorrente, se esforçarão mais do que ele e, se não se empenharem mais, vencerão por pura intimidação. Não existe escritório no mundo que tenha conseguido ganhar mais dinheiro, advogado por advogado, nas últimas duas décadas. Na parede de Joe Flom, junto às suas fotos com George Bush (pai) e Bill Clinton, há uma em que ele aparece ao lado do sócio-gerente da firma rival.

Ninguém chega ao topo da advocacia em Nova York se não for inteligente, ambicioso e trabalhador. E os quatro homens que fundaram o escritório do edifício BlackRock se enquadram nessa descrição. Mas já sabemos que o sucesso não é um ato aleatório. Ele surge de um conjunto previsível e poderoso de circunstâncias e oportunidades, e a esta altura, após examinarmos a vida de Bill Joy, de Bill Gates, de jogadores profissionais de hóquei, de gênios, de Joe Flom, dos Janklow e dos Borgenicht, não teremos dificuldade em descobrir a procedência do advogado perfeito.

Ele terá nascido num "vale demográfico", portanto obteve o melhor das escolas públicas de Nova York e viveu o período mais fácil em termos de mercado de trabalho. Será judeu, é claro, de modo que contou com a grande sorte de não ter sido aceito pelos escritórios de advocacia tradicionais por causa dos seus "antecedentes". Terá pais que realizaram um trabalho significativo na indústria de confecções e que transmitiram aos filhos o sentido de autonomia, de complexidade e de ligação entre esforço e recompensa. Frequentou uma boa faculdade – embora não precise ter sido uma das mais conceituadas. Não foi necessariamente o mais inteligente da turma, bastou que fosse inteligente o suficiente.

Na verdade, podemos ser bem mais precisos. Assim como existe uma data de nascimento perfeita para um industrial bem-sucedido do século XIX e outra para um magnata do software, há também uma data de nascimento ideal para um advogado judeu de Nova York. É em torno da década de 1930, porque assim essa pessoa teria 40 anos de idade em 1970, quando teve início a revolução no mundo jurídico. Isso corresponde a um bom período de 15 anos em Hamburgo para aprimorar as habilidades na área das aquisições agressivas do controle acionário, enquanto os advogados dos sapatos brancos perdiam tempo, sem desconfiar de nada, em almoços regados a martínis. Para quem quer ser um grande advogado de Nova York, é uma vantagem não ser do meio e também ter pais que tenham desempenhado um trabalho significativo. Melhor ainda é ter nascido no início da década de 1930. A pessoa que reúne esses três pontos favoráveis – além de uma boa dose de engenhosidade e garra – conta com uma combinação imbatível. É como ser um jogador de hóquei nascido em 1º de janeiro.

A firma do edifício BlackRock é a Wachtell, Lipton, Rosen & Katz. Seu primeiro sócio foi Herbert Wachtell. Ele nasceu em 1931. Cresceu no conjunto habitacional do Amalgamated Clothing Workers Union, um sindicato em frente ao Van Cortland Park, no Bronx. Seus pais eram imigrantes judeus da Ucrânia. O pai e os irmãos trabalharam no ramo de roupas íntimas femininas. Ocupavam o sexto andar do que é agora um sofisticado prédio de apartamentos do tipo loft na Broadway e na Spring Street, no Soho. Wachtell frequentou escolas públicas de Nova York na década de 1940, depois o City College e, por fim, a faculdade de Direito da Universidade de Nova York.

O segundo sócio foi Martin Lipton. Ele nasceu em 1931. Seu pai era gerente de fábrica. Lipton frequentou escolas públicas de New Jersey, depois a Universidade da Pensilvânia e, por fim, a faculdade de Direito da Universidade de Nova York.

O terceiro sócio foi Leonard Rosen. Ele nasceu em 1930. Cresceu pobre no Bronx, perto do Yankee Stadium. Seus pais eram imigrantes judeus da Ucrânia. O pai trabalhou no distrito das confecções, em Manhattan, como passador de roupas. Rosen frequentou escolas públicas de Nova York na década de 1940, depois o City College e, por fim, a faculdade de Direito da Universidade de Nova York.

O quarto sócio foi George Katz. Ele nasceu em 1931. Cresceu num apartamento térreo de sala e quarto no Bronx. Seus pais eram filhos de imigrantes judeus da Europa Oriental. O pai vendia seguros. O avô, que morava a poucos quarteirões de distância, era costureiro da indústria de confecções e fazia serviços por encomenda em casa. Katz frequentou as escolas públicas de Nova York na década de 1940, depois o City College e, por fim, a faculdade de Direito da Universidade de Nova York.

Imagine qualquer um desses quatro homens logo após se formar na faculdade de Direito. Pense nele sentado na elegante sala de espera da Mudge Rose, tendo ao lado um tipo nórdico de olhos azuis com os antecedentes "certos". Todos nós apostaríamos que o tipo nórdico seria o mais bem-sucedido. E teríamos errado, pois os Katz, os Rosen, os Lipton, os Wachtell e os Flom possuíam algo que seu concorrente não tinha. Seu mundo – sua cultura, sua geração e seu histórico familiar – lhes proporcionou a melhor das oportunidades.

PARTE II
LEGADO

CAPÍTULO 6

Harlan, Kentucky

"MORRA FEITO UM HOMEM, COMO
SEU IRMÃO MORREU."

1.

Na parte sudeste do Kentucky, no trecho da cordilheira dos Apalaches conhecido como Cumberland Plateau, localiza-se a pequena cidade de Harlan.

O Cumberland Plateau é uma região selvagem e montanhosa, com cadeias de cume achatado, paredões de 150 a 300m de altura e vales estreitos, alguns com largura suficiente apenas para uma estrada de uma pista e um riacho. No início da exploração dessa área, as encostas e os vales estavam cobertos por uma densa floresta nativa. Tulipeiros cresciam nas partes baixas e no sopé dos morros, alguns com troncos de quase 2,5m de largura. Próximo a eles havia enormes carvalhos brancos, faias, bordos, nogueiras, figueiras, bétulas, salgueiros, cedros, pinheiros e cicutas, todos emaranhados numa treliça selvagem, compreendendo uma das maiores diversidades de árvores de floresta do hemisfério norte. No solo havia ursos, pumas e cascavéis. No alto das árvores, um número espantoso de esquilos e, sob o solo, uma camada espessa após a outra de carvão mineral.

Harlan County foi fundado em 1819 por oito famílias de imigrantes do norte das Ilhas Britânicas. Essas pessoas foram para a Virgínia no século XVIII, depois migraram para o Oeste, Apalaches adentro, em busca de terras. O condado nunca foi rico. Nos primeiros 100 anos, sua população era pequena, nunca superior a 10 mil habitantes. Os colonizadores pioneiros criavam porcos e pastoreavam ovelhas nas encostas. Tentavam sobreviver em pequenas fazendas nos vales. Produziam uísque em destilarias de fundo de quintal. Derrubavam árvores e transportavam os troncos pelo rio Cumberland na primavera, época em que as águas estavam altas. Até as primeiras décadas do século XX, chegar à estação de trem mais próxima exigia uma viagem de carroça de dois dias. A única maneira de sair da cidade era subindo Pine Mountain, percorrendo quase 15km numa estrada que, às vezes, virava uma trilha enlameada e rochosa. Harlan era um lugar remoto e estranho, desconhecido da sociedade maior em volta, e poderia perfeitamente ter continuado assim não fosse o fato de duas das famílias fundadoras da cidade – os Howard e os Turner – terem se desentendido.

O patriarca do clã dos Howard era Samuel Howard. Ele construiu o tribunal e a cadeia locais. Seu equivalente era William Turner, dono de uma taverna e de duas lojas de artigos gerais. Certa vez, um temporal derrubou a cerca da propriedade de Turner, e uma vaca entrou em suas terras. O neto de William Turner, "Devil Jim", matou-a a tiros. O vizinho ficou com medo de queixar-se à polícia e deixou o condado. Em outra ocasião, um homem tentou abrir uma loja de artigos gerais para concorrer com as de Turner. A família Turner, porém, teve uma conversa em particular com ele, que fechou a loja e se mudou para Indiana.

Uma noite Wix Howard e "Little Bob" Turner – os netos de Samuel e William, respectivamente – participaram de uma partida de pôquer. Eles acusaram um ao outro de trapaça. E brigaram. No dia seguinte, encontraram-se na rua e, após uma troca de tiros, Little Bob Turner caía morto, atingido no peito. Um grupo dos Turner foi até a loja de artigos gerais e insultou a Sra. Howard. Esta contou o incidente ao filho Wilse Howard, que, na semana seguinte, trocou tiros com outro dos netos de Turner, o jovem Will Turner, na estrada para Hagan, Virgínia. Naquela noite, um dos Turner e um amigo atacaram a casa de Howard. As duas famílias então se enfrentaram diante do Tribunal de Harlan. No fogo cruzado, Will Turner foi atingido e morreu logo depois. Uma parte dos Howard foi então falar com a Sra. Turner, a mãe de Will Turner e de "Little Bob", para propor uma trégua. Ela não aceitou: "Não dá para limpar este sangue", disse, apontando para a mancha no local onde seu filho havia morrido.

A situação se deteriorou rapidamente. Wilse Howard encontrou por acaso "Little George" Turner perto de Sulphur Springs e desferiu-lhe um tiro mortal. Os Howard atacaram de emboscada três amigos dos Turner – os Cawood – e mataram todos eles. Um grupo de policiais armados foi então enviado pelo xerife em busca dos Howard. No tiroteio resultante, seis outros foram mortos ou feridos. Wilse Howard soube que os Turner estavam atrás dele e, com um amigo, entrou em Harlan e atacou a casa de Turner. Quando cavalgavam de volta, os Howard sofreram uma emboscada. No enfrentamento, outra pessoa morreu. Wilse Howard dirigiu-se à casa de Little George Turner e atirou contra ele, mas errou o alvo e matou outro homem. O grupo de policiais cercou a casa dos Howard. Seguiu-se outro tiroteio com mais mortos. O condado estava em polvorosa. Acho que você captou o quadro. Havia lugares nos Estados Unidos do século XIX onde as pessoas viviam em harmonia. Harlan, Kentucky, não era um deles.

"Pare com isso!", a mãe de Will Turner o repreendeu ao vê-lo voltar para casa uivando de dor após ser atingido no tiroteio com os Howard diante do tribunal. "Morra feito um homem, como seu irmão morreu!". Ela era de um mundo tão familiarizado com disparos fatais que havia expectativas sobre como deviam ser suportados. "Will parou de berrar" – escreve John Ed Pearce em *Days of Darkness* (Dias de escuridão) – "e morreu."

2.

Suponha que o enviassem a Harlan, no final do século XIX, para investigar os mortos da disputa Howard-Turner. Você poderia convocar todos os participantes sobreviventes e interrogá-los com a maior minúcia possível. Solicitaria documentos e tomaria depoimentos até conseguir montar um relato detalhado e preciso de cada estágio do conflito mortal.

O que você encontraria? A resposta é: pouca coisa. Sua constatação seria de que havia algumas pessoas em Harlan que não se gostavam e que Wilse Howard, um dos principais responsáveis por grande parte da violência, provavelmente deveria estar atrás das grades. O que ocorreu ali só começaria a ficar claro quando você examinasse os acontecimentos de uma perspectiva mais ampla.

O primeiro fato crucial sobre Harlan é que, na mesma época em que os Howard e os Turner vinham se matando uns ao outros, choques quase idênticos estavam ocorrendo em outras cidades pequenas acima e abaixo dos Apalaches. No conflito Hatfield-McCoy, na fronteira entre a Virgínia Ocidental e o Kentucky, não longe de Harlan, dezenas de pessoas foram mortas num ciclo de violência que se estendeu por mais de 20 anos. No enfrentamento French-Eversole, em Perry County, Kentucky, 12 foram assassinados, seis deles por "Bad Tom" Smith, um homem que, nas palavras de John Ed Pearce em *Days of Darkness*, era "bastante brilhante para ser destemido, bastante brilhante para ser perigoso e um atirador infalível". A briga entre Martin-Tolliver, em Rowan County, Kentucky, em meados da década de 1880, envolveu três tiroteios, três emboscadas e dois ataques a casas e terminou numa batalha de duas horas envolvendo 100 homens armados. O confronto Baker-Howard, em Clay County, Kentucky, começou em 1806 com uma caçada a alces que deu errado e só se encerrou na década de 1930, quando uma dupla da família Howard matou três dos Baker em uma emboscada.

E esses foram apenas os conflitos mais conhecidos. Harry Caudill, um legislador do Kentucky, certa vez examinou uma sala de arquivos do tribunal de uma cidade do Cumberland Plateau e descobriu mil indiciamentos por homicídio estendendo-se no final da Guerra Civil, na década de 1860, até o início do século XX – e numa região cuja população nunca ultrapassou a marca de 15 mil habitantes, um lugar onde muitos atos violentos nem sequer chegaram ao conhecimento da Justiça. Caudill escreve sobre um julgamento de assassinato em Breathitt County – ou "Bloody Breathitt" (Breathitt Sangrento), como o condado passou a ser conhecido – que terminou subitamente quando o pai do réu, "um homem de cerca de 50 anos, com enormes bigodes de pontas recurvadas e duas imensas pistolas", dirigiu-se ao juiz e arrebatou-lhe o martelo:

> Ele bateu na bancada e anunciou: "O julgamento está encerrado e todos podem ir embora. Não vai haver mais nenhum julgamento aqui neste período, pessoal." O juiz, de rosto vermelho, acatou de imediato a ordem extraordinária e deixou rapidamente a cidade. Quando o tribunal se reuniu no período seguinte, os jurados e o xerife foram protegidos por 60 milicianos. Mas, àquela altura, o réu já não estava disponível para o julgamento. Havia sido morto numa emboscada.

Quando uma família briga com outra, temos um conflito. No entanto, quando muitas famílias se enfrentam em cidadezinhas como essas, acima e abaixo da mesma cadeia de montanhas, temos um padrão.

Qual seria a causa dos confrontos nos Apalaches? Ao longo dos anos, diversas causas potenciais foram pesquisadas e debatidas. O consenso parece ser que essa região era assolada por uma espécie particularmente virulenta do que os sociólogos denominam de "cultura da honra".

Esse tipo de cultura tende a se enraizar em terras altas e em outras áreas pouco férteis, como a Sicília e as regiões bascas montanhosas da Espanha. Segundo a explicação, quem vive em encostas rochosas dos montes não consegue cultivar a terra. Essas pessoas provavelmente criam cabras ou carneiros. Ao contrário do que acontece com os fazendeiros, sua sobrevivência não depende da cooperação dos outros membros da comunidade. Esses indivíduos dependem apenas de si mesmos. Os fazendeiros não precisam esquentar a cabeça com um possível furto de suas plantações à noite, pois é difícil arrancá-las do solo, a não ser que o ladrão queira se dar ao trabalho de colher um campo de trigo inteiro sozinho. Mas um pastor se preocupa com isso. Ele vive sob a ameaça constante da ruína pela perda de seus animais. Assim, tem que ser agressivo: deve deixar claro, por meio de palavras e ações, que não é um fraco. É necessário que esteja disposto a revidar mesmo ao mais leve desafio à sua reputação — esse é o significado da "cultura da honra". É um mundo onde a reputação de um homem representa o ponto central do seu trabalho e da sua autoestima.

"O momento crucial no desenvolvimento da reputação do jovem pastor é sua primeira briga", escreve o etnógrafo J. K. Campbell sobre a cultura pastoril na Grécia. "Os confrontos são necessariamente públicos. Podem ocorrer no café, na praça da aldeia ou, com mais frequência, no limite de uma área de pastoreio, onde uma praga ou pedra lançada por outro pastor contra uma ovelha desgarrada é um insulto que requer uma reação violenta."

Então por que os Apalaches eram desse jeito? Por causa da procedência de seus habitantes originais. Os chamados estados do interior dos Estados Unidos – desde a fronteira da Pensilvânia, ao sul, e a oeste pela Virgínia, Virgínia Ocidental, Kentucky, Tennessee, Carolina do Norte, Carolina do Sul e a extremidade norte do Alabama e da Geórgia – foram ocupados sobretudo por imigrantes de uma das culturas da honra mais violentas do mundo. Eles eram "escoceses-irlandeses", ou seja, das Terras Baixas da Escócia, dos condados ao norte da Inglaterra e de Ulster, na Irlanda do Norte.

Essas remotas terras fronteiriças foram territórios sem lei disputados por centenas de anos. Seus habitantes viviam imersos em violência. Eram pastores tentando sobreviver em terras rochosas e inférteis. Fechados em seus clãs, reagiam à dureza e à desordem do ambiente formando laços familiares coesos e colocando a fidelidade ao sangue acima de tudo. Quando emigraram para os Estados Unidos, foram para o interior do país, instalando-se em lugares longínquos, sem lei, rochosos e inférteis, como Harlan, que permitiram reproduzir no Novo Mundo a cultura da honra que haviam criado no Velho Mundo.

"Para os primeiros colonizadores, o interior americano era um ambiente perigoso, como haviam sido as terras fronteiriças britânicas", o historiador David Hackett Fischer escreve em *Albion's Seed* (Semente de Albion):

> Grande parte das regiões montanhosas ao sul eram "terras contestáveis" no sentido de um território fronteiriço sem governo estabelecido ou o primado da lei. Os habitantes das fronteiras sentiam-se mais em casa do que os demais naquele ambiente anárquico, bem adequado ao seu sistema familiar, à sua ética guerreira, à sua economia agrícola e pastoril, a suas atitudes em relação à terra e à riqueza e a suas ideias de trabalho e poder. A cultura de fronteira adaptou-se tão bem a esse ambiente que outros grupos étnicos tenderam a copiá-la. O etos das terras fronteiriças do norte bri-

tânico passou a dominar esse "terreno sombrio e sangrento", em parte pela força numérica, mas, sobretudo, por ser um meio de sobrevivência em um mundo rude e perigoso.[1]

O triunfo da cultura da honra ajuda a explicar por que o padrão de criminalidade no Sul dos Estados Unidos sempre foi tão característico. As taxas de homicídios ali são maiores do que no resto do país. Mas crimes contra a propriedade e outros "mais estranhos" – como agressão com intenção de roubar – ocorrem menos. Como escreveu o sociólogo John Shelton Reed: "Os homicídios em que o Sul parece se especializar são aqueles em que alguém está sendo morto por outro que ele (ou, muitas vezes, ela) conhece, por razões que tanto o assassino quanto a vítima entendem." Reed acrescenta: "As estatísticas mostram que o sulista capaz de evitar discussões e adultério vive tão seguro quanto qualquer outro americano ou até mais." No interior, a violência não visava ao ganho econômico. Era pessoal. Lutava-se pela honra.

Anos atrás, o jornalista sulista Hodding Carter contou a história de como, quando jovem, integrou um corpo de jurados. Veja

---

[1] O livro de David Hackett Fischer *Albion's Seed: Four British Folkways in America* apresenta o tratamento mais apropriado e convincente da ideia de que os legados culturais lançam uma longa sombra histórica. (Se você leu meu primeiro livro, *O ponto de desequilíbrio*, vai se lembrar de que a discussão de Paul Revere foi extraída da obra de Fischer, *Paul Revere's Ride*.) Em *Albion's Seed*, Fischer argumenta que houve quatro migrações britânicas diferentes para os Estados Unidos nos primeiros 150 anos do país. A primeira delas, na década de 1630, foi de puritanos que partiram da Ânglia Oriental para Massachusetts. Depois, os *Cavaliers* e vassalos do sul da Inglaterra, que rumaram para a Virgínia em meados do século XVII. Em seguida, os quacres de North Midlands, que se dirigiram para o Vale de Delaware, entre o final do século XVII e o início do século XVIII. E, por fim, a população das terras fronteiriças, que seguiu para o interior dos Apalaches no século XVIII. Fischer argumenta, de forma brilhante, que essas quatro culturas – cada uma delas profundamente distinta – caracterizam até hoje essas quatro regiões dos Estados Unidos.

o relato de Reed: "O caso submetido aos jurados envolvia um cavalheiro irascível que morava ao lado de um posto de gasolina. Durante meses, ele fora alvo de piadinhas dos funcionários e desocupados que frequentavam o posto, apesar das advertências e de seu notório pavio curto. Certa manhã, esse homem descarregou os dois tambores de sua espingarda nas pessoas que o atormentavam, matando uma, aleijando permanentemente outra e ferindo uma terceira. Quando o corpo de jurados foi consultado pelo incrédulo juiz, Carter foi o único que votou pela culpa. Nas palavras de outro jurado: 'Ele não se sentiria homem suficiente se não tivesse disparado contra aqueles caras.'" Somente numa cultura da honra ocorreria ao cavalheiro exaltado que disparar contra alguém era uma reação apropriada a um insulto pessoal. E apenas numa cultura da honra o corpo de jurados acharia que um assassinato – naquelas circunstâncias – não era um crime.

Percebo que costumamos ser cautelosos nesses tipos de generalizações sobre diferentes grupos culturais – e por bons motivos. Essa é a forma que os estereótipos raciais e étnicos assumem. Queremos acreditar que não somos escravizados por nossas histórias étnicas.

A verdade pura e simples é que, se queremos entender o que aconteceu naquelas cidadezinhas do Kentucky no século XIX, temos que voltar ao passado – e não apenas a uma ou duas gerações atrás. Precisamos retroceder 200 a 400 anos, ir a um país do outro lado do oceano e examinar cuidadosamente o meio de subsistência das pessoas numa área geográfica bem específica. A hipótese da "cultura da honra" afirma que a nossa procedência importa, não apenas em termos de onde nós e nossos pais fomos criados, mas em termos de onde os nossos bisavôs e trisavôs cresceram e até nossos tetravôs. Esse é um fato estranho e poderoso. Porém, é só o começo, pois, se analisados com atenção, os legados culturais revelam-se ainda mais incomuns e impressionantes.

3.

No início da década de 1990, dois psicólogos da Universidade de Michigan – Dov Cohen e Richard Nisbett – realizaram um experimento sobre a cultura da honra. Eles sabiam que o que acontecia em lugares como Harlan no século XIX era, provavelmente, um produto de padrões consolidados nas terras fronteiriças inglesas séculos antes. Mas seu interesse estava nos dias atuais. Seria possível encontrar vestígios da cultura da honra hoje? Desse modo, decidiram reunir um grupo de rapazes e insultá-los. "Tentamos descobrir qual seria a ofensa que mais atingiria um cérebro de 18 a 20 anos", diz Cohen. "Não levamos muito tempo para chegar a uma conclusão: a maior afronta seria a palavra 'babaca'."

O prédio de ciências sociais da Universidade de Michigan possui um corredor comprido e estreito no subsolo, cheio de fichários. Os estudantes foram chamados a uma sala de aula, um por um, e instruídos a preencher um questionário. Depois receberam a orientação de deixar o questionário no fim do corredor e retornar à sala – um exercício acadêmico inocente e aparentemente inútil.

Para metade dos participantes, o experimento não foi além disso. Foi o grupo de controle. Para a outra metade, havia uma armadilha. Ao percorrerem o corredor com o questionário, eles passavam por outro homem – um cúmplice dos psicólogos – que abria a gaveta de um dos fichários. O corredor, já estreito, ficava ainda mais apertado. Quando o estudante tentava seguir em frente, o cúmplice o encarava, aborrecido. Batia a gaveta do fichário, empurrava o rapaz com o ombro e, em voz baixa mas audível, o chamava de babaca.

Cohen e Nisbett queriam saber, com o máximo de precisão, o que significava ouvir exatamente aquele xingamento. Portanto, testaram todos os meios concebíveis de avaliar as emoções dos jovens. Olhavam para seu rosto e mediam a raiva que viam neles. Davam a mão aos rapazes para sentir se seu cumprimento estava mais firme do que o usual. Recolhiam amostras de saliva dos estudantes, antes e depois do insulto, para analisar se ser chamado de babaca elevava seus níveis de testosterona e cortisol, os hormônios que desencadeiam reações de excitação e agressão. Depois pediam a eles que lessem a seguinte história e fornecessem uma conclusão:

> Apenas 20 minutos após terem chegado à festa, Jill, obviamente contrariada, chama Steve a um canto.
> – Qual o problema? – Steve pergunta.
> – É Larry. Ele sabe que estamos namorando, mas já me deu duas cantadas esta noite.
> Jill volta para o grupo. Steve decide ficar de olho em Larry. Como era de se esperar, em cinco minutos Larry dirige-se a Jill e tenta beijá-la.

Os rapazes insultados terão maior tendência a imaginar Steve agindo violentamente contra Larry?

Os resultados foram espantosos. Existem diferenças claras na reação de um jovem a um xingamento. Para alguns deles, a afronta modifica o comportamento de forma drástica. No caso de outros, não provoca nenhuma alteração. O fator decisivo, porém, não é o grau de segurança emocional nem se a pessoa é um intelectual ou um atleta, se é fisicamente imponente ou não. O que importa – e acho que você consegue imaginar aonde quero chegar – é a sua origem. A maioria dos participantes do norte dos Estados Unidos tratou o incidente com senso de humor. Eles riram daquilo. Seus apertos de mão não mudaram. Seus níveis de cortisol na verdade diminuíram – era como se estivessem tentando dissipar a própria raiva de modo inconsciente. Somente poucos fizeram com que Steve se tornasse violento com Larry.

Mas e os sulistas? Esses ficaram furiosos. Seu cortisol e sua testosterona deram um salto. Os apertos de mão tornaram-se firmes. Steve não perdoou Larry.

"Fizemos até o jogo da covardia", disse Cohen. "Enviamos os estudantes de volta ao corredor do subsolo para que, do nada, encontrassem outro cúmplice. O corredor estava bloqueado, só dava para um deles passar. O rapaz que contratamos media 1,90m e pesava 110kg. Já havia jogado futebol americano na faculdade e agora trabalhava como segurança num bar. Ele desceu o corredor como se estivesse a serviço, a caminho de apartar uma briga. A questão era: a que distância os participantes do experimento chegavam do segurança antes de saírem da frente dele?

O efeito sobre os nortistas foi quase nulo. Eles se afastavam a 1,5 ou 2m, tivessem ou não ouvido o xingamento. Já os sulistas, quando não insultados, mostraram-se educados, desimpedindo a passagem uns 3m antes. Mas e nos casos em que foram ofendidos? Eles chegavam bem perto do segurança. Quando xingado de babaca, um sulista fica doido por uma briga. O que Cohen e Nisbett estavam observando ali era a cultura sulista da honra em ação: aqueles rapazes estavam reagindo como Wix Howard quando Little Bob Turner o acusou de trapacear no pôquer.

4.

Um estudo estranho, não é? Uma coisa é concluir que grupos de pessoas que vivem em circunstâncias semelhantes às de seus ancestrais agem de forma parecida com estes últimos. Mas os sulistas que participaram do experimento não estavam vivendo em circunstâncias semelhantes às de seus antepassados britânicos. Eles nem possuíam necessariamente ancestrais britânicos. Apenas tinham nascido no sul. Nenhum deles era pastor, assim como seus pais não haviam sido. Estavam vivendo no final do século XX, não no final do século XIX. Eram estudantes da Universidade de Michigan, localizada num dos estados mais ao norte do país. Isso significava que eram cosmopolitas o bastante para viajar centenas de quilômetros do sul até à universidade. E nada daquilo importava. Eles continuavam agindo como se estivessem morando na Harlan, Kentucky, do século XIX.

"Em média, os alunos que participaram daquele estudo pertenciam a famílias com renda anual superior a US$100 mil – e em dólares de 1990", explica Cohen. "Os sulistas que manifestaram essa reação não eram provenientes das montanhas dos Apalaches. É mais provável que fossem filhos de executivos de nível médio a alto da Coca-Cola, em Atlanta. E esta é a grande questão: por que deveríamos esperar que eles se comportassem daquela forma? Por que esse tipo de reação se revelaria centenas de anos depois? O que fazia com que esses rapazes dos subúrbios de Atlanta exprimissem o etos das regiões fronteiriças?"[2]

Os legados culturais são forças poderosas. Possuem raízes profundas e vida longa. Persistem, geração após geração, praticamente intactos, mesmo quando as condições econômicas, sociais

---

[2] Cohen realizou outros experimentos em busca de sinais do "espírito sulista" e em todos eles chegou à mesma conclusão. "Certa vez, incomodamos os estudantes de forma persistente", ele disse. "Cada um deles entrava no laboratório e era orientado a desenhar cenas da sua infância. O cúmplice ficava junto e não parava de atazanar. Fazia de tudo para aborrecer o rapaz. Amassava o desenho dele, jogava na cesta de lixo e batia no estudante. Tomava seus lápis de cor e não os devolvia. Ficava chamando o jovem de trapaceiro, dizia que ia assinar seu nome no desenho e escrevia 'trapaceiro'. Constatamos que os nortistas tendiam a mostrar raiva até certo ponto e depois se acalmavam. Os sulistas não costumavam se zangar logo no início. Mas, a certa altura, alcançavam os nortistas e disparavam na frente. Eles eram mais sujeitos a perder o controle, muito mais instáveis e irascíveis."

e demográficas que os geraram já desapareceram. Eles desempenham um papel tão importante no direcionamento de atitudes e condutas que não podemos entender nosso mundo sem eles.[3]

Até aqui vimos que o sucesso resulta do acúmulo constante de vantagens: ele depende, em grande parte, de quando e onde nascemos, de qual é a profissão dos nossos pais e das circunstâncias da nossa criação. A pergunta que se coloca na parte II deste livro é se as tradições e atitudes que herdamos dos nossos ancestrais podem desempenhar o mesmo papel. Será possível aprendermos algo sobre o motivo do sucesso das pessoas e como melhorar nosso desempenho levando a sério os legados culturais? Acredito que sim.

---

[3] Como atitudes desse tipo são transmitidas de uma geração para outra? Por meio da herança social. Pense em como os sotaques regionais persistem ao longo do tempo. O historiador David Hackett Fischer observa que a pronúncia dos atuais habitantes das áreas rurais dos Apalaches é igual à dos colonizadores dessa região. Segundo ele, os colonizadores diziam, por exemplo, "critter" em vez de creature (criatura), "winder" em vez de window (janela), "far" em vez de fire (fogo), etc. Seja qual for o mecanismo que transmite os padrões da fala, é provável que ele também passe adiante modelos comportamentais e emocionais.

CAPÍTULO 7

A teoria étnica dos acidentes de avião

"PILOTO, O RADAR METEOROLÓGICO
NOS AJUDOU MUITO."

1.

Na manhã de 5 de agosto de 1997, o piloto do voo 801 da Korean Air acordou às 6h. Mais tarde, sua família contaria aos investigadores que ele fora à academia por uma hora, voltara para casa e estudara o plano de voo da viagem que faria a Guam naquela noite. Depois, tirou uma soneca e almoçou. Às 15h, disse sua esposa, ele partiu para Seul cedo o suficiente para continuar seus preparativos no Aeroporto Internacional de Kimpo. Piloto da Korean Air havia quase quatro anos, servira antes na força aérea da Coreia do Sul. Suas 8.900 horas de voo incluíam 3.200 horas de experiência em jatos Jumbo. Meses antes, recebera um prêmio de segurança de voo de sua companhia aérea por contornar com sucesso uma falha na turbina de um Jumbo em baixa altitude. Tinha 42 anos e excelente saúde, a não ser por uma bronquite diagnosticada 10 dias antes.

Às 19h, o piloto, o copiloto e o engenheiro de voo encontraram-se e apanharam a documentação do voo. Estariam pilotando um Boeing 747 – modelo conhecido no mundo da aviação como o "clássico". A aeronave estava em perfeitas condições de funcionamento. Em outros tempos, fora o avião presidencial na Coreia do Sul. O voo 801 deixou o terminal de embarque às 22h30 e partiu 20 minutos depois. A decolagem transcorreu sem incidentes. Pouco antes de 1h30, o avião saiu das nuvens e a tripulação avistou luzes à distância.

"É Guam?", o engenheiro de voo pergunta. Após uma pausa, ele afirma: "É Guam, Guam."

O piloto disse, risonho: "Bom!"

O copiloto informou ao Controle de Tráfego Aéreo (CTA) que o avião "saíra das Charlie Bravo [nuvens cúmulos-nimbos]" e solicitou "vetoração radar para a pista seis à esquerda".

O avião iniciou a descida rumo ao Aeroporto de Guam. Fariam uma aproximação visual, o piloto informou. Ele já havia voado de Kimpo àquele aeroporto oito vezes – a última fora um mês antes – e conhecia bem o local e o terreno em volta. O trem de aterrissagem baixou. Os flapes foram estendidos em 10º. À 1h41min48s, o piloto disse "Ligar os limpadores de para-brisas", e o engenheiro de voo os acionou. Estava chovendo. À 1h41min59s, o copiloto perguntou: "Não está à vista?" Estava procurando a pista de aterrissagem. Não conseguia vê-la. Um segundo depois, o sistema de aviso de aproximação de solo anunciou em sua voz eletrônica: "Quinhentos [pés]." O avião estava a 150m do solo. Mas como era possível não enxergarem a pista? Dois segundos se passaram. O engenheiro de voo exclamou "Ah!", num tom de espanto.

À 1h42min19s, o copiloto informou: "Vamos realizar uma aproximação perdida", isto é, arremeter, fazer um grande círculo e tentar uma nova aterrissagem.

Um segundo depois, o engenheiro de voo disse: "Não está à vista." O copiloto acrescentou: "Não está à vista, aproximação perdida."

À 1h42min22s, o engenheiro de voo disse: "Dar uma volta."

À 1h42min23s, o piloto repetiu "dar uma volta", mas demorou para interromper a descida do avião.

À 1h42min26s, o avião atingiu a encosta do monte Nimitz, uma montanha com densas matas 4,8km a sudoeste do aeroporto – o aparelho de US$60 milhões e 212.000kg de aço chocou-se contra a superfície rochosa a 160km por hora. O avião derrapou por 600m, rompendo um oleoduto e arrancando pinheiros. Em seguida, caiu numa ravina e pegou fogo. No momento em que a equipe de resgate chegou ao local da queda, 228 das 254 pessoas a bordo estavam mortas.

2.

Vinte anos antes do acidente com o KAL 801, um Boeing 707 da Korean Air penetrou inadvertidamente no espaço aéreo russo e acabou sendo derrubado por um jato militar soviético sobre o mar de Barents. Foi um acidente, ou seja, o tipo de episódio raro e catastrófico que, a não ser por intervenção divina, poderia acontecer com qualquer companhia aérea. Com a investigação e a análise do fato, aprenderam-se lições. Relatórios foram elaborados.

Dois anos depois, um Boeing 747 da Korean Air caiu em Seul. Dois acidentes em dois anos não é um bom sinal. Três anos mais tarde, a companhia aérea perdeu outro 747 perto da ilha Sakhalin, na Rússia. A esse desastre seguiram-se a queda de um Boeing 707 no mar de Andaman em 1987, dois acidentes em 1989 – em Trípoli e em Seul –, além de outro em Cheju, Coreia do Sul, em 1994.[1]

Para que você tenha uma ideia do que esses registros significam, a taxa de "perda" de uma companhia aérea como a america-

---

[1] A Korean Air mudou seu nome para Korean Airlines após o acidente em Guam. E o incidente no mar de Barents foi precedido por dois outros desastres, em 1971 e 1976.

na United Airlines no período de 1988 a 1998 foi de 0,27 por 1 milhão de partidas, o que significa que ela perdeu um avião a cada 4 milhões de voos. O índice da Korean Air no mesmo período foi de 4,79 por 1 milhão de partidas – mais de *17* vezes superior.

Os acidentes com os aviões da Korean Air vinham sendo tão frequentes que, quando o National Transportation Safety Board (NTSB) – a agência americana responsável por investigar desastres aéreos dentro da sua jurisdição – realizou seu relatório sobre o episódio em Guam, foi forçada a incluir um adendo, listando todos os acidentes novos da Korean Air que haviam ocorrido desde o início da investigação: o do 747 durante a aterrissagem no Aeroporto de Kimpo, em Seul, quase um ano após a tragédia em Guam; o incidente com um jato que saiu da pista no Aeroporto de Ulsan, na Coreia do Sul, oito semanas depois; a batida de um McDonnell Douglas 83 numa barreira de terra no Aeroporto de Pohang, no mês de março seguinte; e a queda, um mês depois, de um jato de passageiros numa área residencial de Xangai. Se o NTSB tivesse esperado mais alguns meses, poderia ter incluído outro desastre: o de um avião de carga da Korean Air que caiu logo depois de decolar do aeroporto londrino de Stansted, embora o dispositivo sonoro de advertência tenha soado na cabine de pilotagem nada menos do que 14 vezes.

Em abril de 1999, a Delta Air Lines e a Air France suspenderam suas parcerias de voo com a Korean Air. Imediatamente, o exército americano, que mantém milhares de soldados na Coreia do Sul, proibiu seu pessoal de usar aquela companhia aérea. A classificação de segurança da Coreia do Sul foi rebaixada pela U.S. Federal Aviation Authority. No Canadá, as autoridades avisaram a direção da Korean Air que estavam cogitando revogar os direitos de sobrevoo e aterrissagem de suas aeronaves no país.

Em meio à controvérsia, uma auditoria externa das operações da Korean Air vazou para o público. Rapidamente, os dirigentes da empresa disseram que o relatório de 40 páginas era sensacionalista e não representativo. Àquela altura, porém, já era tarde demais para qualquer tentativa de salvar a reputação da companhia. A auditoria revelou casos de tripulantes fumando na pista de decolagem durante as operações de reabastecimento e colocação de cargas, próximo a produtos perigosos e com o avião em pleno ar. "Membros da tripulação liam jornais durante o voo, muitas vezes segurando-o de tal maneira que, se uma luz de advertência acendesse, não seria percebida", dizia um dos registros. O relatório apontou ainda moral baixo, numerosas violações das regras e a conclusão alarmante de que os padrões de treinamento para o 747 (o "clássico") eram muito deficientes. "Há certa dúvida se os copilotos da frota do clássico seriam capazes de aterrissar a aeronave caso o piloto ficasse incapacitado por algum tipo de distúrbio normal ou anormal", dizia o documento.

Na época do desastre em Xangai, o presidente da Coreia do Sul, Kim Dae-jung, sentiu-se obrigado a se manifestar: "O problema da Korean Air envolve não apenas uma empresa individual, e sim todo o país. A credibilidade da nossa nação está em jogo." Dae-jung trocou então o avião presidencial, que era da Korean Air, por um de sua mais nova concorrente, a Asiana.

Mas um pequeno milagre aconteceu. A Korean Air deu a volta por cima. Agora é uma respeitada integrante da prestigiosa SkyTeam Alliance. Desde 1999, seu histórico de segurança é impecável. Em 2006, a empresa recebeu o Prêmio Phoenix da Air Transport World em reconhecimento à sua transformação. Hoje em dia, especialistas em aviação garantem que essa companhia aérea é tão segura quanto qualquer outra no mundo.

Neste capítulo, faremos uma investigação do acidente: leremos transcrições da gravação da caixa-preta, examinaremos o registro do voo, verificaremos o terreno e as condições do tempo e do aeroporto. Com isso, vamos comparar o desastre aéreo em Guam com outros bem parecidos, na tentativa de entender o que deu errado na Korean Air e como a companhia conseguiu se recuperar, transformando-se do pior tipo de *outlier* numa das melhores linhas aéreas do mundo. Trata-se de uma história complexa e até estranha. Mas revela um fato simples: o mesmo que constatamos nas histórias de Harlan e dos estudantes de Michigan. A Korean Air só teve sucesso, isto é, só conseguiu se corrigir, quando reconheceu a importância de seu legado cultural.

3.

É raro que na vida real acidentes aéreos aconteçam como mostrados no cinema. Uma peça do motor não explode ruidosamente. O leme de direção não se desprende de repente da cauda da aeronave com a força da decolagem. O piloto não suspira "Meu Deus!" ao ser arremessado para trás no assento. O jato comercial típico – a esta altura do seu desenvolvimento – é quase tão confiável quanto uma torradeira. Acidentes de avião tendem a ocorrer muito mais como resultado do acúmulo de pequenas avarias e situações de desgaste.[2]

---

[2] Isso não ocorre apenas nos desastres aéreos. Acontece em quase todos os acidentes industriais. Um dos mais célebres, por exemplo, foi a quase fusão do núcleo do reator da usina nuclear de Three Mile Island, na Pensilvânia, em 1979. O incidente em Three Mile Island traumatizou tanto o povo americano que mergulhou a indústria de energia nuclear dos Estados Unidos numa crise da qual esse setor nunca se recuperou plenamente. No entanto, o que se passou com aquele reator teve início com algo nada dramático. Como mostra o sociólogo Charles Perrow em *Normal Accidents* (Acidentes normais), houve um entupimento rotineiro do chamado "polidor" da usina, uma espécie de filtro de água gigante. Isso fez com que a umidade vazasse no sistema de ar, obstruindo duas válvulas e interrompendo o fluxo de água fria para dentro do gerador de vapor. Como todos os reatores nucleares, o de Three Mile Island possuía um sistema de refrigeração de reserva específico

Num acidente aéreo típico, por exemplo, o tempo costuma estar ruim – não necessariamente horrível, porém feio o suficiente para que o piloto esteja sob uma pressão um pouco maior do que a usual. As aeronaves envolvidas na maioria dos desastres estão atrasadas, por isso os pilotos estão com pressa. Em 52% dos acidentes, o piloto, no momento da tragédia, está acordado há 12 horas ou mais; portanto, sente-se cansado e sem agilidade mental. Em 44% desses casos, é a primeira vez que os dois pilotos voam juntos e ainda não se sentem à vontade um com o outro. Assim os erros começam – e não se trata de apenas um. O acidente típico envolve sete erros humanos consecutivos. Um dos pilotos comete uma falha que, isoladamente, não constituiria um problema. Depois, um deles comete outro equívoco que, combinado com o primeiro, ainda não representa uma catástrofe. Mas então cometem um terceiro erro adicional e, a partir daí, outro, outro, outro e *mais outro* – é a combinação de todos eles que leva ao desastre.

Além disso, é raro que os sete erros decorram da falta de conhecimento ou de habilidade de voo. Não é que o piloto falhe ao

---

para uma situação como aquela. Mas naquele dia, por razões que ninguém entende, as válvulas desse sistema não estavam abertas (alguém as havia fechado), e o indicador na sala de controle que mostrava isso estava encoberto por uma etiqueta de manutenção pendurada num chaveador acima. Aquilo deixou o reator dependente de outro sistema de reserva, uma espécie de válvula de escape especial. Por azar, contudo, esse dispositivo também não estava funcionando direito. Ficou aberto em vez de se fechar. Para piorar as coisas, um indicador na sala de controle que deveria revelar aos operadores a falha na válvula de escape tampouco estava funcionando. No momento em que os engenheiros perceberam o que vinha acontecendo, a fusão do núcleo reator estava prestes a ocorrer.

Não houve nenhum grande problema individual em Three Mile Island. Pelo contrário, cinco fatos inteiramente desvinculados ocorreram em sequência. Se cada um deles tivesse se dado de forma isolada, causaria apenas um contratempo na operação normal da usina.

realizar uma manobra crítica que se mostre necessária. Os tipos de equívocos que causam acidentes aéreos são, quase sempre, erros de trabalho de equipe e de comunicação. Um dos pilotos sabe algo importante e, por algum motivo, não transmite essa informação ao colega. Um deles comete um erro, porém o outro não percebe. Uma situação delicada precisa ser resolvida por meio de uma série complexa de passos – e os pilotos não conseguem coordená-los e saltam um deles.

"A cabine é projetada para ser operada por duas pessoas, e o resultado desse trabalho é melhor quando uma delas verifica as ações da outra ou quando ambas se dispõem a fazer isso", explica Earl Weener, que foi por muitos anos o engenheiro de segurança da Boeing. "Os aviões não perdoam se não fizermos as coisas da forma correta. Há bastante tempo já sabemos que, quando duas pessoas operam a aeronave em parceria, esse trabalho é mais seguro do que quando o copiloto está ali simplesmente para assumir o controle se o piloto ficar incapacitado."

Vejamos, por exemplo, o desastre sofrido pelo voo 052 da companhia aérea colombiana Avianca em janeiro de 1990. Esse episódio ilustra com perfeição as características do acidente aéreo "moderno", que é estudado nas escolas de pilotagem. Na verdade, o que aconteceu com aquele voo é muito parecido com o que viria a ocorrer sete anos depois em Guam, por isso é um bom ponto de partida para nossa investigação do misterioso acidente com o avião da Korean Air.

O piloto do avião chamava-se Laureano Caviedes. O copiloto era Mauricio Klotz. Estavam voando de Medellín, Colômbia, para o Aeroporto Kennedy, em Nova York. O tempo naquela noite estava péssimo. Uma tempestade *nor'easter* assolava a Costa Leste, provocando um denso nevoeiro e ventos fortes. No Aeroporto de Newark, 203 voos foram adiados. No Aeroporto LaGuardia, 200; no de Filadélfia, 161; no Aeroporto Logan, de

Boston, 53; e no Aeroporto Kennedy, 99. Por causa do mau tempo, aquele voo da Avianca foi interrompido três vezes pelo CTA enquanto seguia para Nova York. O avião ficou circulando sobre Norfolk, Virgínia, por 19 minutos. Depois sobre Atlantic City por 29 minutos. E, por fim, a 65km ao sul do Aeroporto Kennedy, por mais 29 minutos.

Após uma 1h15 de atraso, a aeronave da Avianca recebeu autorização para pousar. Quando o avião desceu na aproximação final para a aterrissagem, os pilotos se depararam com o fenômeno meteorológico *wind shear* (variações bruscas na direção e/ou na velocidade do vento). Num momento estavam enfrentando um forte vento contrário que os obrigava a acrescentar potência extra para manter o impulso na descida. No instante seguinte, o vento contrário diminuía significativamente, e eles estavam indo rápido demais para terem condições de aterrissar. Em geral, naquela situação, seria acionado o piloto automático, que reage de forma imediata e adequada ao *wind shear*. Esse equipamento, no entanto, estava com problemas e fora desligado. Por isso, o piloto arremeteu e executou uma volta. A aeronave descreveu um amplo círculo sobre Long Island e, mais uma vez, aproximou-se do Aeroporto Kennedy. De repente, um dos motores falhou. Segundos depois, outro motor parou. "Mostrem-me a pista de pouso", o piloto gritou, na esperança desesperada de estar perto o bastante para tentar uma aterrissagem segura planando com o avião defeituoso. Mas o Aeroporto Kennedy estava a 26km de distância.

O 707 caiu na propriedade do pai do campeão de tênis John McEnroe, na elegante cidade de Oyster Bay, em Long Island. Dos 158 passageiros a bordo, 73 morreram. Em menos de um dia, a causa do acidente foi descoberta: falta de combustível. Não havia nada de errado com o avião. Os pilotos não estavam bêbados nem drogados. O combustível simplesmente acabara.

4.

"É um caso clássico", comentou Suren Ratwatte, piloto veterano da Emirates Airlines, que esteve envolvido durante anos em pesquisas de "fatores humanos" – a análise de como os seres humanos interagem com sistemas complexos, como usinas nucleares e aviões. Ratwatte, natural do Sri Lanka, é um homem animado, na casa dos 40 anos, que vem pilotando jatos comerciais desde que se tornou adulto. Estávamos sentados no saguão do Hotel Sheraton, em Manhattan. Ele havia acabado de pousar um Jumbo da Emirates no Aeroporto Kennedy após um longo voo de Dubai. E conhecia muito bem o caso da Avianca. Começou a listar as precondições típicas de um desastre aéreo. A tempestade *nor'easter*. O atraso no voo. O problema técnico com o piloto automático. Os três longos padrões de espera – que representaram não apenas 87 minutos de voo extra, mas de voo extra em baixas altitudes, quando o avião queima muito mais combustível do que no ar rarefeito acima das nuvens.

"Eles estavam pilotando um 707, um avião de uma geração mais antiga e muito desafiador. Isso é bastante trabalhoso. Os controles de voo não são hidráulicos. Estão ligados por uma série de roldanas e hastes de comando às superfícies de metal da aeronave. Operar esse aparelho requer força. É como empurrá-lo pelo céu. É o mesmo esforço físico de remar num barco", explicou Ratwatte. "Hoje, no meu caso, é bem diferente: piloto o avião com as pontas dos dedos. Uso um joystick. Os instrumentos que tenho à disposição são enormes. Os deles tinham o tamanho de xícaras de café. E o piloto automático estava quebrado. Portanto, o piloto teve que ficar de olho em nove instrumentos daquele tamanho, com a mão direita controlando a velocidade enquanto a esquerda pilotava o avião. Ele chegou ao limite. Não restavam recursos para fazer mais nada. É o que acontece quando surge o cansaço. A capacidade de tomar decisões é prejudicada. Não percebemos coisas que notaríamos em qualquer outro momento."

Na gravação contida na caixa-preta recuperada no local da queda, ouve-se Caviedes, na última hora do voo, solicitando várias vezes que as instruções dos controladores de tráfego sejam traduzidas para o espanhol, como se ele não tivesse mais energia para se comunicar em inglês. Em nove ocasiões, solicitou também que as instruções fossem repetidas. "Fale mais alto", ele diz, perto do fim. "Não estou ouvindo." Quando o avião ficou dando voltas por 29 minutos ao sul do Aeroporto Kennedy – e todos na cabine sabiam que o combustível estava se esgotando –, Caviedes poderia ter solicitado permissão para aterrissar no Aeroporto de Filadélfia, que estava a apenas 105km de distância. Porém, não a pediu – era como se tivesse se fixado em Nova York. Na aterrissagem abortada, o sistema de aviso de aproximação do solo disparou pelo menos 15 vezes, alertando-o de que ele estava levando o avião baixo demais. Caviedes parecia desconcentrado. Ao evitar o pouso, ele deveria ter voltado imediatamente a circular, mas não fez isso. Estava exausto.

Ao longo de todo aquele processo, a cabine ficou mergulhada em silêncio. Ao lado de Caviedes estava sentado o copiloto, Mauricio Klotz; contudo, durante longos trechos da gravação, só se ouvem sussurros e o ruído do motor. Klotz era responsável pelas comunicações com o CTA, ou seja, seu papel naquela noite era crucial. Apesar disso, estranhamente, ele se comporta de modo passivo. Somente após o terceiro padrão de espera, ao sul do Aeroporto Kennedy, Klotz informa os controladores de que talvez o avião não tenha combustível suficiente para chegar a um aeroporto alternativo. A próxima orientação que a tripulação ouve dos controladores é "Preparar para ação" e, em seguida, "Autorizados a pousar no Aeroporto Kennedy". Os investigadores conjeturaram depois que os pilotos da Avianca devem ter imaginado que o CTA os estava posicionando no início da fila, na frente de dezenas de outras aeronaves que circulavam sobre o Kennedy. Na verdade, eles estavam sendo conduzidos para o final da fila. Um engano fatal que acabaria determinando o destino do avião. Mas os pilotos não voltaram a levantar essa questão, pedindo esclarecimentos. Nem tocaram no assunto do combustível novamente por mais 38 minutos.

5.

Para Ratwatte, o silêncio na cabine não faz sentido. E, para explicar por que, começou a contar o que acontecera com ele naquela manhã em sua volta de Dubai. "Havia uma senhora na parte de trás do avião. Parece que estava sofrendo um derrame. Convulsões. Vômito. Passou muito mal. Era uma senhora indiana cuja filha vive nos Estados Unidos. O marido não falava nada de inglês nem de híndi, apenas punjabi. Ninguém conseguia se comunicar com ele. Parecia recém-saído de uma aldeia do Punjab, e eles não tinham nenhum dinheiro. Eu estava sobrevoando Moscou quando aquilo ocorreu, mas sabia que não podíamos ir até lá. Não tinha ideia do que aconteceria com aquele casal se fôssemos. Eu disse ao copiloto: 'Controle o avião. Precisamos ir a Helsinque.'"

Naquele momento, Ratwatte estava enfrentando o seguinte problema: eles haviam concluído menos da metade de um voo bastante longo, por isso os tanques tinham muito mais combustível do que o normal para o momento do pouso. "Estávamos com 60t acima do peso máximo para a aterrissagem. Portanto, tive que tomar uma decisão. Uma saída era jogar o combustível fora. Mas os países detestam quando fazemos isso porque causa grande sujeira. Eu teria sido encaminhado a algum ponto sobre o mar Báltico. Levaria 40 minutos, e a senhora provavelmente morreria. Então decidi aterrissar de qualquer jeito. Foi minha opção", contou ele.

Sendo assim, o avião pousaria com excesso de peso. Não dava para usar o sistema de aterrissagem automatizado, pois esse mecanismo não estava regulado para lidar com um avião com toda aquela carga.

"Naquele estágio, assumi os controles. Eu tinha que garantir uma aterrissagem suave por causa do risco de dano estrutural à aeronave", prosseguiu Ratwatte. Segundo ele, o estrago poderia ter sido grande, pois o avião pesado também apresenta problemas de desempenho. Se o piloto se aproximar da pista e receber a ordem de circular, pode não ter impulso suficiente para subir de novo.

Ele continuou: "É uma trabalheira, um malabarismo com um monte de bolas. É preciso acertar. Por ser um voo longo, havia dois outros pilotos. Eu os acordei e eles se envolveram em tudo. Éramos quatro pessoas ali, o que ajudou a coordenar a situação. Eu nunca havia estado em Helsinque antes. Não tinha a menor ideia de como era o aeroporto nem se as pistas de aterrissagem eram suficientemente compridas. Precisei encontrar uma aproximação, verificar se poderíamos pousar ali, descobrir os parâmetros de desempenho e informar à empresa o que estávamos fazendo. A certa altura, me vi falando com quatro pessoas ao mesmo tempo: uma em Dubai, outra no Medlink (um serviço médico do Arizona) e também com os dois médicos que estavam socorrendo a senhora no avião. Foi assim sem parar por 40 minutos."

Ratwatte disse que eles tiveram sorte porque o tempo estava bom em Helsinque. "Tentar uma aproximação com chuva num avião pesado e, ainda por cima, num aeroporto desconhecido não é nada bom. Como era a Finlândia, um país de Primeiro Mundo, estavam muito bem preparados e foram flexíveis. Eu avisei: 'Estou pesado. Gostaria de aterrissar contra o vento.'(Numa situação como essa, o ideal é perder velocidade.) Eles autorizaram. Deixaram que pousássemos na direção oposta à normal. Sobrevoamos a cidade, o que eles costumam evitar por causa do barulho."

Pense no que se exigiu de Ratwatte. Ele tinha que ser um bom piloto. Outro requisito fundamental: precisava de habilidade técnica para aterrissar com o avião pesado. Mas quase todas as outras ações que ele empreendeu e que foram responsáveis pelo sucesso daquele pouso de emergência não se enquadravam na definição estrita de habilidades de pilotagem.

Ele teve que comparar a probabilidade de danificar a aeronave com o risco à vida da senhora e, uma vez feita a opção, pensar nas implicações de Helsinque versus Moscou, considerando o que seria melhor para aquela passageira. Precisou se informar, rapidamente, dos parâmetros de um aeroporto que nunca vira antes: será que a pista conseguiria suportar um dos maiores jatos da época com *60t* acima do peso normal para a aterrissagem? Mas, acima de tudo, teve que falar: com os passageiros, com os médicos, com o copiloto, com a segunda tripulação que convocou, com seus supervisores em Dubai e com o CTA em Helsinque. Podemos afirmar que, nos 40 minutos decorridos entre o derrame sofrido pela passageira e o pouso em Helsinque, não houve mais do que poucos segundos de silêncio na cabine. Ratwatte precisou se *comunicar*, não apenas no sentido de emitir ordens, como também no de incentivar, persuadir, acalmar, negociar e compartilhar informações da forma mais clara possível.

6.

Contrastando com isso, temos a gravação da conversa no Avianca 052 na primeira tentativa de aterrissagem abortada. O problema é o tempo. A neblina é tão espessa que Klotz e Caviedes não conseguem descobrir onde estão. Preste atenção, porém, não no teor da conversa, mas na sua *forma*. Em particular, observe a duração dos silêncios entre as falas e o tom das observações de Klotz.

> Caviedes: Onde está a pista de aterrissagem? Não consigo ver. Não consigo ver.
>
> Eles recolhem o trem de aterrissagem. O piloto manda Klotz pedir outro padrão de tráfego. Dez segundos se passam.
>
> Caviedes [aparentemente para si mesmo]: Não temos combustível...
>
> Dezessete segundos se passam até que os pilotos deem instruções técnicas um ao outro.
>
> Caviedes: Não sei o que aconteceu com a pista. Não a vi.
> Klotz: Não a vi.
>
> O CTA intervém e os instrui a virar à esquerda.
>
> Caviedes: Diga a eles que estamos numa emergência.
> Klotz [para o CTA]: Isto é direto para um-oito-zero no aproamento. E, ah! Vamos tentar de novo. Estamos ficando sem combustível.

Imagine a cena na cabine. O avião está com um nível perigosamente baixo de combustível. Eles acabam de se dar mal em sua primeira tentativa de aterrissagem. Não têm a menor ideia de quanto tempo o avião ainda será capaz de voar. O piloto está desesperado: "Diga a eles que estamos numa emergência." E o que Klotz diz? *Isto é direto para um-oito-zero no aproamento. E, ah! Vamos tentar de novo. Estamos ficando sem combustível.*

Para início de conversa, a expressão "ficando sem combustível" não faz sentido na terminologia do CTA. Todos os aviões, ao se aproximarem do destino, estão, por definição, ficando sem combustível. Será que Klotz queria avisar que o 052 já não tinha combustível suficiente para se dirigir a um aeroporto alternativo? Será que pretendia dizer que estavam começando a se preocupar com o combustível? Vejamos a estrutura da sua fala principal. Ele começa com um reconhecimento de rotina das instruções do CTA e só menciona a preocupação com o combustível na segunda metade da mensagem. É como se dissesse num restaurante: "Sim, aceito mais um cafezinho. E, ah! Estou me sufocando com um osso de frango." Até que ponto o garçom o levaria a sério? O controlador de tráfego aéreo com quem Klotz estava falando declarou depois: "Apenas interpretei aquilo como um comentário sem importância." Em noites de tempestade, os controladores ouvem o tempo todo os pilotos dizendo que estão ficando sem combustível. Além disso, o "ah" que Klotz insere entre as duas metades da mensagem acaba diminuindo a importância do que ele está dizendo. Outro controlador que lidou com o 052 naquela noite fez a seguinte afirmação: "O copiloto falou de uma maneira muito indiferente... Não havia preocupação na voz dele."

7.

A expressão empregada pelos linguistas para descrever a comunicação de Klotz naquele momento é "discurso mitigado", isto é, uma tentativa de modificar ou abrandar o sentido do que está sendo dito. Fazemos isso quando estamos sendo educados com alguém, quando nos sentimos envergonhados ou constrangidos ou quando procuramos ser respeitosos com a autoridade. Por exemplo: uma pessoa que deseja obter um favor do seu supervisor não diz: "Preciso disso para segunda-feira." Ela suaviza o pedido: "Se for dar muito trabalho, não esquente. Mas, se você tiver um tempinho de ver isso no fim de semana, será ótimo." Numa situação dessas, a mitigação é totalmente apropriada. Em outras circunstâncias, porém – como numa cabine de avião numa noite de tempestade –, constitui um problema.

Os linguistas Ute Fischer e Judith Orasanu apresentaram certa vez o seguinte cenário hipotético a um grupo de pilotos e copilotos e perguntaram como eles reagiriam:

> Você observa no radar meteorológico uma área de forte precipitação 40km à frente. O piloto está mantendo o curso atual a Mach 0,73, embora tempestades ainda não visíveis tenham sido detectadas em sua área e você se depare com uma turbulência moderada. Seu objetivo é assegurar que o avião não penetre nessa área.
>
> Pergunta: o que você diz para o piloto?

Fischer e Orasanu acreditavam que existiam pelo menos seis formas de tentar convencer o piloto a mudar de curso e evitar a tempestade, cada uma delas com diferentes níveis de mitigação.

1. Ordem: "Vire 30° à direita." Essa é a forma mais direta e explícita imaginável de se dizer algo. Seu nível de mitigação é zero.
2. Afirmação obrigando a tripulação: "Precisamos nos desviar para a direita agora." Observe o uso da primeira pessoa do plural (nós) e o fato de que o pedido é agora bem menos específico. Uma abordagem um pouco mais suave.

3. Sugestão à tripulação: "Vamos contornar o mau tempo." Está implícito nesta sugestão: "Estamos juntos nisto."
4. Consulta: "Para qual direção gostaria de desviar?" Um modo ainda mais suave do que a sugestão, porque quem fala está admitindo que não está no comando.
5. Preferência: "Acho conveniente virar para a esquerda ou direita."
6. Palpite: "Aquele retorno a 40km parece terrível." A afirmação mais mitigada de todas.

Fischer e Orasanu constataram que a maioria dos pilotos disse que, numa situação como aquela, daria uma ordem: "Vire 30° à direita." Eles estariam falando com um subordinado, não teriam medo de ser indelicados. Os copilotos, por sua vez, estariam se dirigindo a um superior, e a maior parte deles optou, portanto, pela alternativa mitigada – o palpite.

É difícil ler o estudo de Fischer e Orasanu e não se alarmar um pouco, porque um palpite é o tipo de pedido mais difícil de decodificar e de recusar. No acidente com o voo 90 da Air Florida perto de Washington, D.C., em 1982, o copiloto tentou por três vezes informar o piloto de que havia uma quantidade perigosa de gelo nas asas da aeronave. Mas veja como ele diz isso. São só palpites.

> Copiloto: Veja como o gelo está preso na parte de trás. Ah! Lá trás, está vendo?

Depois:

> Copiloto: Está vendo todas aquelas hastes de gelo lá trás e tudo?

Em seguida:

Copiloto: Cara, esta é uma... batalha perdida. Tentar remover o gelo dali dá uma falsa sensação de segurança, mais nada.

Finalmente, o copiloto resolve ser mais incisivo ao receberem autorização para decolar.

Copiloto: Vamos verificar aquele gelo nas asas de novo enquanto aguardamos um pouco.
Piloto: Acho que vamos partir daqui a um minuto.

A última coisa que o copiloto diz para o piloto, imediatamente antes que o avião mergulhe no rio Potomac, não é um palpite, não é uma sugestão nem uma ordem. É apenas a constatação de um fato – e desta vez o piloto concorda com ele.

Copiloto: Larry, estamos caindo, Larry.
Piloto: Eu sei.

A mitigação explica uma das grandes anomalias dos desastres aéreos. Nos aviões comerciais, pilotos e copilotos dividem de modo igual as tarefas da pilotagem. Mas, historicamente, os acidentes tendem muito mais a ocorrer quando o piloto está no comando. Isso parece não fazer sentido, uma vez que ele quase sempre é mais experiente. Pense, porém, na queda do avião da Air Florida. Se o copiloto fosse o piloto, teria dado um palpite três vezes? Não, teria dado uma ordem – e o desastre não aconteceria. Os aviões são mais seguros quando o piloto menos experiente está à frente, porque ele não tem medo de se manifestar.

Combater a mitigação tornou-se uma das principais cruzadas da aviação comercial nos últimos anos. Hoje em dia, todas as grandes empresas aéreas aplicam o treinamento "Gestão de

Recursos da Tripulação" para instruir os membros mais novos da tripulação a se comunicar com clareza e segurança. Por exemplo, muitas delas ensinam um procedimento padronizado para os copilotos desafiarem o piloto, caso suspeitem de um problema terrível. ("Piloto, estou preocupado com..." Depois: "Piloto, estou incomodado com..." E se o piloto continuar não reagindo: "Piloto, acredito que a situação é insegura." E, se isso falhar, o copiloto deverá assumir o controle da aeronave.) Os especialistas em aviação dizem que esse sucesso na guerra contra a mitigação está entre os fatores que explicam o declínio extraordinário no número de acidentes aéreos nos últimos anos.

"Uma das coisas das quais fazemos questão na Emirates Airlines é que o copiloto e o piloto se chamem pelos prenomes", contou Ratwatte. "Acreditamos que isso ajuda. É simplesmente mais difícil dizer '*Piloto*, você está fazendo algo errado' do que usar o nome da pessoa." Ratwatte levou muito a sério a questão da mitigação. Não dava para ser um estudioso do acidente da Avianca e não se sentir assim. Ele prosseguiu: "Algo que tento fazer é ser um pouco humilde. Digo para os meus copilotos: 'Não voo com muita frequência, apenas três ou quatro vezes por mês. Vocês voam muito mais. Se me virem fazendo uma besteira, é porque não voo tanto assim. Portanto, me avisem. Quero que me ajudem a corrigir o erro.' Felizmente, isso contribui para que eles não fiquem calados."

8.

De volta à cabine do Avianca 052. O avião está agora se afastando do Aeroporto Kennedy após a primeira tentativa abortada de aterrissagem. Klotz acabou de falar por rádio com o CTA, procurando saber quando poderão tentar pousar de novo. Caviedes dirige-se a ele.

> Caviedes: O que foi que ele disse?
> Klotz: Já informei que vamos tentar de novo porque sabemos que não podemos...

Quatro segundos de silêncio.

> Caviedes: Diga a ele que estamos numa emergência.

Mais quatro segundos de silêncio. O piloto tenta de novo:

> Caviedes: Você disse a ele?
> Klotz: Sim, senhor, já o informei.

Klotz começa a falar com o CTA, abordando detalhes de rotina:

> Klotz: Um-cinco-zero, mantendo a 2 mil, Avianca, zero--cinco-dois.

O piloto está claramente à beira do pânico.

> Caviedes: Avise a ele que não temos combustível.

Klotz volta a se comunicar por rádio com o CTA.

> Klotz: Subir e manter a 3 mil. E ah! Estamos ficando sem combustível, senhor.

O mesmo erro novamente. Nenhuma menção à palavra mágica "emergência", que é ao que os controladores de tráfego aéreo estão treinados a dar atenção. Apenas a mensagem "ficando sem combustível, senhor" no fim da frase, precedida pela mitigação

"Ah!". Se você estiver contando os erros, a tripulação do avião já chegou aos dois dígitos.

> Caviedes: Você já avisou que estamos sem combustível?
> Klotz: Sim, senhor. Já avisei...
> Caviedes: Bueno.

Se não fosse o prelúdio de uma tragédia, seus rodeios pareceriam uma comédia.

Pouco mais de um minuto se passa.

> CTA: Avianca zero-cinco-dois, vou conduzi-los cerca de 15 milhas a nordeste e depois de volta à aproximação. Tudo bem com vocês e seu combustível?

> Klotz: Acredito que sim. Muito obrigado.

Acredito que sim. Muito obrigado. Eles estão à beira do desastre! Um dos comissários de bordo entra na cabine e constata a gravidade da situação. O engenheiro de voo aponta para o marcador de combustível vazio e, com o dedo, faz um gesto de cortar a garganta.[3] Mas não diz nada. Nem ninguém mais nos cinco minutos seguintes. Há uma conversa pelo rádio com menções a assuntos de rotina até que o engenheiro de voo grita: "Chamas no motor número quatro."

Caviedes diz: "Mostre-me a pista de decolagem", mas ela está a 26km de distância.

Trinta e seis segundos de silêncio. O controlador de tráfego aéreo do avião pergunta pela última vez.

---

[3] Sabemos disso porque o comissário de bordo sobreviveu ao acidente e testemunhou no inquérito.

Controlador de Tráfego Aéreo: Vocês têm combustível suficiente para chegar ao aeroporto?

A gravação termina.

9.

"O fato que você tem que entender sobre aquele desastre", explicou Ratwatte, "é que os controladores de tráfego aéreo de Nova York têm fama de rudes, agressivos e intimidadores". Apesar disso, segundo ele, também são ótimos. "Lidam com um volume de tráfego fenomenal num ambiente muito limitado. Existe uma história célebre de um piloto que se perdeu no Aeroporto Kennedy. Ninguém imagina com que facilidade isso pode ocorrer ali depois que o avião atinge o solo. É um labirinto. A questão é que uma controladora de voo aborreceu-se com ele e disse: 'Pare. Não faça nada. Não fale comigo enquanto eu não me dirigir a você.' Ela simplesmente o deixou de lado. Por fim, o piloto apanhou o microfone e disse: 'Madame, eu fui casado com você em alguma vida passada?'"

Para Ratwatte, o pessoal do CTA de Nova York tem um comportamento inacreditável. "A maneira como encaram a situação é: 'Estou no controle. Bico calado e faça o que eu digo.' São ríspidos com os pilotos. E quem não concorda com suas ordens deve responder no mesmo tom áspero. Aí eles dizem: 'Tudo bem.' Mas, se o piloto não os enfrenta, eles deitam e rolam. Ainda me lembro de um voo da British Airways que ia para Nova York. Os britânicos estavam sendo tratados com grosseria pelos controladores. E deram o troco: 'Pessoas como vocês deviam ir a Heathrow aprender a controlar um avião.' Eles estavam no clima. Para quem não está acostumado com esse tipo de diálogo, o

CTA de Nova York pode ser bastante intimidador. E o pessoal da Avianca estava inibido pelo fogo rápido."

Seria impossível imaginar Ratwatte não se impondo diante dos controladores de tráfego aéreo do Aeroporto Kennedy – não porque ele seja antipático, agressivo ou tenha um ego enorme, mas porque vê o mundo de modo diferente. No momento em que precisou de ajuda na cabine, ele acordou a segunda tripulação. Quando achou que Moscou não servia, simplesmente voou para Helsinque e, ali, ao ser orientado a aterrissar a favor do vento, solicitou autorização para pousar contra o vento. Naquela manhã, ao deixar Helsinque, ele alinhara o avião na pista de decolagem errada, um equívoco imediatamente apontado por seu copiloto. A lembrança o fez rir. "Masa é suíço. Adorou me corrigir. Ficou zombando de mim durante toda a viagem de volta."

Ratwatte voltou a comentar o acidente com o voo da Avianca: "Tudo o que eles precisavam fazer era dizer ao controlador: 'Não temos combustível para fazer o que você está querendo. Necessitamos aterrissar nos próximos 10 minutos.' Eles não conseguiram transmitir essa mensagem."

Estava claro que Ratwatte falava com cautela porque estava fazendo o tipo de generalização cultural que costuma nos deixar constrangidos. No entanto, o que aconteceu com o voo da Avianca foi tão estranho – e quase impossível de entender – que exigia uma explicação mais completa do que a mera argumentação de que Klotz era incompetente e o piloto estava cansado. Havia algo mais profundo, mais estrutural, ocorrendo na cabine. Será que o fato de os pilotos serem colombianos contribuiu para o desastre? "Nenhum piloto americano aceitaria aquilo. Essa é a questão. Ele diria: 'Escuta, cara. Tenho que pousar", disse Ratwatte.

10.

Nas décadas de 1960 e 1970, o psicólogo holandês Geert Hofstede trabalhava para o departamento de recursos humanos da matriz europeia da IBM. Sua função era percorrer o mundo entrevistando funcionários sobre como as pessoas resolviam os problemas, como trabalhavam juntas e quais eram suas atitudes em relação à autoridade. Os questionários eram longos e complexos, o que permitiu a Hofstede desenvolver um enorme banco de dados para analisar como as culturas diferem entre si. Hoje em dia, as "dimensões de Hofstede" são um dos paradigmas mais utilizados em psicologia intercultural.

Hofstede argumentou, por exemplo, que a distinção entre as culturas pode ser feita de acordo com o grau de expectativa que elas têm em relação ao fato de os indivíduos cuidarem de si mesmos. Ele chamou essa medida de "escala individualismo–coletivismo". O país com a maior pontuação na extremidade individualista da escala são os Estados Unidos. Por isso, não surpreende que sejam a única nação industrializada do mundo que não proporciona aos cidadãos assistência médica universal. Na outra ponta da escala, está a Guatemala.

Outra das dimensões de Hofstede é o "controle da incerteza". Até que ponto uma cultura tolera a ambiguidade? Veja, de acordo com o banco de dados de Hofstede, quais são os cinco países que mais evitam a incerteza, isto é, aqueles que mais dependem de regras e planos e que mais se atêm aos procedimentos, sejam quais forem as circunstâncias:

1. Grécia
2. Portugal
3. Guatemala
4. Uruguai

5. Bélgica

Os cinco países na extremidade oposta, ou seja, as culturas mais capazes de tolerar a ambiguidade, são:

49. Hong Kong
50. Suécia
51. Dinamarca
52. Jamaica
53. Cingapura

É importante observar que, para Hofstede, não havia classificação certa nem errada em nenhuma dessas escalas. Tampouco estava afirmando que a posição de uma cultura numa das dimensões criadas por ele permitia uma previsão exata de como se comportaria alguém daquele país: não é impossível que um guatemalteco seja altamente individualista.

O que Hofstede estava dizendo, na verdade, era algo muito parecido com a conclusão a que chegaram Nisbett e Cohen após os estudos que realizaram com os estudantes da Universidade de Michigan. Cada um de nós possui sua personalidade característica. Mas a ela se sobrepõem as tendências, os pressupostos e os reflexos transmitidos pela história da comunidade onde crescemos – e essas diferenças são extremamente específicas.

Bélgica e Dinamarca, por exemplo, estão apenas a uma hora de distância por avião. Os dinamarqueses se parecem muito com os belgas; além disso, uma esquina de Copenhague não difere tanto de uma esquina em Bruxelas. Mas, quando se trata do controle da incerteza, esses dois países não poderiam estar mais afastados. Nessa dimensão, os dinamarqueses têm mais em comum com os jamaicanos do que com alguns de seus colegas europeus. A Dinamarca e a Bélgica podem compartilhar uma espécie de tradição liberal-democrática europeia ampla. No entanto, são distintos em termos de história, estrutura política, tradição religiosa, idioma, culinária e arquitetura – elementos que remontam a centenas de anos. E o resultado de todas essas diferenças é que, em certos tipos de situações que exigem lidar com o risco e a incerteza, os dinamarqueses tendem a reagir de um modo bem diverso dos belgas.

De todas as dimensões de Hofstede talvez a mais interessante seja o que ele chama de "índice de distância do poder" (IDP), que envolve as atitudes em relação à hierarquia, especificamente o grau em que uma cultura valoriza e respeita a autoridade. Para medi-lo, Hofstede formulou perguntas como: "Com que frequência, na sua experiência, o seguinte problema ocorre: funcionários com medo de dizer que discordam de seus supervisores?", "Em que medida os membros menos poderosos das organizações e instituições aceitam e esperam que o poder seja distribuído de forma desigual?", "Qual é o nível de respeito e temor pelos mais velhos?", "Os detentores do poder têm direito a privilégios especiais?".

Em seu texto clássico *Culture's Consequences* (Consequências da cultura), Hofstede escreveu:

> Em países com baixo IDP, o poder é algo de que seus detentores quase se envergonham e que tentam minimizar. Certa vez, ouvi uma autoridade universitária da Suécia (baixo IDP) afirmar que, para exercer o poder, tentava não parecer poderosa. Os líderes podem realçar sua informalidade abrindo mão de símbolos formais. Na Áustria (baixo IDP), o primeiro-ministro, Bruno Kreisky, era conhecido por ir às vezes de bonde para o trabalho. Em 1974, cheguei a ver o primeiro-ministro da Holanda (baixo IDP), Joop den Uyl, de férias em seu trailer num camping de Portugal.

Tal conduta por parte dos poderosos seria improvável na Bélgica ou na França, países com IDP elevado.[4]

Você pode imaginar o efeito que as descobertas de Hofstede exerceram sobre o pessoal do setor aéreo. Afinal, qual era seu objetivo com aquela grande batalha em torno do discurso mitigado e do trabalho em equipe? Uma tentativa de reduzir a distância do poder na cabine. A pergunta de Hofstede sobre a distância do poder ("Com que frequência, na sua experiência, o seguinte problema ocorre: funcionários com medo de dizer que discordam de seus supervisores?") era a mesma que os especialistas em aviação vinham fazendo aos copilotos quanto às suas interações com os pilotos. E o trabalho de Hofstede sugeriu algo que não havia ocorrido a ninguém no mundo da aviação: o sucesso na tarefa de convencer um copiloto a se impor dependeria muito do posicionamento do seu país na escala de distância do poder.

Era o que Ratwatte tinha em mente ao dizer que nenhum americano seria intimidado a esse ponto pelos controladores do Aeroporto Kennedy. Na cultura americana, o índice de distância do poder é classicamente baixo. Quando uma decisão precisa ser tomada, os americanos recorrem ao seu "americanismo", isso significa que eles veem o controlador de tráfego aéreo como um semelhante. Mas qual país se encontra na extremidade oposta da escala da distância do poder? A Colômbia.

---

[4] Hofstede também faz referência a um estudo anterior que comparou fábricas alemãs e francesas de porte similar que atuam no mesmo setor. Nas organizações francesas, 26% dos funcionários, em média, estavam em postos de gerência e especializados; nas alemãs, 16%. Além disso, os franceses pagavam bem mais à alta administração. O que vemos nessa comparação, Hofstede argumentou, são diferenças nas atitudes culturais em relação à hierarquia. Os franceses têm um IDP maior, o dobro dos alemães; por isso eles requerem e apoiam a hierarquia de um modo tão diferente.

Na esteira da queda do avião da Avianca, o psicólogo Robert Helmreich, que mais do que ninguém defendeu o papel da cultura na explicação do comportamento dos pilotos, realizou uma análise brilhante do acidente. Ele argumentou que não dava para entender a conduta de Klotz sem levar em conta a sua nacionalidade: seu embaraço naquele dia foi o de alguém que tem um respeito profundo e constante pela autoridade. Helmreich escreveu:

> O copiloto poderia ter se sentido frustrado porque o piloto não se manifestou tomando a decisão clara (ou mesmo autocrática) esperada nas culturas em que o índice de distância do poder é alto, como o da Colômbia. É provável que o copiloto e o engenheiro de voo estivessem esperando que o piloto tomasse as decisões, mas mesmo assim poderiam não estar dispostos a apresentar alternativas.

Klotz se considera um subordinado. Não lhe cabe solucionar a crise. Isso é tarefa do piloto, que, exausto, não diz nada. Além disso, existem os arrogantes controladores de tráfego aéreo do Aeroporto Kennedy. Klotz tenta informá-los de que está em apuros. Mas emprega sua própria linguagem cultural, como um subordinado falaria com o superior. Os controladores, porém, não são colombianos. São nova-iorquinos, isto é, de uma cultura em que o índice de distância do poder é baixo. Não veem nenhuma diferença hierárquica entre eles e os pilotos que estão no ar. Por isso, não entendem o discurso mitigado de um piloto como uma demonstração de respeito a um superior, e sim como uma indicação de *que ele não está tendo nenhum problema*.

Existe um ponto na gravação em que a falta de comunicação entre os controladores e Klotz, por causa do fator cultural, torna-se tão evidente que é quase dolorosa de ler. É o último diálogo entre o avião da Avianca e a torre de controle, minutos antes do desastre. Klotz acaba de dizer "Acredito que sim. Muito obrigado" em resposta à pergunta do controlador sobre o estado do combustível. Em seguida, o piloto Caviedes se dirige a Klotz.

> Caviedes: O que ele disse?
> Klotz: O sujeito está zangado.

Zangado! Klotz está chateado! Seu avião está à beira do desastre, mas ele não consegue escapar da dinâmica determinada por sua cultura, em que os subordinados devem respeitar e temer as determinações dos superiores. Seu raciocínio é de que ele tentou comunicar seu apuro e falhou – e sua única conclusão é que deve ter ofendido os superiores na torre de controle.

Após esse desastre, a direção da Avianca realizou uma análise retrospectiva. A companhia aérea sofrera agora quatro acidentes sucessivos – Barranquilla, Cucuta, Madri e Nova York – e todos eles "envolveram aeronaves em perfeitas condições de voo, tripulação aérea sem limitações físicas e com capacidade de voo dentro ou acima da média, e *mesmo assim* os acidentes aconteceram". [O grifo é meu.]

O relatório informa ainda que no desastre em Madri o copiloto tentou avisar o piloto de que a situação era perigosa:

> O copiloto estava certo. Mas eles morreram porque [...] quando o copiloto fez perguntas, suas sugestões implícitas foram muito fracas. A reação do piloto foi ignorá-lo totalmente. Talvez o copiloto não quisesse parecer rebelde, questionando o julgamento do piloto, ou não desejasse bancar o bobo, pois sabia que o piloto tinha grande experiência de voo naquela área. Ele deveria ter defendido suas próprias opiniões com mais veemência...

Nossa capacidade de ser bem-sucedidos na atividade que realizamos está fortemente ligada à nossa procedência, e é difícil conciliar um bom piloto com uma cultura em que o índice de distância do poder é alto. A Colômbia não tem o maior IDP de todos. Helmreich e um colega, Ashleigh Merritt, certa vez mediram o IDP de pilotos do mundo inteiro. O campeão foi o Brasil. Em segundo lugar ficou a Coreia do Sul.[5]

11.

O National Transportation Safety Board (NTSB), a agência americana responsável por investigar acidentes aéreos, está situado num prédio baixo da década de 1970, na margem do rio Potomac, em Washington D.C. Seus longos corredores dão para laboratórios repletos de escombros de aviões: um pedaço destroçado de turbina, uma peça problemática de rotor de helicóptero. Na estante de uma das salas está a gravação da cabine – a cha-

---

[5] Estes são os cinco mais altos IDPs de pilotos por país. Se você comparar a lista com o número de acidentes aéreos por país, encontrará uma correspondência quase perfeita.
1. Brasil
2. Coreia do Sul
3. Marrocos
4. México
5. Filipinas

Os cinco mais baixos IDPs de pilotos por país são:

15. Estados Unidos
16. Irlanda
17. África do Sul
18. Austrália
19. Nova Zelândia

mada caixa-preta – do terrível acidente ocorrido com um avião da ValuJet na Flórida em 1996, em que 110 pessoas morreram. A gravação está encerrada num dispositivo do tamanho de uma caixa de sapatos feito de aço altamente resistente. Alguns investigadores do NTSB são engenheiros que reconstituem os acidentes com base nos indícios materiais. Outros são pilotos. Há, porém, entre eles, um número surpreendente de psicólogos, cuja tarefa é ouvir a gravação da cabine e reconstituir o que foi dito e feito pela tripulação nos últimos minutos antes do desastre. Um dos principais especialistas do NTSB em caixas-pretas é um psicólogo, Ph.D., de cerca de 50 anos, chamado Malcolm Brenner. Ele foi um dos investigadores do acidente com o avião da Korean Air em Guam.

"Aquela aproximação de Guam não costuma ser difícil", disse Brenner. Nesse aeroporto há o chamado *glide scope*, um imenso feixe de luz direcionado para o céu – o piloto o segue até chegar à pista. Mas naquela noite específica, esse dispositivo não estava operando. "Havia sido enviado a outra ilha para ser reparado. Os pilotos foram avisados disso", contou ele.

Num contexto mais amplo, aquilo não era um problema. No mês em que o *glide scope* estava sendo reparado, houve cerca de 1.500 aterrissagens seguras no Aeroporto de Guam. Tratava-se apenas de um pequeno inconveniente que dificultava um pouco a tarefa de pousar.

"O segundo complicador foi o tempo", continuou Brenner. "No Pacífico Sul, é comum ocorrerem breves oscilações climáticas. Mas elas passam logo, não existem temporais. É um paraíso tropical. Naquela noite, porém, houve pequenas tempestades. E eles iam voar para dentro de uma delas, a poucos quilômetros do aeroporto. Portanto, o piloto tinha que decidir qual seria seu procedimento de aterrissagem. Eles receberam permissão para realizar a aproximação VOR/DME, que é complicada e chata.

Requer muita coordenação. É preciso descer em etapas. No entanto, enquanto ela era realizada, o piloto viu as luzes de Guam a quilômetros de distância. Com isso ele relaxou e disse: 'Vamos fazer uma aproximação visual.'"

O VOR é um farol que emite um sinal que permite aos pilotos calcular a altitude quando estão perto do aeroporto. Era com esse recurso que eles contavam antes da invenção do *glide scope*. A estratégia do piloto foi usar o VOR para se aproximar e, assim que visse as luzes da pista, realizar uma aterrissagem visual. Parecia fazer sentido. Essa é uma prática comum. Mas, sempre que um piloto escolhe um plano, ele deve preparar uma alternativa para a eventualidade de as coisas darem errado. E aquele piloto não tomou essa providência.

"Eles deveriam estar fazendo a coordenação. O piloto tinha que dar um briefing das etapas do procedimento de aterrissagem", prosseguiu Brenner. "Mas ele não fala sobre isso. A tempestade está à sua volta, e o piloto parece supor que, a certa altura, sairá das nuvens e verá o aeroporto. Se não o vir a 170m, fará uma volta. Normalmente isso funcionaria, não fosse por um detalhe: o VOR em que ele está baseando sua estratégia não está no aeroporto, e sim a 4km de distância, no monte Nimitz. Existem poucos lugares no mundo onde isso acontece. Em geral, o piloto pode aterrissar com base no VOR que chegará direto ao aeroporto. Em Guam, se ele seguir o VOR, será conduzido ao monte Nimitz."

O piloto sabia sobre o VOR. Estava claro nas cartas de navegação do aeroporto. Ele já tinha voado a Guam oito vezes e até mencionara esse fato antes de decolar. Mas era 1h da madrugada, e ele estava acordado desde as 6h da manhã anterior.

"Acreditamos que a fadiga teve participação nisso", continuou Brenner. "É um voo contra o relógio. O piloto chega lá à 1h da madrugada, pelo horário coreano. Passa algumas horas no solo e voa de volta quando o sol está nascendo. Aquele piloto havia feito o percurso um mês antes. Naquela ocasião, ele dormiu no assento da primeira classe. Agora está chegando e diz que se sente cansado."

Portanto, são estas as precondições clássicas de um acidente aéreo, as mesmas três que armaram o cenário do desastre do Avianca 052: um pequeno problema técnico, mau tempo e um piloto cansado. Isolados, nenhum desses fatores seria suficiente para causar um desastre. Juntos, requerem os esforços combinados de todos na cabine. Foi esse o problema com o voo 801 da Korean Air.

12.

Veja a transcrição da gravação dos 30 minutos finais do voo 801 da Korean Air. Começa com o piloto reclamando de exaustão.

> 1h20min1s. Piloto: Se essa viagem de ida e volta durar mais de nove horas, podemos obter alguma coisa. Com oito horas, não obtemos nada. Oito horas não nos ajudam em nada. Eles nos fazem trabalhar ao máximo, ao máximo. Provavelmente assim [...] economizarão as despesas de hotel com a tripulação da cabine e maximizarão as horas de voo. De qualquer modo, eles nos fazem trabalhar ao máximo.

Ouve-se o som de um homem se mexendo no assento. Um minuto se passa.

> 1h21min13s. Piloto: Ah... realmente... sonolento. [palavras ininteligíveis]
> Copiloto: É claro.

Registra-se então um dos momentos mais críticos do voo. O copiloto decide se manifestar:

> Copiloto: Você não acha que está chovendo mais? Nesta área, aqui?

O copiloto deve ter pensado muito antes de fazer esse comentário. Ele não estava voando num clima de camaradagem como o que existe na cabine de Suren Ratwatte. Entre as tripulações da Korean Air, a expectativa nas pausas entre os voos era de que os funcionários menos graduados servissem o piloto, a ponto de lhe preparar o jantar ou comprar presentes para ele. Nas palavras de um ex-piloto da companhia, a mentalidade em muitas das cabines era: "O piloto está no comando e faz o que quer, quando quer, como quer. Os demais ficam calados e não fazem nada." No relatório da Delta Air Lines sobre a Korean Air divulgado anonimamente na internet, um dos auditores conta que em um voo da empresa o copiloto se confundiu ao ouvir o CTA e, por engano, colocou o avião numa rota reservada a outra aeronave. "O engenheiro de voo sentiu que algo estava errado, porém não se manifestou. O copiloto tampouco estava satisfeito, mas não disse nada. Apesar das [boas] condições visuais, a tripulação não olhou para fora de modo que pudesse ver que o curso tomado não os levaria ao aeroporto." Por fim, o radar do avião captou o erro, e aí veio a sentença: "O piloto bateu no copiloto com as costas da mão por este último ter cometido o equívoco."

Bateu no copiloto com as costas da mão?

Quando os três pilotos se encontraram naquela noite em Kimpo, na preparação para o voo, o copiloto e o engenheiro de voo teriam feito uma reverência ao piloto. Depois teriam se dado as mãos. É provável que o copiloto tenha dito respeitosamente: "*Cheo eom boeb seom ni da*", ou "É a primeira vez que o encontro".

Na língua coreana há nada menos do que seis níveis de tratamento, dependendo da relação entre os interlocutores: deferência formal, deferência informal, franco, familiar, íntimo e simples. O copiloto não ousaria usar uma das formas mais íntimas ou familiares ao se dirigir pela primeira vez ao piloto. Trata-se de uma cultura muito atenta à posição relativa de duas pessoas numa conversa.

O filólogo coreano Ho-min Sohn escreve:

> À mesa de jantar, uma pessoa de nível hierárquico inferior tem que esperar até que alguém numa posição hierárquica superior se sente e comece a comer, mas o contrário não ocorre; não se fuma na presença de alguém socialmente superior; ao beber com alguém socialmente superior, o subordinado esconde o copo e desvia seu olhar; [...] ao saudar um superior em uma situação social (embora não um inferior), um coreano deve fazer uma mesura; um coreano deve se levantar quando alguém reconhecidamente superior aparece em cena, além de não poder passar à frente de alguém superior. Todas as condutas e ações sociais obedecem à ordem de antiguidade ou hierarquia. Como diz o ditado, *chanmul to wi alay ka issta*: "Existe ordem até para beber água fria."

Portanto, quando o copiloto pergunta: "Você não acha que está chovendo mais? Nesta área, aqui?", sabemos o que ele quer dizer com isso: "Piloto, você nos comprometeu com uma abordagem visual sem ter um plano alternativo, e o tempo lá fora está terrível. Você acredita que sairemos das nuvens a tempo de vermos a pista, mas e se não a virmos? Lá fora está escuro feito breu e chove muito. E o *glide scope* está desativado."

No entanto, ele não pode fazer isso. Limita-se a dar um palpite. Em sua mente, disse tudo o que podia para um superior. Não voltará a mencionar as condições do tempo.

Justamente após esse momento, o avião, apenas por um instante, sai das nuvens, e os pilotos avistam luzes à distância.

"É Guam?", o engenheiro de voo pergunta. Após uma pausa, ele afirma: "É Guam, Guam."

O piloto diz, risonho: "Bom!"

Mas não é nada bom. É uma ilusão. Eles saíram das nuvens por um momento. Contudo, ainda estão a 32km do aeroporto e têm muito mau tempo pela frente. O engenheiro de voo sabe disso, pois é o responsável por rastrear o tempo. Assim, decide se manifestar.

"Hoje o radar meteorológico nos ajudou muito", diz ele.

O radar meteorológico nos ajudou muito? Um segundo palpite na cabine. O que o engenheiro quer dizer é exatamente o que o copiloto quis dizer. "Esta não é uma noite em que você pode confiar apenas nos seus olhos para pousar um avião. Veja o que o radar meteorológico está mostrando: temos problemas à frente."

Aos ouvidos ocidentais, parece estranho que o engenheiro tenha mencionado o assunto uma só vez. A comunicação ocidental possui o que os linguistas chamam de "orientação transmissora": considera-se o falante responsável por comunicar as ideias com clareza e sem ambiguidade. Mesmo no caso do trágico acidente com o avião da Air Florida, em que o copiloto se limita a palpitar sobre o perigo do gelo, ele faz isso *quatro* vezes, expressando seus comentários de quatro formas diferentes, na tentativa de se fazer entender. Ele pode ter se constrangido com a distância do poder entre ele e o piloto. De qualquer modo, continuava agindo dentro de um contexto cultural ocidental, segundo o qual, se houver confusão, será por culpa do falante.

Mas a Coreia, como muitos países asiáticos, é orientada para o "receptor". Cabe ao *ouvinte* entender o que está sendo dito. Na mente do engenheiro, ele disse muita coisa.

Sohn cita a seguinte conversa como um exemplo do diálogo entre um empregado (Sr. Kim) e seu supervisor, um gerente de divisão (*kwacang*).

> Kwacang: Está frio e estou com fome.
> [Significado: Por que você não compra uma bebida ou algo para comer?]
>
> Sr. Kim: Que tal um cálice de licor?
> [Significado: Comprarei licor para você.]
>
> Kwacang: Tudo bem. Não se preocupe.
> [Significado: Aceitarei a sua oferta se você a repetir.]
>
> Sr. Kim: Você deve estar com fome. Que tal dar uma saída?
> [Significado: Insisto que seja meu convidado.]
>
> Kwacang: Devo fazer isso?
> [Significado: Eu aceito.]

Existe algo de belo na sutileza desse diálogo, na atenção que cada parte deve prestar nas motivações e nos desejos da outra. É civilizado, no sentido mais pleno da palavra: não permite insensibilidade nem indiferença.

Mas a comunicação com alta distância do poder só funciona quando o ouvinte é capaz de prestar muita atenção e se as duas partes na conversa dispõem de tempo para interpretar as mensagens uma da outra. Ela não funciona numa cabine de avião com um piloto exausto tentando aterrissar em meio a tempestade num aeroporto com um *glide scope* quebrado.

13.

Em 2000, a companhia aérea enfim agiu, contratando um profissional de fora – David Greenberg, da Delta Airlines – para dirigir as operações de voo.

Seu primeiro passo foi algo que não faria o menor sentido para quem não entendesse as verdadeiras raízes dos problemas da Korean Air. Ele avaliou os conhecimentos de língua inglesa de todas as tripulações de voo da companhia aérea. "Algumas pessoas estavam bem, outras não", ele se lembra. "Portanto, criamos um programa para ajudar a melhorar o domínio do inglês de aviação." Depois contratou uma firma ocidental – a Alteon, subsidiária da Boeing – para assumir os programas de treinamento e instrução da empresa. O treinamento era realizado em inglês, pois o pessoal da Alteon não falava coreano. A regra de Greenberg era simples: a nova língua da Korean Air era o inglês, e quem quisesse continuar piloto da companhia teria que ser fluente nesse idioma. "Não foi um expurgo", ele diz. "Todos receberam a mesma oportunidade. Os poucos que apresentaram dificuldade de aprendizado tiveram ainda a chance de estudar inglês por conta própria. Mas o idioma foi o filtro. Não me lembro de ninguém ter sido demitido por deficiência na capacidade de voo."

Na lógica de Greenberg, o inglês era a língua do mundo da aviação. Os pilotos tinham que dominar esse idioma porque, quando se sentavam na cabine e examinavam as checklists que toda tripulação de voo segue em cada ponto significativo dos procedimentos, o conteúdo daquelas listas estava em inglês. Quando se comunicavam com o CTA em qualquer ponto do mundo, as conversas eram em inglês.

"Se um piloto está tentando pousar no Aeroporto Kennedy no horário do rush, não existe nenhuma comunicação não-verbal", explica Greenberg. "São pessoas falando com pessoas. Portanto, ele tem que entender perfeitamente o que está acontecendo. Podemos dizer que dois coreanos não precisam conversar em inglês. No entanto, se estiverem discutindo o que os caras lá fora disseram em inglês, a língua é importante."

Greenberg queria conferir a seus pilotos uma identidade alternativa. O problema era que os pilotos da Korean Air estavam presos a papéis impostos pelo peso do legado cultural de seu país. Eles precisavam de uma oportunidade de abandonar esses papéis ao se sentarem na cabine, e a língua foi a chave para essa transformação. Em inglês, estariam livres dos níveis precisamente definidos da hierarquia coreana: deferência formal, deferência informal, franco, familiar, íntimo e simples. Em vez disso, poderiam se integrar a uma língua e a uma cultura com um legado bem diferente.

A parte crucial da reforma de Greenberg, porém, foi o que ele não fez. Ele não ergueu as mãos em desespero. Não demitiu todos os pilotos coreanos para recomeçar com outros de uma cultura de baixo IDP. Ele sabia que as heranças culturais importam: que são poderosas, se difundem e persistem bem depois de sua utilidade original ter passado. Mas não pressupôs que os legados fossem uma parte indelével da nossa maneira de ser. Acreditava que, se fossem honestos sobre as suas origens e estivessem dispostos a confrontar os aspectos de sua tradição que eram inadequados ao mundo da aviação, os coreanos poderiam mudar. Ofereceu aos pilotos o que todos – jogadores de hóquei, magnatas do software, advogados que realizam operações de aquisição hostis – haviam recebido no caminho ao sucesso: uma oportunidade de transformar seu relacionamento com o trabalho.

Após deixar a Korean Air, Greenberg ajudou a criar uma companhia de carga aérea chamada Cargo 360 e levou com ele vários pilotos coreanos. Eram todos engenheiros de voo que haviam ocupado a posição número três (depois do piloto e do copiloto) na rigorosa hierarquia da Korean Air original. "Eles haviam trabalhado no ambiente antigo da Korean Air por 15, 18 anos. Tinham aceitado aquele papel subserviente. Ocuparam a base da hierarquia. Nós lhes demos um novo treinamento e os integramos a tripulações ocidentais. Eles vêm obtendo grande sucesso. Todos mudaram seu estilo. Tomam iniciativas, carregam sua parte da carga. Não esperam que alguém os conduza. São profissionais experientes, na faixa dos 50 anos, com um longo histórico em determinado contexto, que passaram por uma reciclagem e agora são bem-sucedidos trabalhando numa cabine ocidental. Nós os retiramos de sua cultura e os reorientamos."

Este é um exemplo extremamente libertador. Quando se obtém o entendimento do que significa de fato ser um bom piloto – no momento em que se compreende até que ponto a cultura, a história e o mundo exterior afetam o sucesso profissional –, não é preciso levantar as mãos em desespero diante de uma companhia aérea cujos pilotos batem com os aviões em encostas de montanhas. Existe um meio de transformar a deficiência em sucesso.

Antes, porém, precisamos ser francos sobre um tema que preferimos ignorar. Quando, em 1994, a Boeing publicou pela primeira vez dados de segurança mostrando uma clara correlação entre os desastres aéreos de um país e sua posição nas dimensões de Hofstede, os pesquisadores da empresa ficaram cheios de dedos para não ofender ninguém. "Não estamos apontando culpados, mas há algo de errado nisso", disse o engenheiro-chefe da Boeing, responsável pela segurança dos aviões. Por que somos tão melindrosos? Por que é tão difícil reconhecer o fato de que cada um de nós vem de uma cultura peculiar, com uma composição própria de forças e fraquezas, tendências e predisposições? Não podemos fingir que somos o produto apenas de nossa vida e experiências pessoais. Quando ignoramos a cultura, os aviões caem.

14.

De volta à cabine:

– Hoje o radar meteorológico nos ajudou muito. – Nenhum piloto diria essas palavras atualmente.

Mas isso foi em 1997, antes que a Korean Air levasse a sério seus problemas com a distância do poder. O piloto estava cansado e não percebeu o que o engenheiro de voo quis dizer de fato.

– Sim. Eles são muito úteis – respondeu. Ele não estava escutando.

Agora, o avião está voando em direção ao farol VOR, que fica ao lado da montanha. O tempo não melhorou. Os pilotos não conseguem enxergar nada. O piloto desce o trem de aterrissagem e estende os flapes.

À 1h41min48s, o piloto diz: "Ligar os limpadores de para-brisas", e o engenheiro de voo faz isso. Está chovendo.

À 1h41min59s, o copiloto pergunta: "Não está à vista?" Ele está procurando a pista de aterrissagem. Não consegue vê-la. Há algum tempo vem sentindo um frio no estômago. Um segundo depois, o sistema de aviso de aproximação do solo avisa em sua voz eletrônica monocórdia: "Quinhentos [pés]." O avião está a 150m do solo, que nesse caso é o monte Nimitz. A tripulação está confusa porque acha que o solo corresponde à pista de aterrissagem, mas como é possível que não consigam vê-la? O engenheiro de voo exclama "Ah!" num tom de espanto. Dá para imaginá-los tentando conciliar, desesperadamente, sua suposição de onde o avião estaria com o que seus instrumentos estavam informando.

À 1h42min19s, o copiloto informa: "Vamos fazer uma aproximação perdida."

Ele enfim evoluiu de um palpite para uma obrigação da tripulação: quer abortar a aterrissagem. Mais tarde, na investigação do acidente, descobriu-se que, se o copiloto tivesse assumido o controle do aparelho naquele momento, haveria tempo suficiente para subir o nariz do avião e evitar o monte Nimitz. É o que os copilotos são treinados a fazer quando acreditam que o piloto está errado. Mas uma coisa é aprender na sala de aula, outra coisa bem diferente é fazer isso no ar com alguém que poderia espancá-los com as costas da mão se eles cometessem um engano.

À 1h42min20s, o engenheiro de voo diz: "Não está à vista."

Por fim, com o desastre pela frente, o copiloto e o engenheiro de voo se manifestam. Querem que o piloto faça uma volta, suba um pouco e comece a aterrissagem de novo. Mas é tarde demais.

>1h42min21s. Copiloto: Não está à vista, aproximação perdida.
>
>1h42min22s. Engenheiro de voo: Dar uma volta.
>
>1h42min23s. Piloto: Dar uma volta.
>
>1h42min24s5. Aviso de Aproximação de Solo (GPWS): 100.
>
>1h42min24s84. GPWS: 50
>
>1h42min25s19. GPWS: 40
>
>1h42min25s50. GPWS: 30
>
>1h42min25s78. GPWS: 20
>
>1h42min25s78. [som do impacto inicial]
>
>1h42min28s65. [som de máquina]
>
>1h42min28s91. [som de gemidos]
>
>1h42min30s54. [som de máquina]

Fim da gravação

CAPÍTULO 8

Arrozais e testes de matemática

"NINGUÉM QUE EM 360 DIAS DO ANO
ACORDE ANTES DO AMANHECER DEIXA
DE ENRIQUECER A FAMÍLIA."

1.

O portão de entrada para o centro industrial do sul da China sobe pela ampla e verdejante faixa do delta do rio das Pérolas. A terra está coberta por uma mistura compacta de fumaça e neblina. As rodovias estão cheias de caminhões. Redes elétricas entrecortam a paisagem. Fábricas de câmeras, computadores, relógios, guarda-chuvas e camisetas erguem-se ao lado de conjuntos de prédios residenciais densamente habitados e campos de bananeiras, mangueiras, cana-de-açúcar, mamões e abacaxis destinados ao mercado de exportação. Uma geração atrás, o céu estaria límpido e a estrada teria apenas duas pistas. E uma geração antes disso, tudo o que veríamos seriam arrozais.

A duas horas de avião, na nascente do rio das Pérolas, fica a cidade de Guangzou (Cantão), onde os vestígios da velha China são mais fáceis de encontrar. A paisagem rural é de tirar o fôlego: morros ondulados, pontilhados de afloramentos de rochas de calcário, contrastando com as montanhas Nan Ling ao fundo. Aqui e ali, as tradicionais cabanas cáqui de tijolos de barro dos camponeses. Nas cidades pequenas, há mercados ao ar livre: galinhas e gansos em elaboradas cestas de bambu, legumes dispostos em fileiras no chão, grossas fatias de carne de porco sobre mesas, tabaco vendido em grandes pedaços. E, por toda parte, quilômetros intermináveis de arrozais. Na estação do inverno, estão secos e salpicados com o restolho da colheita do ano anterior. Após o plantio no início da primavera, quando os ventos úmidos começam a soprar, transformam-se num verde mágico. E, na época da primeira colheita, assim que os grãos começam a emergir nas extremidades dos brotos, a terra se torna um mar de amarelo sem fim.

O arroz vem sendo cultivado na China há milhares de anos. Foi a partir desse país que as técnicas do cultivo do arroz se difundiram pelo sul da Ásia: Japão, Coreia, Cingapura, Taiwan. A cada ano, desde os primeiros registros históricos, os camponeses de todo o continente têm adotado incansavelmente o mesmo padrão intricado de agricultura.

Os arrozais são "construídos", e não "abertos", como ocorre com os trigais. Não basta remover as árvores, o matagal e as pedras e depois lavrar a terra. Os campos de arroz são esculpidos nas encostas dos morros, numa série elaborada de terraços, ou cuidadosamente criados em charcos e planícies fluviais. Eles precisam ser irrigados, o que exige a construção minuciosa de diversos diques ao redor do campo de cultivo. É necessário que se abram canais a partir da fonte d'água mais próxima. E os diques devem ter comportas, de modo que o fluxo d'água possa ser regulado com exatidão para cobrir as plantas na altura certa.

O próprio campo, por sua vez, tem que ter um solo de argila duro para impedir que a água o penetre. Mas é evidente que as plântulas de arroz não podem ser fincadas na argila dura. Portanto, é preciso cobri-la com uma camada espessa e mole de lama. E essa camada deve ser totalmente nivelada para permitir que a drenagem da água ocorra da forma apropriada, deixando as plantas submersas no nível ideal. É necessário ainda fertilizar o campo diversas vezes, o que constitui outra arte. Entre os agricultores, a tradição era usar o "solo noturno" (excremento humano) e uma combinação de composto queimado, lodo de rio, bolo de feijão e cânhamo. Porém, eles empregavam esses elementos com cuidado, pois aplicar fertilizante demais ou no momento errado pode ser tão nocivo quanto não utilizá-lo.

Na época do plantio, o agricultor chinês escolhia entre centenas de variedades de arroz – cada uma delas oferecia uma vantagem diferente, como rapidez de crescimento, resistência em época de seca e rendimento em solos pobres. Ficava a seu critério plantar uma dúzia ou mais de variedades de uma só vez, ajustando o *mix* a cada estação para administrar o risco de uma colheita fracassada.

Ele ou ela (ou, para ser mais exato, a família inteira, uma vez que a rizicultura era uma atividade familiar) plantava as sementes em sementeiras especialmente preparadas. Após algumas semanas, as plântulas eram transplantadas para o campo em fileiras espaçadas 15cm umas das outras e, depois, cultivadas com todo o cuidado.

As ervas daninhas eram arrancadas à mão, de forma diligente e incessante, porque as plântulas podiam ser sufocadas com muita facilidade por outras vidas vegetais. Às vezes passava-se um pente de bambu em cada broto individualmente para remover insetos. Ao mesmo tempo, os agricultores tinham que verificar o nível da água de forma constante e cuidar para que ela não se aquecesse demais ao sol do verão. E, quando o arroz amadurecia, os agricultores reuniam todos os amigos e parentes, num esforço concentrado, e faziam a colheita o mais rápido possível, para poderem plantar a segunda safra e colhê-la antes do início da estação seca do inverno.

O café da manhã no sul da China, pelo menos para quem possuía recursos, era o *congee*: mingau de arroz, alface, pasta de peixe de água doce e brotos de bambu. O almoço era mais *con-*

gee. O jantar se constituía de arroz com "coberturas". Arroz era o que eles vendiam no mercado para que pudessem comprar os outros produtos de que necessitavam. A riqueza e o status eram medidos por ele. Era esse cereal que determinava quase todos os momentos do trabalho, todos os dias. "Arroz é vida", diz o antropólogo Gonçalo Santos, que estudou uma aldeia tradicional do sul da China. "Sem ele, não era possível sobreviver. Quem quisesse ser alguém nessa parte da país tinha que possuir arroz. Ele fazia o mundo girar."

2.

Observe a seguinte lista de números: 4, 8, 5, 3, 9, 7, 6. Leia-a em voz alta. Agora não olhe para a lista e passe 20 segundos memorizando a sequência antes de dizê-la em voz alta de novo.

Se você fala uma língua ocidental, tem cerca de 50% de chance de se lembrar da sequência perfeitamente. No entanto, caso seja chinês, é quase garantido que a acertará todas as vezes que a ler. Por quê? Porque, como seres humanos, armazenamos dígitos num ciclo de memória que dura cerca de dois segundos. Memorizamos com facilidade o que conseguimos dizer ou ler nesse intervalo. E quem fala chinês acerta a lista de números – 4, 8, 5, 3, 9, 7, 6 – porque sua língua permite enquadrar todos os sete algarismos em dois segundos.

O exemplo a seguir é do livro *The Number Sense* (O sentido do número), de Stanislas Dehaene. Ele explica:

> As palavras chinesas que designam números são extraordinariamente pequenas. A maioria delas pode ser pronunciada em menos de um quarto de segundo (por exemplo, 4 é si e 7 é qi). Seus equivalentes em inglês – four e seven

– são mais longos: pronunciá-los leva em torno de um terço de segundo. A diferença de memória entre falantes de inglês e de chinês deve-se, aparentemente, a essa distinção de tamanho. Em idiomas tão diversos quanto o galês, o árabe, o chinês, o inglês e o hebraico, existe uma correlação reproduzível entre o tempo necessário para pronunciar os números e a amplitude de memória dos falantes. Nessa área, o prêmio da eficácia vai para o dialeto cantonês, cuja brevidade proporciona aos residentes de Hong Kong uma estupenda amplitude de memória de cerca de 10 dígitos.

Existe também uma grande diferença em como os sistemas de nomeação de números das línguas ocidentais e asiáticas são estruturados. No nosso sistema, dizemos dezesseis, dezessete, dezoito e dezenove. Seria de esperar, portanto, que disséssemos "dezeum", "dezedois", "dezetrês", etc. Mas não fazemos isso, usamos uma forma distinta: onze, doze, treze... Na maioria dos números a dezena vem primeiro e a unidade depois: dez(e)sete, vinte e sete, trinta e sete, porém os números de onze a quinze não seguem essa lógica. Não é estranho? Isso não acontece na China, no Japão e na Coreia. Eles dispõem de um sistema de contagem lógico: onze é "dez-um"; doze é "dez-dois"; vinte e quatro é "dois dez quatro", e assim por diante.

Essa diferença proporciona às crianças asiáticas duas vantagens. A primeira é que aprendem a contar com muito mais rapidez. As crianças chinesas de quatro anos sabem contar, em média, até 40, enquanto as americanas nessa idade contam apenas até 15 e só chegam ao 40 aos cinco anos. Ou seja, as crianças americanas de cinco anos já estão um *ano* atrás das asiáticas na habilidade matemática mais elementar.

A regularidade de seu sistema numérico também permite às crianças asiáticas realizar funções básicas, como a soma, com mais facilidade. Peça a uma criança ocidental de sete anos que some, de cabeça, trinta e sete mais vinte e dois. Ela terá que converter as palavras em números (37 + 22), para depois cuidar da matemática: 2 + 7 = 9 e 30 + 20 = a 50, o que perfaz 59. Peça a uma criança asiática que some três-dez-sete e dois-dez-dois. A equação necessária está implícita na frase. Não é preciso converter nada: cinco-dez-nove.

"O sistema asiático é transparente", diz Karen Fuson, psicóloga da Northwestern University que realizou um grande número de pesquisas sobre as diferenças entre os asiáticos e os ocidentais. "Ele modifica a atitude em relação à matemática. Em vez de um aprendizado mecânico, existe um padrão que a pessoa consegue identificar. Há uma expectativa de que ela é capaz de fazer aquilo e de que existe uma lógica no processo. No caso das frações, dizemos três quintos. Em chinês, é, literalmente, 'de cinco partes, pegue três'. Isso é definir uma fração de modo conceitual. É distinguir o denominador do numerador."

O conhecido desencanto com a matemática entre as crianças ocidentais começa na terceira e quarta séries. Para Fuson uma parte dessa desilusão talvez se deva ao fato de que a matemática parece não fazer sentido: sua estrutura linguística é canhestra, enquanto suas regras básicas se afiguram arbitrárias e complicadas.

As crianças asiáticas, ao contrário, não têm a mesma sensação de confusão. Elas conseguem memorizar mais números e fazer cálculos com mais rapidez. Além disso, a maneira como as frações são expressas em sua língua corresponde exatamente ao que uma fração é de verdade – e talvez isso as torne mais propensas a gostar de matemática. E, quem sabe, por apreciarem essa disciplina um pouco mais, façam um esforço um pouco maior e assistam a mais aulas e estejam mais dispostas a fazer os deveres de casa, e assim por diante, numa espécie de círculo virtuoso.

Em outras palavras, quando se trata de matemática, os asiáticos possuem uma vantagem natural. Porém, de um tipo incomum. Há anos, alunos da China, da Coreia do Sul e do Japão – e os filhos de imigrantes recentes desses países – se saem bem melhor nessa disciplina do que seus colegas ocidentais. O pressuposto habitual é de que isso se deve a uma espécie de vocação asiática inata para a matemática.[1] O psicólogo Richard Lynn chegou ao ponto de propor uma teoria evolucionária complexa envolvendo o Himalaia, o clima realmente frio, práticas de caça pré-modernas, o tamanho do cérebro e sons vocálicos específicos para explicar por que os asiáticos possuem QIs maiores.[2] É assim que pensamos sobre a matemática. Acreditamos que ser bom em áreas como cálculo infinitesimal e álgebra é uma simples função da inteligência. No entanto, as diferenças entre os sistemas numéricos no Oriente e no Ocidente sugerem outra explicação: a de que dominar a matemática pode também ser algo enraizado na *cultura* de um grupo.

No caso dos coreanos, um legado cultural arraigado revelou-se um obstáculo à tarefa moderna de pilotar um avião. Mas, no

---

[1] Existem muitas maneiras de caracterizar essa supremacia. A descrição mais simples é do pesquisador educacional Erling Boe. O Japão, a Coreia do Sul, Hong Kong, Cingapura e Taiwan classificam-se em matemática em torno do 98º percentil. Os Estados Unidos, a França, a Inglaterra, a Alemanha e outras nações ocidentais industrializadas se concentram entre o 28º e o 36º percentil. Uma grande diferença.

[2] A tese de Lynn de que os asiáticos possuem QIs maiores vem sendo refutada de modo convincente por uma série de outros experts. Para eles, o argumento de Lynn baseia-se em amostragens de QI obtidas de forma desproporcional em lares urbanos de alta renda. James Flynn, talvez o maior especialista mundial em QI, fez uma contra-argumentação fascinante. O QI dos asiáticos, diz ele, tem sido historicamente *inferior* ao QI das pessoas brancas. Assim, o domínio que os asiáticos têm da matemática ocorreu apesar do seu QI, e não por causa dele. O argumento de Flynn foi esboçado em *Asian Americans: Achievement Beyond IQ* (Asiáticos americanos: avanço além do QI), 1991.

assunto em questão, o que temos é um tipo diferente de herança cultural, pois ele se mostra em perfeita sintonia com as atividades que realizamos no século XXI. Os legados culturais realmente *importam*. Depois de vermos os efeitos surpreendentes de questões como a distância do poder e os números que podem ser pronunciados em menos de um quarto de segundo, não podemos deixar de nos perguntar quantas outras heranças culturais interferem nas tarefas intelectuais da atualidade. E se o fato de uma pessoa vir de uma cultura moldada pelas exigências do cultivo do arroz também a tornar melhor em matemática? O arrozal poderia fazer diferença na sala de aula?

3.

O detalhe mais impressionante sobre um arrozal – que só é possível perceber de verdade quando se está no centro de um deles – é a sua dimensão. Ele é *muito pequeno*. Um arrozal típico tem cerca do tamanho de um quarto de hotel. Uma fazenda de arroz asiática comporta, tradicionalmente, dois ou três arrozais. Uma aldeia na China com 1.500 pessoas pode se sustentar com 180ha de terra, o que, no Meio-Oeste americano, seria a área de uma fazenda familiar convencional. Nessa escala, com famílias de cinco ou seis pessoas vivendo de uma fazenda do tamanho de dois ou três quartos de hotel, a agricultura muda de maneira drástica.

Historicamente, a agricultura ocidental se orienta pela mecanização. No Ocidente, quando um agricultor queria aumentar sua eficiência e sua produção, ele introduzia equipamentos cada vez mais sofisticados, substituindo o trabalho humano pela ação de máquinas: debulhadoras, ceifadeiras, tratores, etc. Assim, limpava outro terreno e expandia a área de plantio, porque agora podia cultivar mais terra com o mesmo esforço. No entanto, no Japão e na China, os agricultores não dispunham de dinheiro para comprar máquinas – e, de qualquer modo, não sobrava terra extra que pudesse ser convertida com facilidade em campos novos. Por isso, os rizicultores melhoraram sua produção tornando-se mais inteligentes, gerenciando o tempo com mais eficiência e fazendo escolhas mais adequadas. Nas palavras da antropóloga Francesca Bray, a rizicultura "se orienta pela habilidade": se o agricultor estiver disposto a arrancar as ervas daninhas com um pouco mais de cuidado, a conhecer melhor os fertilizantes, a destinar mais tempo à monitoração dos níveis de água, a manter a camada de lama absolutamente nivelada e a aproveitar cada centímetro quadrado do arrozal, obterá uma safra maior. Ao longo da história, não surpreende que os rizicultores tenham sempre dado mais duro do que qualquer outro tipo de lavrador.

Essa última afirmação pode parecer estranha, pois temos a impressão de que no mundo pré-moderno se trabalha muito. Isso, porém, não é verdade. Todos nós, por exemplo, somos descendentes em certo ponto de caçadores-coletores, muitos dos quais, ao que consta, tinham uma existência bastante ociosa. Os bosquímanos *!kung* do deserto de Kalahari, em Botsuana, um dos poucos povos que ainda adotam esse estilo de vida, subsistem basicamente de uma grande variedade de frutas, bagas e raízes, sobretudo da noz de *mongongo*, uma fonte de alimento abundante e rica em proteínas que se encontra presa ao solo. Eles não cultivam nenhum tipo de plantação nem criam animais. De vez em quando os homens caçam, mas sobretudo por esporte. No total, adultos *!kung* dos dois sexos não trabalham mais do que 12 ou 19 horas semanais – o que corresponde a, no máximo, mil horas por ano. O tempo restante é destinado a danças, diversões e visitas a familiares e amigos. (Ao perguntarem certa vez a um bosquímano por que seu povo não se dedicava à agricultura, ele olhou intrigado e respondeu: "Por que plantar se existem tantas nozes de *mongongo* no mundo?")

Podemos considerar também a vida de um camponês na Europa do século XVIII. Estima-se que os homens e as mulheres daquela época trabalhavam do amanhecer ao meio-dia, 200 dias por ano, num total de 1.200 horas de trabalho anuais. Durante a colheita ou a plantação da primavera, o dia podia até ser mais longo. No inverno, era bem mais curto. Em *The Discovery of France* (A descoberta da França), o historiador Graham Robb afirma que a vida camponesa num país como a França até meados do século XIX consistia essencialmente em breves episódios de trabalho seguidos de grandes períodos de ócio.

"Noventa e nove por cento de toda a atividade humana descrita nesse e em outros relatos [da vida rural francesa] ocorria entre o final da primavera e o início do outono", diz Robb. Nos Pireneus e nos Alpes, aldeias inteiras praticamente hibernavam desde a queda da primeira neve, em novembro, até março ou abril. Nas regiões mais temperadas da França, onde, no inverno, era raro as temperaturas caírem abaixo do ponto de congelamento, verificava-se o mesmo padrão. Ele continua:

> Os campos de Flandres ficavam desertos na maior parte do ano. Um relato oficial sobre Nièvre em 1844 descreveu a estranha mudança no dia de trabalho na Borgonha uma vez encerrada a colheita e queimadas as videiras: "Após realizar os reparos necessários em suas ferramentas, esses homens vigorosos agora passarão os dias na cama, com seus corpos bem juntos para se aquecerem e comerem menos. Eles se enfraquecem de propósito."
>
> A hibernação humana era uma necessidade física e econômica. A redução da taxa metabólica impedia que eles esgotassem os suprimentos por causa da fome [...] As pessoas andavam devagar e sem fazer esforço, mesmo no verão. [...] Após a revolução, na Alsácia e em Pas-de-Calais,

as autoridades reclamavam que os vinicultores e fazendeiros independentes, em vez de realizarem "alguma atividade pacífica e sedentária" nas estações mais calmas, "entregam-se à ociosidade idiota".

Mas, se você fosse um camponês no sul da China, não dormiria durante o inverno. Na breve pausa marcada pela estação seca, de novembro a fevereiro, estaria ocupado com tarefas extras. Faria cestas ou chapéus de bambu para vender no mercado. Consertaria os diques dos arrozais e reformaria a cabana de barro. Enviaria um dos filhos a uma aldeia próxima para ajudar um parente. Prepararia tofu e coalhada de feijão. Capturaria cobras (uma iguaria) e insetos. Quando *lahp cheun* (a "virada da primavera") chegasse, você estaria de volta aos campos ao amanhecer. O trabalho num arrozal é 10 a 20 vezes mais intenso do que num campo de milho ou trigo de tamanho equivalente. Estimativas situam a carga de trabalho anual do rizicultor asiático em *3 mil* horas anuais.

4.

Pense por um momento em como deve ter sido a vida de um rizicultor no delta do rio das Pérolas. Três mil horas é uma quantidade de tempo estupenda para se despender com o trabalho, sobretudo se a pessoa executa grande parte dele inclinada sob o sol forte, plantando mudas e arrancando ervas daninhas num arrozal.

O que tornava a vida do rizicultor compensatória, porém, era a natureza da sua ocupação, que guardava certa semelhança com a atividade que os imigrantes judeus realizavam nas confecções de Nova York. Era um trabalho *significativo*. Em primeiro lugar, existe na rizicultura uma clara relação entre esforço e recompensa. Quanto mais se trabalha num arrozal, mais ele produz. Além disso, esse é um empreendimento complexo. O rizicultor não se limita a plantar na primavera e colher no outono. Ele de fato dirige um pequeno negócio, administrando uma mão de obra familiar, protegendo-se da incerteza pela seleção de sementes, construindo e gerenciando um elaborado sistema de irrigação e coordenando o processo de colher a primeira safra ao mesmo tempo que prepara a segunda.

E, acima de tudo, esse agricultor é autônomo. Os camponeses da Europa trabalhavam, essencialmente, como escravos mal remunerados de um proprietário de terras aristocrata e tinham pouco controle sobre seu próprio destino. Mas a China e o Japão nunca desenvolveram esse tipo de sistema feudal opressivo, porque isso não funciona numa economia baseada no arroz. Cultivar esse cereal é uma atividade complicada demais para um sistema em que os agricultores precisam ser coagidos e obrigados a sair para os campos toda manhã. Nos séculos XIV e XV, os proprietários de terras no centro e no sul da China mantinham uma relação de não-intervenção com os arrendatários das terras: eles cobravam um aluguel fixo e permitiam que os agricultores cuidassem dos próprios negócios.

"O que ocorre com os arrozais irrigados é que, além de exigirem um esforço fenomenal, eles demandam um trabalho de alta precisão", diz o historiador Kenneth Pomerantz. "É necessário ser cuidadoso. O campo deve estar perfeitamente nivelado antes de ser irrigado. Chegar perto do nível, mas não no nível exato, faz uma grande diferença em termos de produção. É essencial também que a água permaneça nos campos pelo tempo certo. E existe uma grande diferença entre alinhar as plântulas na distância exata ou fazer isso de qualquer maneira. Não é como semear o milho em meados de março e esperar que chova no fim do mês para que fique tudo bem. O rizicultor controla todos os insumos de forma direta. E, quando algo requer tamanho esmero, o proprietário da terra precisa contar com um sistema que forneça ao lavrador alguns incentivos, de modo que, se a colheita for muito boa, esse agricultor tenha direito a um quinhão maior. Por isso o senhorio recebe aluguéis fixos, dizendo: 'Fico com 20 *bushels* qualquer que seja a colheita. Se for farta, o excedente é seu.' Essa é uma lavoura que não funcionaria muito bem com algo como o trabalho escravo ou assalariado. Seria muito fácil destruir o campo deixando aberta por alguns segundos a mais a comporta que controla a água da irrigação."

O historiador David Arkush comparou provérbios de camponeses russos e chineses – as diferenças são notáveis. "Se Deus não prover, a terra não fornecerá", reza um típico provérbio russo, revelando o fatalismo e o pessimismo de um sistema feudal repressivo em que os camponeses não tinham motivos para acreditar na eficácia do seu próprio trabalho. Por outro lado, afirma Arkush, os provérbios chineses são impressionantes na crença de que o "trabalho duro", o planejamento sagaz e a autoconfiança ou a cooperação com um grupo pequeno acabam proporcionando a devida recompensa.

Leia a seguir o que os camponeses pobres diziam uns aos outros enquanto completavam três mil horas anuais de trabalho em meio à umidade e ao calor escaldante dos arrozais chineses (que, aliás, estão cheios de sanguessugas):

"Sem sangue e suor não há comida."

"Os fazendeiros estão ocupados; os fazendeiros estão ocupados; se os fazendeiros não estivessem ocupados, de onde viriam os grãos para sobrevivermos no inverno?"

"No inverno, o homem preguiçoso morre congelado."

"Não dependa do céu para obter comida, e sim de suas próprias mãos para fazer o trabalho pesado."

"É inútil perguntar sobre as colheitas, tudo depende do trabalho duro e dos fertilizantes."

"Para o homem esforçado a terra não será preguiçosa."

E o mais revelador de todos: "Ninguém que em 360 dias do ano acorde antes do amanhecer deixa de enriquecer a família." *Acordar antes do amanhecer? E 360 dias por ano?* Para o *!kung* que coleta tranquilamente suas nozes de *mongongo*, para o camponês francês que dormia durante todo o inverno ou para qualquer outra pessoa alheia ao mundo do cultivo do arroz, esse provérbio seria impensável.

É claro que essa não é uma observação estranha sobre a cultura asiática. Em qualquer universidade, os estudantes dirão que os colegas asiáticos são os que mais permanecem na biblioteca por um longo tempo depois que todos os outros vão embora. Compreensivelmente, algumas pessoas de origem asiática ficam ofendidas quando se fala assim sobre sua cultura, pois sentem que o estereótipo está servindo como uma forma de depreciação. Mas a crença no trabalho é, na verdade, algo belo. Quase todas as histórias de sucesso que vimos neste livro até agora envolvem alguém ou algum grupo que se esforçou mais do que seus pares. Bill Gates era viciado em computador desde os tempos da escola. Bill Joy também foi assim. Os Beatles praticaram por milhares de horas em Hamburgo. Joe Flom trabalhou muito durante anos, aperfeiçoando a arte da operação de aquisição hostil, antes de obter sua chance. Dar duro é o que as pessoas bem-sucedidas fazem, e a virtude da cultura formada pela labuta nos arrozais foi proporcionar aos camponeses uma forma de encontrar significado em meio a toda aquela adversidade e pobreza. Essa lição serviu aos asiáticos em muitos empreendimentos, porém raramente com tanta perfeição quanto no caso da matemática.

5.

Alguns anos atrás, Alan Schoenfeld, professor de matemática de Berkeley, gravou um vídeo de uma mulher chamada Renee enquanto ela tentava solucionar um problema de matemática. Renee tinha cerca de 25 anos, longos cabelos pretos e óculos prateados redondos. No vídeo, ela está interagindo com um programa de software projetado para ensinar álgebra. Na tela há os eixos y e x. O programa pede ao usuário que digite um conjunto de coordenadas e, em seguida, desenha uma linha reta na tela. Assim, se alguém digita 5 no eixo y e 5 no eixo x, o computador faz isto:

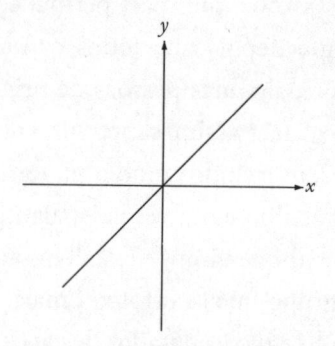

A esta altura, estou certo de que uma vaga lembrança das aulas de álgebra está surgindo em sua cabeça. Mas fique tranquilo: você não precisa se recordar de nada dessa disciplina para entender o significado do exemplo de Renee. Na verdade, ao ler as falas dela mais adiante, não se concentre no que ela está dizendo, e sim em como e por que está falando daquele jeito.

O objetivo do programa de computador criado por Schoenfeld era ensinar aos estudantes a calcular a inclinação de uma reta. A inclinação, como você deve se lembrar (ou, mais precisamente, como você talvez não se lembre – esse foi o meu caso) é a razão entre o eixo y (o das ordenadas) e o eixo x (o das abscissas). A inclinação da reta em nosso exemplo é 1, uma vez que $y = 5$ e $x = 5$.

Renee está diante do teclado tentando descobrir quais números digitar para que o computador desenhe uma reta vertical diretamente sobreposta ao eixo y. Ora, quem se recorda da matemática do colégio sabe que isso é impossível. Uma linha vertical possui uma inclinação indefinida. A sua altura é infinita: pode ser qualquer número no eixo y a partir de zero. Já sua distância no eixo x é zero. Infinito dividido por zero não é um número.

Mas Renee não percebe que está diante de uma missão impossível. Ela está dominada pelo que Schoenfeld chama de "equívoco glorioso". O que faz com que Schoenfeld goste de exibir esse vídeo é o fato de ele ser uma demonstração perfeita de como o equívoco foi solucionado.

Renee era enfermeira. Nunca tinha se interessado por matemática no passado. De alguma maneira, porém, conseguira acesso ao software e estava gostando.

– Agora quero traçar uma reta com essa fórmula, paralela ao eixo y – ela começa. Schoenfeld está sentado ao seu lado. Ansiosa, Renee olha para ele. – Há cinco anos não faço esse tipo de coisa.

Ela começa a brincar com o programa, digitando diferentes números.

– Se eu mudar a inclinação desta maneira... menos um... Agora quero fazer com que a linha fique reta.

À medida que ela digita números, a linha na tela vai se modificando.

– Nossa! Isso não vai dar certo.

Ela parece intrigada.

– O que você está tentando fazer? – Schoenfeld pergunta.

– Quero traçar uma linha reta paralela ao eixo y. O que preciso fazer aqui? Acho que tenho que mudar isto um pouquinho. – Ela aponta para o local do número do eixo y. – Descobri uma coisa. Quando passo de um para dois, a mudança é grande. Mas, para subir mais, tenho que ficar mudando de número.

Esse é o equívoco glorioso de Renee. Ela observou que, quanto mais alta a coordenada do eixo *y*, mais inclinada fica a reta. Assim, conclui que a solução para obter uma linha vertical é tornar a coordenada do eixo *y* bem elevada.

– Acho que 12 ou até 13 vai resolver. Talvez chegue até 15.

Renee franze a testa. Ela e Schoenfeld ficam indo e voltando entre os números. Ela faz perguntas. Ele a orienta, educadamente, na direção certa. Ela continua tentando uma abordagem após a outra.

Em determinado momento, Renee digita 20. A reta fica um pouco mais inclinada.

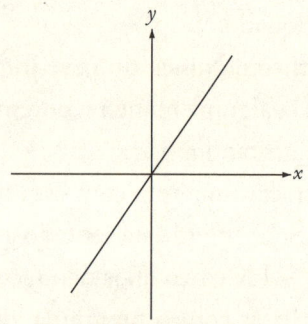

Ela digita 40. A inclinação se acentua.

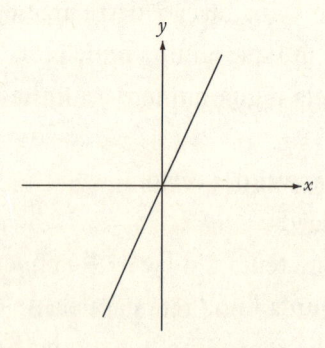

– Vejo que há uma relação aqui. Mas não consigo entender por quê. E se eu tentar 80? Se 40 me leva até à metade, 80 deveria me levar até o eixo *y*. Vamos ver o que acontece.

Ela digita 80. A linha fica ainda mais inclinada, porém ainda não está totalmente vertical.

— Ah! É infinito, não é? Nunca vou chegar lá.

Renee está perto de descobrir. No entanto, retorna ao equívoco original em seguida.

— Do que eu preciso? De 100? Cada vez que dobro o número, chego a meio caminho do eixo y. Só que nunca o alcanço...

Ela digita 100.

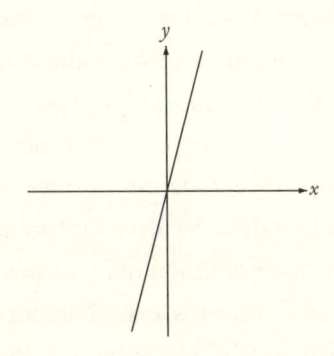

— Estou mais perto. Mas ainda não consegui.

Ela começa a pensar em voz alta. É óbvio que está perto de descobrir algo.

— Bem, eu sabia isso... eu sabia. Existe uma relação entre a altura e a distância. Ainda estou confusa sobre qual é...

Ela faz uma pausa, apertando os olhos enquanto olha para a tela.

— Estou ficando confusa. Falta um décimo do caminho para chegar lá. Mas não quero que seja...

Aí ela descobre.

— Ah! É qualquer altura e distância zero. É qualquer número dividido por zero! — Seu rosto se ilumina. — Uma linha reta vertical é qualquer coisa dividida por zero, e isso é um número indefinido. Certo! Agora entendo. A inclinação de uma reta vertical é indefinida. Ah! Agora faz sentido. Não vou me esquecer disso.

6.

No decorrer de sua carreira, Schoenfeld filmou muitos estudantes tentando solucionar problemas matemáticos. Mas o vídeo de Renee é um de seus favoritos pela beleza com que ilustra o que ele considera o segredo do aprendizado da matemática. Passam-se *22 minutos* desde o momento em que ela começa a lidar com o programa de computador e o instante em que diz: "Ah! Agora faz sentido." Um *longo* tempo. "Isso é matemática da oitava série", observa Schoenfeld. "Se eu puser um aluno de oitava série na mesma situação de Renee, acredito que, após as primeiras tentativas, ele dirá: 'Não entendi, dá pra você explicar?'" Certa vez ele perguntou a um grupo de estudantes do nível médio por quanto tempo eles ficavam tentando resolver um problema do dever de casa até concluírem que era difícil demais. Suas respostas variaram de 30 segundos a 5 minutos, e a média foi de dois minutos.

Mas Renee persiste. Ela faz tentativas. Retorna às mesmas questões várias vezes. Pensa em voz alta. Vai em frente, não desiste. Tem uma vaga ideia de que há algo errado em sua teoria sobre como traçar uma linha vertical e só para quando está absolutamente segura de que acertou.

A matemática não é algo natural para Renee. Ela não tem tanta facilidade assim para entender conceitos abstratos como "inclinação indefinida". Schoenfeld, porém, ficou impressionado com seu comportamento.

"Existe uma vontade de entender que a impele", ele diz. "Ela não aceitaria um simples 'Sim, você tem razão' superficial e depois iria embora. Renee não é assim. E isso é incomum." Schoenfeld recoloca o vídeo e aponta para um momento em que Renee se mostra genuinamente surpresa com algo na tela.

"Veja", ele diz. "Primeiro ela hesita e depois reage com surpresa. Muitos estudantes não perceberiam aquele detalhe. Mas

Renee pensou: 'Isso não se encaixa no meu raciocínio. Não estou entendendo. É uma coisa importante. Quero uma explicação.' E, quando por fim, entende aquilo, ela diz: 'Sim, isso se encaixa.'"

Em Berkeley, Schoenfeld ministra um curso sobre resolução de problemas cujo objetivo é, em suas palavras, fazer com que os estudantes se libertem dos hábitos relativos à matemática que adquiriram antes de ingressar na universidade. "Escolho um problema cuja solução desconheço. Digo aos alunos: 'Vocês terão um teste para fazer em casa. O prazo é de duas semanas. Conheço seus hábitos. Ninguém fará nada na primeira semana, só na seguinte. Por isso, aviso agora: caso dediquem apenas uma semana a essa questão, não conseguirão solucioná-la. Mas, se começarem a trabalhar no dia em que eu entregar o exame, se sentirão frustrados. Virão falar comigo: 'É impossível.' Minha orientação será que continuem tentando. Na segunda semana, constatarão que estão progredindo bastante."

Às vezes pensamos que ser bom em matemática é uma capacidade inata. A pessoa a tem ou não. Para Schoenfeld, porém, mais do que uma capacidade, trata-se de uma *atitude*. Domina a matemática quem se dispõe a tentar. É o que ele procura ensinar aos alunos. O sucesso é resultado da persistência, obstinação e disposição em se esforçar por 22 minutos para entender algo que levaria a maioria das pessoas a desistir após 30 segundos. Se reunirmos vários indivíduos como Renee numa sala de aula e oferecermos espaço e tempo para que eles explorem a matemática, chegaremos longe. Imagine um país onde a obstinação de Renee não seja uma exceção, e sim um traço cultural tão profundamente arraigado quanto a cultura da honra no Cumberland Plateau. Essa seria uma nação exímia em matemática.

7.

Como você viu no capítulo 1, a cada quatro anos, um grupo de educadores internacionais realiza o TIMSS (testes abrangentes de matemática e ciências) com alunos do nível fundamental em todo o mundo. Seu objetivo é obter uma comparação entre os níveis educacionais dos diferentes países.

Ao se submeterem aos exames do TIMSS, os estudantes têm que responder a um questionário. Nessa lista, há todo tipo de pergunta – qual é o nível educacional dos pais, o que acham da matemática, como são seus amigos, e assim por diante. Não é um exercício banal. São cerca de 120 questões. Na verdade, é tão maçante e trabalhoso que muitos alunos deixam de 10 a 20 delas sem resposta.

Agora vamos à parte interessante. Constata-se que o número de itens respondidos no questionário do TIMSS varia de país para país. É possível classificar as nações participantes pelo número de perguntas a que seus alunos respondem. O que você acha que acontecerá se compararmos a classificação pelo número de perguntas respondidas com a classificação pelas notas? *Elas são praticamente iguais.* Em outras palavras, países cujos alunos se dispõem a permanecer concentrados por um bom tempo respondendo a cada questão de um questionário imenso são os mesmos cujos estudantes se saem melhor na resolução de problemas matemáticos.

A pessoa que identificou esse fato é um pesquisador educacional da Universidade da Pensilvânia chamado Erling Boe. E ele fez essa descoberta por acaso. "Aquilo surgiu do nada", conta. Boe nem sequer conseguiu publicar essa constatação numa revista científica, porque, segundo ele, é estranha demais. Tenha em mente o seguinte: Boe não está dizendo que a capacidade de concluir o questionário e a de se destacar nos testes de matemática estão relacionadas. Ele afirma que elas são *iguais*. Comparando as duas classificações, vemos que são idênticas.

Veja isso de outro ângulo. Imagine que, a cada ano, seja realizada uma olimpíada de matemática em alguma bela cidade e que cada país participe do evento com uma equipe de mil alunos da oitava série. O argumento de Boe é que poderíamos prever exatamente a classificação final de cada país na competição *sem que os alunos respondessem a nenhuma pergunta de matemática*. Para isso, bastaria que estabelecêssemos uma tarefa destinada a medir o esforço que os estudantes estariam dispostos a fazer. Na verdade, nem mesmo isso seria necessário. Conseguiríamos identificar quais países são melhores em matemática apenas examinando quais culturas nacionais dão mais ênfase ao esforço e ao trabalho duro.

Assim, que países lideram as duas listas? A resposta não irá surpreendê-lo: Cingapura, Coreia do Sul, China (Taiwan), Hong Kong e Japão. O que eles têm em comum, é claro, é o fato de serem culturas moldadas pela tradição da rizicultura irrigada e do trabalho significativo.[3] Trata-se do tipo de lugar onde, por centenas de anos, camponeses paupérrimos, labutando em seus

---

[3] Há dois pontos a esclarecer. Primeiro, se você quer saber por que a China Continental não consta da lista, é porque ela ainda não participa do TIMSS. Mas o fato de Taiwan e Hong Kong estarem tão bem colocados sugere que a China Continental provavelmente também estaria.

Segundo, e talvez mais importante: e o que acontece no norte da China, onde não há uma sociedade baseada na rizicultura irrigada, e sim uma cultura que, historicamente, cultiva o trigo, assemelhando-se muito à Europa Ocidental? Serão seus habitantes bons em matemática também? Não sabemos. O psicólogo James Flynn observa, porém, que a maioria dos imigrantes chineses no Ocidente – as pessoas que tanto se destacam em matemática nesta parte do mundo – é do sul da China. Os estudantes chineses que se graduam nas melhores posições em suas turmas no MIT descendem, sobretudo, da população do delta do rio das Pérolas. Ele observa ainda que os americanos de origem chinesa que têm as notas mais baixas são do denominado povo *sze yap*, originários das regiões mais afastadas do delta, "onde o solo é menos fértil, e a agricultura, menos intensa".

arrozais mil horas por ano, diziam uns aos outros coisas como: "Ninguém que em 360 dias do ano acorde antes do amanhecer deixa de enriquecer a família."[4]

---

[4] Existe uma literatura científica considerável sobre medições da "persistência" asiática. Um estudo típico foi realizado por Priscilla Blinco. Ela propôs a grandes grupos de alunos japoneses e americanos de primeira série um quebra-cabeça bem difícil e mediu o tempo que eles permaneceram tentando solucioná-lo antes de desistir. Os participantes americanos tentaram, em média, por 9,47 minutos, enquanto os japoneses tentaram por 13,93 minutos, cerca de 40% a mais.

CAPÍTULO 9

A barganha de Marita

"TODAS AS MINHAS AMIGAS
AGORA SÃO DA KIPP."

1.

Em meados da década de 1990, uma escola pública experimental chamada KIPP Academy foi inaugurada no quarto pavimento da Lou Gehrig Junior High School, na cidade de Nova York.* A Lou Gehrig fica no sétimo distrito escolar da cidade, conhecido como South Bronx, um dos bairros mais pobres de Nova York. Ocupa um prédio baixo e cinza da década de 1960. Do outro lado da rua há um conjunto sombrio de prédios altos. A alguns quarteirões de distância localiza-se o Grand Concourse, o principal bulevar do bairro. Não são ruas onde alguém andaria sozinho em segurança depois de escurecer.

A KIPP é uma escola de ensino fundamental da quinta à oitava série. As turmas são grandes: a quinta série tem duas turmas com 35 alunos cada uma. Não há exame de admissão nem pré-requisitos para o ingresso. Os alunos são escolhidos por sorteio. Qualquer estudante de quarta série morador do Bronx pode se candidatar. Metade das crianças é negra e metade é latino-americana. Três quartos dos estudantes são criados por mãe ou pai

---

* KIPP significa Knowledge Is Power Program – "Programa Conhecimento É Poder". (*N. do T.*)

solteiro. Noventa por cento deles se qualificam para receber "almoço grátis ou a preço reduzido", ou seja, a renda de suas famílias é tão baixa que o governo federal fornece auxílio para que possam almoçar decentemente.

A KIPP Academy parece ser o tipo de escola, no tipo de bairro e com o tipo de alunos que leva qualquer educador ao desespero. No entanto, no minuto em que transpomos suas portas, fica claro que há algo diferente ali. As crianças andam silenciosamente pelos corredores, em fila indiana. Nas salas de aula, são ensinadas a se comunicar com as pessoas adotando um procedimento conhecido como SSLANT: sorria (*smile*), sente-se reto (*sit up*), ouça (*listen*), faça perguntas (*ask questions*), acene com a cabeça quando falarem com você (*nod*...) e acompanhe com seus olhos (*track with your eyes*). Nas paredes dos corredores, estão penduradas centenas de flâmulas das faculdades onde ex-alunos da KIPP foram estudar. Em 2007, centenas de famílias de todo o Bronx inscreveram suas crianças no sorteio de 48 vagas para a quinta série. Não é exagero dizer que, com pouco mais de 10 anos de existência, essa instituição se tornou uma das escolas públicas mais populares de Nova York.

A área em que a KIPP é mais famosa é a matemática. Em South Bronx, somente 16% dos estudantes da quinta à oitava série alcançam um desempenho bom ou ótimo nessa disciplina. Na KIPP, porém, essa é a matéria favorita de muitos alunos que estão terminando a quinta série. Nessa escola, as crianças começam a estudar álgebra *de nível médio* já na sétima série. No fim da oitava série, 84% dos estudantes da KIPP apresentam um desempenho bom ou ótimo em matemática. Estamos falando de um grupo heterogêneo de crianças de baixa renda escolhido aleatoriamente entre moradores de apartamentos decadentes de um dos piores bairros dos Estados Unidos. Seus pais, na maior parte dos casos, nunca puseram os pés numa faculdade. Apesar disso, elas se saem tão bem em matemática quanto os alunos da oitava série pertencentes a famílias de alta renda que vivem nos subúrbios abastados do país. "Quanto à leitura, nossos alunos estão no nível adequado", diz David Levin, que fundou a KIPP com outro professor, Michael Feinberg, em 1994. "Eles têm um pouco mais de dificuldade com a escrita. Mas, quando saem daqui, são campeões em matemática."

Existem agora mais de 50 escolas KIPP nos Estados Unidos, e outras unidades estão a caminho. O programa KIPP representa uma das novas filosofias educacionais mais promissoras dos Estados Unidos, no entanto a principal explicação para o seu sucesso não está relacionada ao currículo, aos professores, a recursos financeiros nem a algum tipo de inovação organizacional. A KIPP é uma instituição de ensino que alcançou êxito levando a sério a ideia do legado cultural.

2.

No início do século XIX, um grupo de reformadores decidiu criar um sistema de educação pública nos Estados Unidos. O que se considerava escola pública na época era um sortimento heterogêneo de edificações de uma só sala de aula administradas localmente nas cidades do interior e de estabelecimentos com classes lotadas em centros urbanos de todo o país. Nas áreas rurais, essas instituições funcionavam durante todo o verão, porém suspendiam as atividades na primavera e no outono para que os alunos pudessem ajudar nas estações movimentadas do plantio e da colheita. Nas cidades, muitas delas se ajustavam aos horários longos e caóticos dos pais da classe operária. Os reformadores queriam garantir que todas as crianças estudassem e que a escola pública fosse abrangente, ou seja, que o ensino lhes permitisse aprender a ler, escrever, fazer as operações aritméticas elementares e ser cidadãos produtivos.

No entanto, como observa o historiador Kenneth Gold, os primeiros reformadores educacionais também se preocupavam muito em não *sobrecarregar* os alunos. Em 1871, por exemplo, o comissário de educação dos Estados Unidos publicou um relatório de Edward Jarvis sobre a "Relação entre Educação e Insanidade". Depois de analisar 1.741 casos de insanidade, Jarvis concluiu que o "excesso de estudo" havia sido responsável por 205 deles. "A educação está na base de grande parte dos distúrbios mentais", escreveu. Da mesma forma, o pioneiro da educação pública em Massachusetts, Horace Mann, acreditava que forçar demais os estudantes criaria uma "influência muito perniciosa sobre o caráter e os hábitos [...] Não é raro que a própria saúde seja destruída pelo estímulo excessivo da mente". As publicações da área mostravam, igualmente, uma preocupação constante com o fato de se exigir demais dos alunos e de se embotar suas habilidades naturais com o excesso de trabalhos escolares.

Os reformadores, segundo Gold,

> esforçaram-se por reduzir o tempo de estudo, porque períodos longos de descanso evitariam danos à mente. Daí a eliminação das aulas aos sábados, a redução da carga horária e o aumento do período de férias – tudo isso ao longo do século XIX. Os professores recebiam o seguinte alerta: "Ao se exigir que os alunos estudem, seus corpos não devem se exaurir com um confinamento demorado nem suas mentes devem se atordoar pela aplicação prolongada." O repouso proporcionava ainda a oportunidade de fortalecer as habilidades cognitivas e analíticas. Como sugeriu um colaborador da *Massachusetts Teacher*, "assim, quando aliviados do estado de tensão pertinente ao estudo, meninos e meninas, bem

como homens e mulheres, adquirem o hábito de pensar e refletir e de elaborar suas próprias conclusões, independentemente do que lhes ensinam e da autoridade de outros".

Esta ideia – a de que o esforço precisa ser compensado pelo descanso – era totalmente diferente do conceito asiático de estudo e trabalho. Mas lembre-se de que a visão de mundo asiática foi moldada pelos arrozais. No delta do rio das Pérolas, o rizicultor plantava duas, às vezes três, safras por ano. A terra permanecia em repouso por pouco tempo. Na verdade, um dos aspectos singulares da cultura do arroz é que, graças aos nutrientes fornecidos pela água da irrigação, quanto mais um terreno é cultivado, mais fértil se torna.

Na agricultura ocidental ocorre o inverso. Se não houver pousio após alguns anos, o solo se esgota. Durante o inverno, os campos ficam vazios. Ao trabalho árduo de plantação na primavera e de colheita no outono se segue, com regularidade e precisão, o ritmo mais lento do verão e do inverno. Os reformadores aplicaram essa mesma lógica ao cultivo das mentes jovens. Formulamos ideias novas por analogia, transportando aquilo que sabemos para o que não sabemos – e o que os reformadores conheciam eram os ritmos das estações agrícolas. A mente precisa ser cultivada. Porém, não demais para não se esgotar. E qual era a solução para evitar os perigos da exaustão? As longas férias de verão – um legado peculiarmente americano que causou um impacto profundo nos padrões de aprendizado até os dias atuais.

3.

Raramente as férias de verão são mencionadas nos debates educacionais nos Estados Unidos. São consideradas uma tradição inviolável da escola pública, como os campeonatos de futebol americano e os bailes de formatura. Mas veja adiante alguns conjuntos de notas relativos a um teste aplicado a alunos do ensino fundamental e observe se a sua crença no valor dessas férias não sofrerá um abalo profundo.

Os números são de uma pesquisa do sociólogo Karl Alexander, da Johns Hopkins University. Alexander acompanhou o progresso de 650 alunos a partir da primeira série do sistema de ensino público de Baltimore, verificando as suas notas num exame de habilidades matemáticas e de leitura amplamente usado, o California Achievement Test. Veja a seguir os resultados do teste de leitura nos primeiros cinco anos do ensino fundamental, decompostos por classe socioeconômica: baixa, média e alta.

Classe	1ª série	2ª série	3ª série	4ª série	5ª série
Baixa	329	375	397	433	461
Média	348	388	425	467	497
Alta	361	418	460	506	534

Observe a primeira coluna. Os alunos começaram o primeiro ano com diferenças significativas, mas não esmagadoras, de conhecimentos e habilidades. Os que pertencem à classe alta tiveram uma vantagem de 32 pontos sobre os menos favorecidos (e o interessante é que as crianças da classe baixa de Baltimore são *realmente* pobres). Agora veja a quinta coluna. Quatro anos depois, a modesta diferença inicial entre ricos e pobres mais do que dobrou.

Essa "disparidade de aprendizado" é um fenômeno que vem sendo observado com frequência e costuma suscitar duas justificativas. A primeira é que as crianças pertencentes aos lares mais carentes simplesmente não têm a mesma capacidade intrínseca de aprender que as da classe alta. São menos inteligentes. A segunda razão, um pouco mais otimista, é que, de algum modo, as escolas estão deixando de cumprir sua missão com os alunos mais pobres: não estão conseguindo ensinar-lhes as habilidades necessárias. E é nesse ponto que o estudo de Alexander torna-se de fato interessante, pois revela que nenhuma dessas duas explicações é verdadeira.

A cidade de Baltimore não submetia as crianças ao California Achievement Test apenas no fim do ano escolar, em junho. O exame era aplicado também em setembro, logo após as férias de verão, isto é, no início do ano letivo. O que Alexander percebeu é que o segundo conjunto de resultados do teste permitia uma análise ligeiramente diferente. Se ele comparasse as notas tiradas em setembro com as obtidas no mês de junho seguinte, conseguiria medir com exatidão quanto o estudante aprendera durante o ano escolar. E, se verificasse a diferença entre as notas daquele aluno em junho e no mês de setembro seguinte, poderia determinar quanto ele aprendera no decorrer do verão. Em outras palavras, seria capaz de descobrir, pelo menos em parte, quanto da "disparidade de aprendizado" resultava de fatos que ocorrem durante o ano escolar e quanto tinha a ver com o que acontece nas férias de verão.

Vamos começar com o progresso durante o ano escolar. A tabela a seguir mostra o aumento das notas dos alunos no teste desde o início das aulas, em setembro, até o fim do ano letivo, em junho. A coluna "Total" representa o aprendizado acumulado nos primeiros cinco anos do ensino fundamental.

Classe	1ª série	2ª série	3ª série	4ª série	5ª série	Total
Baixa	55	46	30	33	25	191
Média	69	43	34	41	27	216
Alta	60	39	34	28	23	186

Agora temos uma história completamente diferente da sugerida pela primeira tabela. Aquele conjunto de resultados dava a impressão de que as crianças mais pobres estavam fracassando na sala de aula. Mas aqui vemos que isso não é verdade. Observe a última coluna (Total). Ao longo de cinco anos no ensino fundamental, os alunos carentes superaram os mais ricos em termos de aprendizado, com 191 pontos contra 186. Ficaram atrás das crianças de classe média por uma pequena diferença e, durante um ano (na segunda série), aprenderam mais do que todos os outros.

Agora vamos examinar como as notas de leitura mudaram durante as férias de verão.

Classe	Após a 1ª série	Após a 2ª série	Após a 3ª série	Após a 4ª série	Total
Baixa	-3,67	-1,70	2,74	2,89	0,26
Média	-3,11	4,18	3,68	2,34	7,09
Alta	15,38	9,22	14,51	13,38	52,49

Você vê a diferença? Olhe para a primeira coluna, que mede o que aconteceu durante o verão após o primeiro ano. As crianças da classe alta retornaram em setembro e suas notas em leitura aumentaram mais de 15 pontos. As mais pobres voltaram das férias e suas notas em leitura *caíram* quase quatro pontos. Embora elas tenham conseguido superar as ricas em termos de aprendizado ao longo do ano escolar, apresentaram um desempenho bem inferior no período das férias.

Agora vejamos a última coluna, que totaliza o progresso feito pelos estudantes da primeira à quinta série durante o verão. As notas de leitura das crianças mais pobres aumentaram 0,26 ponto. *No tocante às habilidades de leitura, elas nada aprenderam durante as férias*. No caso das mais ricas, por outro lado, as notas subiram nada menos do que 52,49 pontos. Praticamente toda a vantagem dos alunos da classe alta em relação aos mais carentes resulta das diferenças em como os primeiros aprendem quando *não* estão na escola.

Isso mostra que há grande possibilidade de que essas sejam consequências educacionais resultantes dos diferentes estilos de criação que abordamos no capítulo sobre Chris Langan. Pense em Alex Williams, o menino de nove anos que Annette Lareau estudou. Seus pais acreditam no "cultivo orquestrado". Ele é levado a museus, é matriculado em programas especiais e frequenta colônias de férias, onde tem aulas. Quando está entediado em casa, há diversos livros que pode ler, e seus pais se sentem responsáveis por mantê-lo ativamente envolvido com o mundo à sua volta. É fácil entender por que Alex tem condições de melhorar em leitura e matemática durante o verão.

Mas não Katie Brindle, a menina na outra extremidade do espectro. Não há dinheiro para enviá-la a colônias de férias. A mãe não a leva de carro a aulas especiais. Em sua casa não existem livros que ela possa ler quando ficar entediada. É provável que haja apenas uma televisão. Ela poderá até ter férias maravilhosas, fazendo novas amizades, brincando ao ar livre, indo ao cinema, curtindo os dias despreocupados de verão com que toda criança sonha. Mas nada disso melhorará suas habilidades em matemática e leitura. E, a cada dia das férias, Katie ficará em desvantagem em relação a Alex. Ele não é necessariamente mais inteligente do que ela. Apenas está aprendendo mais: está acrescentando alguns bons meses de aprendizado durante aquela estação, enquanto ela assiste à televisão e brinca ao ar livre.

O que o trabalho de Karl Alexander sugere é que a forma como a educação tem sido discutida nos Estados Unidos está equivocada. Um tempo enorme é gasto analisando-se a redução do tamanho das turmas, a reformulação dos currículos, a compra de um laptop novo e reluzente para cada aluno e o aumento das verbas para a educação – medidas que pressupõem que há algo de fundamentalmente errado no trabalho que as escolas vêm realizando. Mas observe a segunda tabela mais uma vez. Ela mostra o que acontece de setembro a junho – as escolas estão *funcionando*. Portanto, para os estudantes com mau desempenho, o único problema com essas instituições é o fato de elas não ficarem abertas pelo tempo suficiente.

Na verdade, Alexander realizou um cálculo simples para demonstrar o que aconteceria se as crianças de Baltimore frequentassem a escola durante todo o ano. O resultado: no fim da quinta série, os alunos ricos e os mais pobres estariam quase no mesmo nível em matemática e leitura.

Assim, as causas da superioridade dos asiáticos em matemática se mostram ainda mais óbvias. As férias dos alunos das escolas asiáticas não são longas. Por que haveriam de ser? Culturas que acreditam que o caminho para o sucesso está em acordar antes do amanhecer, 360 dias por ano, dificilmente concederão às suas crianças três meses de férias no verão. Nos Estados Unidos, o ano escolar dura, em média, 180 dias; na Coreia do Sul, 220 dias; no Japão, 243 dias.

Em um teste de matemática aplicado a estudantes do mundo inteiro, foi perguntado aos participantes quantas das questões de álgebra, cálculo e geometria daquele exame envolviam matérias que eles já haviam estudado no colégio. Para alunos japoneses da 12ª série (correspondente ao último ano do ensino médio), a resposta foi 92%. Esse é o valor de ir à escola 243 dias por ano. A pessoa tem tempo de aprender tudo o que é necessário – e menos tempo para se esquecer daquele conhecimento. Para os americanos da 12ª série, a resposta foi 54%. No caso dos alunos pobres, os Estados Unidos não têm um problema escolar, e sim de férias de verão. E essa é a questão que as escolas KIPP resolveram solucionar. Essas instituições decidiram levar as lições dos arrozais para os bairros carentes do país.

4.

"As aulas começam às 7h25", diz David Levin sobre a KIPP Academy do Bronx. "Todos assistem a uma aula de habilidades de pensamento até às 7h55. Praticam 90 minutos de inglês e 90 minutos de matemática todos os dias (exceto os alunos da quinta série, que têm duas horas de matemática por dia). E, ainda, uma hora de ciências, uma hora de ciências sociais e uma hora de música pelo menos duas vezes por semana. Depois disso, mais uma 1h15 de orquestra para todos. O dia começa às 7h25 e vai até às 17h. Depois do horário normal, há reuniões dos "clubes de dever de casa", retenções como punição e atividades esportivas. Alguns alunos ficam aqui das 7h25 às 19h. Levando em conta o dia normal e descontando o almoço e as pausas, nossas crianças passam 60 a 70% mais tempo estudando do que as da escola pública tradicional."

Levin está no corredor principal da escola. É hora do almoço, e os alunos seguem na maior tranquilidade, em filas ordenadas, todos com camisas da KIPP Academy. Ele para uma menina que está com a camisa para fora. "Faça o favor, quando tiver uma chance", pede, imitando o movimento de colocá-la para dentro. Levin continua: "Aos sábados, eles ficam aqui das 9h às 13h. No verão, das 8h às 14h" – uma referência ao fato de que os estudantes da KIPP têm três semanas extras de aulas em julho. E essas são, exatamente, crianças da classe baixa, que, segundo a pesquisa de Alexander, perdem terreno durante o extenso período de férias. A resposta da KIPP é não ter férias de verão tão longas.

"O começo é difícil", ele explica. "No fim do dia, os alunos estão agitados. O sucesso depende de muitos fatores: resistência, motivação, incentivo, recompensa, atividades divertidas e também da velha e boa disciplina. Atiramos tudo isso no caldeirão. Conversamos muito com as crianças sobre determinação e autocontrole. Eles sabem o que essas palavras significam."

Levin desce o corredor até uma turma de matemática da oitava série e se posiciona, calado, nos fundos da sala. Um dos alunos, Aaron, está de pé diante da classe solucionando um dos exercícios de habilidades de pensamento que todos na KIPP devem realizar todas as manhãs. Sentado na cadeira ao lado, o professor, um homem com rabo de cavalo, na casa dos 30 anos, chamado Frank Corcoran, faz intervenções ocasionais apenas para orientar a discussão. É o tipo de cena que se repete todos os dias nas salas de aula americanas. Porém, com uma diferença: Aaron permanece na frente, resolvendo meticulosamente o problema, por *20* minutos, com a participação da turma. Ele tenta descobrir não apenas a resposta como também se há mais de um caminho para chegar até ela – assim como Renee desvendando pouco a pouco o conceito de inclinação indefinida.

"O tempo extra proporciona um ambiente mais relaxado", explica Corcoran no fim da aula. "O problema do ensino da matemática é a abordagem 'cada um por si'. Tudo é acelerado, e os alunos que acertam primeiro são recompensados. Daí a impressão de que há pessoas capazes de aprender essa disciplina e outras que não têm essa aptidão. O horário prolongado dá mais tempo ao professor para expor a matéria e, aos alunos, mais chance de assimilar todas aquelas informações. Eles podem revisar o que foi apresentado e fazer as coisas num ritmo mais lento. Embora pareça um contrassenso, conseguimos realizar muito mais quando agimos devagar. A compreensão do conteúdo é bem maior. Como professor, fico mais descontraído. Tenho tempo para jogos. As crianças podem perguntar qualquer coisa, e, se eu estiver explicando algo, não me sinto pressionado pelo tempo. Posso retomar pontos que já abordei sem me preocupar com atrasos." O tempo adicional deu a Corcoran a oportunidade de tornar a matemática *significativa:* de fazer com que os alunos identifiquem a ligação entre esforço e recompensa.

Nas paredes da sala, dezenas de certificados do exame Regents do estado de Nova York atestavam o alto nível dos alunos de Corcoran. Ele conta: "Havia uma garota nesta turma que era péssima em matemática na quinta série. Ela chorava todos os sábados nas aulas de recuperação. Lágrimas e mais lágrimas." Corcoran emociona-se um pouco ao se lembrar dela e baixa o olhar. "Ah... Ela mandou um e-mail semanas atrás. Está na faculdade agora. Estuda contabilidade."

5.

A história da escola milagrosa que transforma desvalidos em pessoas bem-sucedidas é velha como o tempo. Serve de tema de livros inspiradores e filmes sentimentais de Hollywood. Mas a realidade de lugares como a KIPP Academy é bem menos glamourosa. Para você ter uma ideia do que significa 60 a 70% de tempo extra de aula, veja como é o dia típico de uma aluna dessa instituição.

Ela se chama Marita. É filha única. A mãe, solteira, não tem curso superior. As duas vivem num apartamento de um quarto no Bronx. Marita frequentava uma escola paroquial na mesma rua onde mora até que a mãe ouviu falar da KIPP. "Na quarta série, eu e uma das minhas amigas, Tanya, nos candidatamos à KIPP", Marita conta. "Ainda me lembro da senhorita Owens. Ela me entrevistou e falou de maneira tão dura que pensei que eu estava indo para a prisão. Quase comecei a chorar. Ela deixou claro que, se eu não quisesse assinar o papel, não era obrigada. Mas minha mãe estava comigo, então assinei."

Com isso, sua vida mudou. (Enquanto estiver lendo os depoimentos de Marita, lembre-se de que ela tem 12 anos.)

"Acordo às 5h45 para ganhar tempo", ela diz. "Escovo os dentes e tomo banho. Quando estou com pressa, deixo para tomar café na escola. Geralmente brigam comigo porque me atraso. Encontro meus amigos Diana e Steven no ponto e pegamos o ônibus nº 1."

Acordar às 5h45 é natural para os estudantes da KIPP, sobretudo porque muitos deles têm que fazer longos percursos de ônibus e metrô para chegar à escola. Levin, certa vez, foi a uma aula de música da sétima série, com 70 alunos, e pediu a eles que erguessem a mão para indicar a hora em que acordavam. Poucos se levantavam após as 6h. Três quartos acordavam antes das 6h. E quase metade já estava de pé antes das 5h30. Um menino chamado José, colega de Marita, contou que às vezes acorda às 3h ou 4h, termina o dever da noite anterior e depois "volta a dormir um pouco".

Marita prossegue:

> Saio da escola às 17h. Se eu não ficar andando à toa por aí, chego em casa às 17h30. Digo "oi" rapidinho para minha mãe e começo a fazer o dever de casa. Quando não são muitas tarefas, levo duas a três horas e termino lá pelas 21h. Mas, quando preciso escrever uma redação, só acabo às 22h ou 22h30.
>
> Às vezes minha mãe me manda parar e ir jantar. Explico que quero estudar direto, mas ela diz que preciso comer. Então, por volta das 20h, ela me interrompe. Levo meia hora jantando e depois retomo o estudo. Em geral, depois disso, ela quer saber sobre a escola. Tenho que falar rápido porque preciso tomar banho e ir me deitar às 23h. Assim, termino todo o dever e depois vou para a cama. Conto para minha mãe tudo o que aconteceu naquele dia e, quando acabo, ela está morta de sono – provavelmente perto de 23h15. Aí vou dormir, e no dia seguinte fazemos tudo de novo. Dormimos no mesmo quarto, que é enorme – dá

para dividir em dois. Nossas camas ficam em lados opostos. Minha mãe e eu somos muito chegadas.

Ela falou de maneira prática e racional, assim como faria qualquer criança que não tem como saber quanto sua situação é incomum. A agenda de Marita é como a de um advogado que está tentando se tornar sócio na firma em que trabalha ou como a de um médico-residente. Só faltam as olheiras e a xícara de café fumegante – ela é jovem demais para isso.

"Às vezes, em vez de ir dormir na hora certa, vou para a cama lá pela meia-noite. Na tarde seguinte sinto o efeito. Acabo cochilando na aula. Mas tenho que ficar acordada porque preciso entender a matéria. Lembro que um dia o professor me viu caindo no sono e disse: 'Podemos conversar depois da aula?' Aí ele perguntou: 'Por que você estava cochilando?' Respondi que tinha ido dormir tarde. Sua resposta foi algo como: 'Você tem que se deitar mais cedo'", conta a menina.

6.

A vida de Marita não é típica de alguém de 12 anos. Nem é o que desejaríamos para uma pessoa dessa idade. As crianças, gostamos de acreditar, precisam de tempo livre para brincar, sonhar e dormir. Marita tem responsabilidades. Estão lhe pedindo que faça o mesmo tipo de opção difícil que os pilotos coreanos tiveram que fazer. O caminho para o sucesso, no trabalho deles, exigiu que abrissem mão de parte da própria identidade, porque o profundo sentimento de respeito pela autoridade que permeia a cultura coreana não funciona na cabine de pilotagem. Marita teve que agir da mesma forma, uma vez que o legado cultural que ela recebeu também não está de acordo com sua situação – não quando famílias das classes média e alta aproveitam os fins de semana e as férias de verão para ajudar os filhos a progredir. A sua comunidade não a provê daquilo de que ela necessita. E o que Marita deve fazer? Abrir mão das noites, dos fins de semana e dos amigos — elementos do seu antigo mundo — a favor da KIPP.

Veja um depoimento de Marita que chega a ser comovente.

> Quando comecei a quinta série, eu ainda tinha contato com uma das meninas da minha escola antiga. Na sexta-feira depois das aulas, eu ia para a casa dela e ficava lá até a hora em que a minha mãe voltava do trabalho. Então fazia o meu dever de casa. Ela nunca tinha deveres. E costumava dizer: "Ah, meu Deus, você fica na escola até tarde." Uma vez minha amiga disse que queria ir para a KIPP, mas depois mudou de ideia, achando que essa escola era difícil demais. Eu comentei: "Todo mundo diz isso. Só que depois que a gente pega o embalo, não é tão difícil assim." Ela respondeu: "É porque você é inteligente." Eu disse que não, que todos nós somos inteligentes. Ela ficou desanimada porque saíamos de lá às 17h e ainda tínhamos um monte de dever de casa para fazer. Expliquei que ter todas aquelas tarefas ajuda no desempenho. E ela não quis mais continuar a conversa. Todas as minhas amigas agora são da KIPP.

Mas pense na situação da perspectiva de Marita. Ela fez um acordo com a escola. Acordará às 5h45, assistirá a aulas aos sábados e fará os deveres de casa até às 23h. Em troca, a KIPP promete que dará a crianças carentes como ela a chance de saírem da pobreza. Fará com que 84% delas apresentem um desempenho de bom a ótimo em matemática. Graças a esses resultados, 90% dos seus ex-alunos obtêm bolsas de estudo para escolas de nível médio particulares ou paroquiais. Assim, eles não precisam frequentar as péssimas escolas públicas do Bronx. E, como resultado dessa experiência no nível médio, mais de 80% dos que estudaram na KIPP estão agora cursando uma faculdade – em muitos casos, como os primeiros membros da família a conseguir isso.

Por que esse haveria de ser um mau acordo? Tudo o que aprendemos neste livro nos diz que o sucesso segue uma rota previsível. Os bem-sucedidos não são os mais brilhantes. Se fossem, Chris Langan estaria no mesmo nível que Einstein. Também vimos que o êxito não se resume à soma das decisões e dos esforços individuais. Trata-se de uma dádiva. Os vitoriosos são aqueles que receberam oportunidades – e que tiveram força e presença de espírito para agarrá-las. No caso dos jogadores de hóquei e futebol nascidos em janeiro, é terem uma chance maior de entrarem no time de elite. Para os Beatles, foi Hamburgo. Bill Gates teve a sorte de nascer na época perfeita e ter conseguido acesso a um terminal de computador aos 13 anos. Joe Flom e os fundadores da Wachtell, Lipton, Rosen and Katz receberam várias chances. Nasceram na época certa, tiveram os pais certos e a etnia certa, o que lhes permitiu adquirir experiência em aquisições hostis por 20 anos antes que o resto do mundo jurídico os alcançasse. E o que a Korean Air fez, quando enfim reformulou as suas operações, foi dar aos pilotos a oportunidade de escapar das limitações de seu legado cultural.

A lição é bem simples. No entanto, é impressionante a frequência com que a ignoramos. Os mitos dos melhores e mais brilhantes e do *self-made man* afirmam que, para obtermos o máximo em potencial humano, basta identificarmos as pessoas mais promissoras. Olhamos para Bill Gates e dizemos, num espírito de autocongratulação: "Nosso mundo permitiu que aquele adolescente de 13 anos se tornasse um empresário tremendamente bem-sucedido." Mas essa é a lição errada. O mundo só deixou que *uma pessoa* de 13 anos tivesse acesso a um terminal de tempo compartilhado em 1968. Se um milhão de adolescentes tivesse recebido uma oportunidade idêntica, quantas outras Microsofts existiriam hoje? Quando compreendemos mal ou ignoramos as verdadeiras lições do sucesso, desperdiçamos talentos. Se o Canadá criasse uma segunda liga de hóquei para as crianças nascidas na segunda metade do ano, teria o dobro de astros adultos nesse esporte. Agora multiplique esse potencial perdido por cada campo e profissão. O mundo poderia ser bem mais rico do que este em que nos acomodamos.

Marita não necessita de uma escola novinha em folha, com instalações reluzentes e uma imensidão de quadras de esportes. Ela não precisa de um laptop, de uma turma menor, de um professor com Ph.D. nem de um apartamento maior. Também não precisa de um QI mais elevado nem de uma mente tão ágil quanto a de Chris Langan. Todas essas coisas seriam ótimas, é claro. Mas nada disso atinge o ponto central da questão. Marita necessita apenas de uma *chance*, porque as pessoas em seu mundo raramente obtêm até mesmo uma única oportunidade de sucesso na vida. E veja a que lhe foi dada: alguém levou um pouquinho dos arrozais para South Bronx e explicou a ela o milagre do trabalho significativo.

EPÍLOGO

Uma história jamaicana

"CASO NASÇA UMA PROLE DE FILHOS
MESTIÇOS, ELES SÃO EMANCIPADOS."

1.

Em 9 de setembro de 1931, uma jovem chamada Daisy Nation deu à luz meninas gêmeas. Ela e o marido, Donald, eram professores num povoado jamaicano chamado Harewood, na paróquia central de St. Catherine's. Batizaram as filhas de Faith e Joyce. Quando Donald ficou sabendo que era pai de gêmeas, ajoelhou-se e entregou a Deus a responsabilidade pela vida das meninas.

A família Nation vivia numa pequena casa no terreno da igreja anglicana local. Ao lado, situava-se a escola. Era uma construção comprida – um celeiro de madeira de uma única sala – erguida sobre estacas de concreto. Em alguns dias, 300 crianças lotavam aquele espaço. Em outros dias, havia menos de 20 delas ali. As lições eram cantadas. Os alunos liam em voz alta ou recitavam as tabuadas. Escreviam em lousas. Sempre que possível, as aulas eram ao ar livre, sob as mangueiras. Quando a bagunça se instalava, Donald Nation andava de uma extremidade à outra da sala, agitando uma correia da esquerda para a direita, enquanto as crianças corriam de volta aos seus lugares.

Tratava-se de um homem imponente, calmo, sério e grande amante dos livros. Sua pequena biblioteca continha obras de poesia, filosofia e romances de escritores como Somerset Maugham.

Lia atentamente o jornal todos os dias e acompanhava os acontecimentos no mundo. À noite, seu melhor amigo, o arcediago Hay, um pastor anglicano que morava do outro lado da montanha, ia sentar-se em sua varanda para conversarem sobre os problemas da Jamaica. A mulher de Donald, Daisy, era da paróquia de Saint Elizabeth. Seu sobrenome de solteira era Ford, e seu pai havia sido proprietário de uma pequena mercearia. Ao todo, eram três irmãs, e ela se destacava pela beleza.

Aos 11 anos, as gêmeas ganharam bolsas de estudos para um internato perto da costa norte chamado St. Hilda's. Era uma tradicional escola particular anglicana, criada para as filhas de clérigos ingleses, proprietários de terras e administradores de fazendas. De St. Hilda's as meninas candidataram-se à Universidade de Londres e foram aceitas. Pouco depois, Joyce foi à festa do 21º aniversário de um jovem matemático inglês chamado Graham. Ele se levantou para recitar um poema, mas se esqueceu dos versos. Joyce sentiu-se constrangida pelo que acontecera a ele – ainda que isso não fizesse sentido, pois ela nem o conhecia. Eles se apaixonaram e se casaram. Mudaram-se para o Canadá. Graham era professor de matemática. Joyce tornou-se escritora de renome e terapeuta de família. Tiveram três filhos e construíram uma casa bonita numa montanha. O sobrenome de Graham é Gladwell. Ele é meu pai, e Joyce Gladwell é minha mãe.

2.

O que você acabou de ler é a história do caminho da minha mãe para o sucesso – e não é verdadeira... Não que seja uma mentira – os fatos não foram inventados. Mas ela deixa muita coisa de fora. É tão falsa quanto contar a trajetória de Bill Gates sem mencionar o computador de Lakeside ou explicar a destreza matemática dos asiáticos sem retroceder aos arrozais. Não menciona as muitas oportunidades que minha mãe teve nem a importância do seu legado cultural.

Em 1935, por exemplo, quando ela e a irmã tinham quatro anos, um historiador sul-africano chamado William M. MacMillan visitou a Jamaica. Professor da Universidade de Witwatersrand, em Johanesburgo, África do Sul, ele era um homem à frente do seu tempo: preocupava-se profundamente com os problemas sociais da população negra do seu país e foi ao Caribe para defender as mesmas ideias que pregava em sua terra natal.

Entre as principais preocupações de MacMillan estava o sistema educacional jamaicano. O ensino formal – se é que se podia chamar assim o que acontecia no celeiro ao lado da casa dos meus avós – atendia os alunos até a idade de 14 anos. Na Jamaica não havia escolas de nível médio nem universidades públicas. Quem possuía inclinações acadêmicas assistia a aulas extras com o diretor da escola durante a adolescência e, caso tivesse sorte, conseguia cursar a faculdade e obter a licenciatura. Aqueles com ambições maiores tinham que ingressar numa escola particular e, dali, partir para uma universidade nos Estados Unidos ou na Inglaterra.

Mas as bolsas eram raras e o custo da educação particular só era acessível a poucos privilegiados. Em *Warning from the West Indies* (Advertência das Índias Ocidentais), uma crítica furiosa ao tratamento dispensado pela Inglaterra às suas colônias, MacMillan escreveu que "a ponte das escolas de ensino fundamental" para o nível médio era "estreita e insegura". O sistema escolar nada fazia pelas classes mais "humildes". Ele prosseguiu: "No mínimo, essas escolas são um fator de aprofundamento e exacerbação das diferenças sociais." Se o governo não desse oportunidades ao povo, ele alertou, adviriam problemas.

Em 1937, um ano após a publicação do livro de MacMillan, uma onda de agitação e protestos varreu o Caribe. Em Trinidad, 14 pessoas foram mortas e 59 ficaram feridas. Em Barbados houve o mesmo número de mortes, além de 47 feridos. Na Jamaica, foi declarado estado de emergência em decorrência de uma série de greves violentas que paralisou o país. Em pânico, o governo britânico seguiu à risca as recomendações de MacMillan. Entre outras reformas, propôs a concessão, em toda a ilha, de um grande número de bolsas de estudos para que estudantes com inclinações acadêmicas pudessem ingressar em escolas de nível médio particulares. Os testes para a obtenção das bolsas começaram a ser realizados em 1941. Minha mãe e sua irmã gêmea prestaram exame no ano seguinte. Foi assim que conseguiram acesso ao ensino de nível médio: tivessem nascido dois, três ou quatro anos antes, talvez jamais obtivessem a educação completa. O rumo tomado pela vida da minha mãe deveu-se à época em que ela nasceu, às greves de 1937 e a William M. MacMillan.

Mencionei Daisy Nation, minha avó, como uma mulher que se destacava pela beleza. A verdade é que essa é uma forma superficial de descrevê-la. Ela tinha grande energia. O fato de minha mãe e sua irmã deixarem Harewood para estudar em St. Hilda's foi obra da minha avó. Meu avô pode ter sido um homem imponente e culto. Mas era um idealista e sonhador. Mergulhava nos livros. Se teve ambições para as filhas, faltaram-lhe visão e energia para torná-las reais. Porém, não à minha avó. St. Hilda's foi ideia dela: algumas das famílias mais ricas da região enviavam as filhas para lá, e ela percebeu o que uma boa escola significava. Suas meninas não brincavam com as demais crianças do povoado. Elas liam. Conhecimentos de latim e álgebra eram necessários para ingressar na escola de nível médio, por isso ela fez com que o arcediago Hay lhes ensinasse essas matérias.

"Se você lhe perguntasse sobre seus objetivos para as filhas, ela teria respondido que nos queria fora dali", lembra-se minha mãe. "Na sua visão, o contexto jamaicano não oferecia o suficiente. E, se a oportunidade de progredir surgisse e a pessoa conseguisse agarrá-la, o céu seria o limite."

Quando os resultados da prova das bolsas de estudos chegaram, soube-se que somente minha tia ganhara a bolsa. Minha mãe, não. Esse é outro fato que não mencionei na história inicial. Minha mãe se recorda de uma conversa que seus pais tiveram na entrada da casa: "Acabou o dinheiro." Eles haviam pago o primeiro período para ela e comprado os uniformes, esgotando as suas economias. O que fariam quando tivessem que bancar o segundo período? Não poderiam mandar uma filha e deixar a outra. Minha avó foi firme. Enviou as duas – e rezou. No fim do primeiro período, ficaram sabendo que uma das meninas da escola ganhara duas bolsas – e uma delas acabou sendo dada à minha mãe.

Quando chegou a hora de ingressar na universidade, minha tia, a gêmea intelectual, conquistou a chamada Bolsa de Estudos do Centenário. O "Centenário" era uma referência ao fato de que esse prêmio fora criado 100 anos após a abolição da escravidão na Jamaica. Era reservado a graduados do ensino fundamental público. Numa indicação de quanto era profunda a necessidade que os britânicos tinham de honrar a memória da abolição, uma bolsa do Centenário era concedida a cada ano para toda a ilha, alternando-se entre um menino e uma menina. Minha tia concorreu e teve sorte. Minha mãe, não – ela teria que custear a passagem para a Inglaterra e arcar com as despesas de alojamento e alimentação e as taxas da Universidade de Londres. Para que se tenha uma ideia de quanto isso significava, o valor da bolsa que minha tia ganhara equivalia à soma dos salários anuais dos meus avós. Não havia programas de empréstimo estudantil nem bancos com linhas de crédito para professores do interior. "Se eu pedisse ao meu pai, ele responderia: 'Acabou o dinheiro'", diz minha mãe.

O que fez Daisy? Foi falar com um lojista chinês numa cidade vizinha. A Jamaica possui uma grande população chinesa que, desde o século XIX, domina a vida comercial da ilha. No linguajar jamaicano, uma loja não é uma loja: é uma *Chinee-shop*. Daisy foi à *chinee-shop* do Sr. Chance e pediu dinheiro emprestado. Não se tem ideia de quanto ela conseguiu, embora deva ter sido uma soma considerável. E ninguém sabe também por que o Sr. Chance fez o empréstimo – a não ser pelo fato de que ela era Daisy Nation, pagava as contas em dia e havia ajudado os filhos dele na Escola de Harewood. Nem sempre era fácil ser uma criança chinesa num pátio de escola jamaicano. Os colegas caçoavam: "China come cachorro." Daisy, uma figura gentil e adorada, era um oásis em meio àquela hostilidade. O Sr. Chance deve ter sentido gratidão.

"Acha que ela contou o que estava fazendo? Nem perguntei", minha mãe se recorda. "Aquilo simplesmente aconteceu. Eu me matriculei na universidade e fui em frente. Agi com fé total de que poderia contar com minha mãe sem nem sequer perceber que já estava contando com ela."

Joyce Gladwell deve a sua formação universitária primeiro a W. M. MacMillan, depois à aluna de St. Hilda's que abriu mão de sua bolsa, ao Sr. Chance e, acima de tudo, a Daisy Nation.

3.

Daisy Nation era do extremo noroeste da Jamaica. Seu bisavô foi William Ford. Natural da Irlanda, adquiriu uma plantação de café na Jamaica, para onde se mudou em 1784. Pouco depois da sua chegada, comprou uma escrava e fez dela sua concubina.

Viu-a nas docas de Alligator Pond, uma aldeia de pescadores na costa sul. Ela era da tribo *igbo*, do leste da África. Tiveram um filho, John, que, na linguagem da época, era "mulato". Ele era mestiço – e dali para a frente todos os Ford passaram a ser enquadrados na classe dos "mestiços".

No sul dos Estados Unidos durante aquele período, dificilmente um proprietário de terras branco teria um relacionamento público com uma escrava. As relações sexuais entre brancos e negros eram consideradas repugnantes do ponto de vista moral. Leis foram promulgadas proibindo a miscigenação, a última das quais só foi derrubada pela Suprema Corte do país em 1967. Um fazendeiro que vivesse abertamente com uma escrava sofreria o ostracismo social. Além disso, os filhos que nascessem desse tipo de união estariam condenados à escravidão.

Na Jamaica os comportamentos eram bem diferentes. Naquela época, o Caribe não passava de uma colônia onde imperava a escravidão. O número de negros era mais de 10 vezes superior ao de brancos. Ali quase não havia mulheres brancas solteiras, por isso a maioria dos homens brancos tinha concubinas mulatas ou negras. Um proprietário de terras britânico, que elaborou um diário preciso de suas aventuras sexuais, dormiu com 138 mulheres em seus 37 anos na ilha, quase todas escravas, mas nem todas, imagina-se, parceiras voluntárias. Os brancos consideravam os mulatos – os filhos resultantes de relacionamentos como esse – aliados potenciais, uma espécie de "para-choque" entre eles e o número enorme de escravos. As mulatas eram cobiçadas como concubinas, e seus filhos, um pouco mais claros, subiam ainda mais na escala social e econômica. Raramente os mestiços trabalhavam nas lavouras. Sua vida era mais fácil porque realizavam seus serviços na "casa". Tinham mais chances de ser libertados. Proprietários de terras brancos legaram nos testamentos fortunas substanciais para tantas concubinas mulatas que o legislativo jamaicano certa vez aprovou uma lei limitando as doações a £2 mil, o que, na época, era um valor imenso.

"Quando um europeu chega às Índias Ocidentais e se fixa ou permanece ali por um período, sente necessidade de obter uma governanta ou concubina", escreveu um observador do século XVIII. "As opções que tem a oportunidade de fazer são variadas: uma negra, uma morena alourada ou uma mulata, que podem ser compradas por £100 ou £150 [...] Caso nasça uma prole de mestiços, eles são emancipados. Os pais que têm posses enviam a maioria deles à Inglaterra, aos três ou quatro anos, para serem educados."

Foi nesse mundo que nasceu John Ford, o avô de Daisy. Estava a uma geração de um navio negreiro e vivia num país cuja melhor descrição seria uma colônia penal africana. Mas era um homem livre, com todos os benefícios da educação formal. Casou-se com uma mulher igualmente mestiça: metade europeia, metade aruaque, que é a tribo indígena nativa da Jamaica, e tiveram sete filhos.

"As pessoas mestiças desfrutavam de muito status", diz o sociólogo jamaicano Orlando Patterson. "Em 1826, gozavam de plenas liberdades civis. Na verdade, conquistaram esse direito na mesma época que os judeus." Segundo ele, os mestiços podiam votar. Tinham a liberdade de fazer tudo o que os indivíduos brancos faziam – e no contexto do que ainda era uma sociedade escravagista.

Patterson continua: "Seu objetivo era serem artífices. Lembre-se de que a Jamaica possui plantações de cana-de-açúcar, que são bem diferentes das lavouras de algodão existentes no sul dos Estados Unidos. O cultivo do algodão é uma atividade predominantemente agrícola. As pessoas faziam a colheita, mas quase todo o processamento se realizava em Lancashire, na Inglaterra, ou no norte dos Estados Unidos. O açúcar demanda um complexo agroindustrial. A fábrica tem que estar próxima, porque ele começa a perder sacarose horas depois de colhido. Assim, a única opção era ter um engenho bem perto, e os engenhos requerem grande variedade de ofícios, como o dos tanoeiros, caldeireiros e carpinteiros. E uma parte significativa deles era executada por mestiços."

Além disso, a elite inglesa da Jamaica, ao contrário de sua equivalente americana, tinha pouco interesse no projeto grandioso de construção da nação. Queria ganhar seu dinheiro e voltar para casa na Inglaterra. Ninguém nutria a intenção de permanecer num lugar que considerava hostil, a fim de construir uma sociedade nova. Portanto, essa tarefa – com as várias oportunidades que envolvia – coube igualmente aos mestiços.

"Em 1850, o prefeito de Kingston [a capital da Jamaica] era uma pessoa mestiça, assim como o fundador do *Daily Gleaner* [o principal jornal do país]", diz Patterson. "Eles começaram a dominar as categorias profissionais desde o início. Os brancos estavam envolvidos nos negócios ou nas plantações. Eram os mestiços que se tornavam médicos e advogados e que administravam as escolas. O bispo de Kingston era um mulato típico. Eles não formavam a elite econômica, e sim a elite cultural."

O quadro a seguir mostra a composição de duas categorias de profissionais jamaicanos – advogados e membros do parlamento – no início da década de 1950. A categorização é pela tonalidade da pele. "Brancos e claros" refere-se a pessoas 100% brancas ou, mais provavelmente, com alguma ascendência negra que já não é mais perceptível. Um ponto abaixo vêm os "azeitonados" e, depois deles, os "mulatos claros" (embora a diferença entre estas duas últimas tonalidades talvez só seja aparente para um jamaicano). O que deve ser lembrado é que, na década de 1950, os negros constituíam cerca de 80% da população do país, superando os mestiços por cinco a um.

Origem étnica	Advogados (%)	Parlamentares (%)
Chineses	3,1	
Caribenhos	–	
Judeus	7,1	
Sírios	–	
Brancos e claros	38,8	10
Azeitonados	10,2	13
Mulatos claros	17,3	19
Mulatos escuros	10,2	39
Negros	5,1	10
Desconhecidos	8,2	
TOTAL	100	

Veja a vantagem extraordinária que seu pouquinho de brancura deu à minoria de mestiços: ter tido um antepassado que trabalhava na casa, e não nos campos, que conquistou direitos civis plenos em 1826, que foi valorizado em vez de escravizado e que teve uma chance num trabalho significativo em vez de ser mandado aos canaviais fez toda a diferença para o êxito na atividade profissional das três gerações seguintes.

Os sonhos ambiciosos que Daisy Ford tinha para as filhas não surgiu do nada. Ela herdou um legado de privilégios. Seu irmão mais velho, Rufus, com quem foi morar quando criança, era professor e um homem letrado. O outro irmão, Carlos, após ir para Cuba, voltou à Jamaica, onde instalou uma fábrica de roupas. Seu pai, Charles Ford, era comerciante de produtos agrícolas. Sua mãe, Ann, era da família Powell, também formada por mestiços que obtiveram instrução e ascenderam socialmente – os mesmos Powell que, duas gerações depois, trariam ao mundo Colin Powell. Seu tio Henry era proprietário de terras. Seu avô John – o filho de William Ford com sua concubina africana – acabou se tornando pregador. Nada menos do que três membros da família Ford ganharam Bolsas de Estudos Rhodes. Se minha mãe tinha dívidas com W. M. MacMillan, os grevistas de 1937, o Sr. Chance e sua mãe, minha avó, por sua vez, tinha dívidas com Rufus, Carlos, Ann, Charles e John.

4.

Minha avó foi uma mulher notável. Mas é importante lembrar que o caminho ascendente constante que os Ford trilharam começou com um ato moralmente discutível: o bisavô de Daisy, William Ford, sentiu desejo por uma mulher negra num mercado de escravos em Alligator Pond e a comprou.

Os escravos que não eram escolhidos dessa maneira tinham vidas breves e infelizes. Na Jamaica, os proprietários das plantações procuravam extrair o máximo de suas propriedades humanas enquanto ainda jovens, fazendo-as trabalhar até morrerem ou ficarem imprestáveis. Depois, simplesmente, compravam outro grupo delas no mercado. Eles não se preocupavam com a contradição filosófica de criar os filhos que tinham com as escravas ao mesmo tempo que consideravam os cativos uma propriedade. William Thistlewood, o fazendeiro que catalogou suas aventuras sexuais, manteve uma relação durante toda a vida com uma escrava chamada Phibbah, que lhe deu um filho. Segundo todos os registros, ele a adorava. No entanto, quando se tratava dos escravos que trabalhavam no campo, Thistlewood era um monstro. Sua punição preferida para quem tentasse fugir era o que ele chamava de "dose de Derby". O fugitivo era espancado. Nas feridas abertas, esfregavam salmoura, suco de limão e pimenta. Outro escravo defecava na boca do infeliz, que ficava então amordaçado por quatro a cinco horas.

Não surpreende, portanto, que os mulatos da Jamaica tenham passado a valorizar o tom mais claro da sua pele. Era a grande vantagem que tinham. Observavam a tonalidade da pele uns dos outros e acabavam sendo tão implacáveis na discriminação racial quanto as pessoas brancas. Veja o que o sociólogo jamaicano Fernando Henriques escreveu sobre o assunto:

> Se, como costuma acontecer, os filhos têm tons de pele diferentes numa família, os mais claros serão favorecidos em detrimento dos outros. Da adolescência ao casamento, os mais escuros não aparecerão quando os amigos dos familiares mais claros forem recebidos. Acredita-se que a criança mais clara eleva a cor da família e nada deve atrapalhar seu caminho para o sucesso, que está num casamento que aumente ainda mais o status racial daquele grupo familiar. A pessoa mais clara tentará romper as relações sociais que porventura mantenha com parentes mais escuros [...] os integrantes mais escuros de uma família negra encorajarão um parente muito claro a "se passar" por branco. As práticas das relações entre as famílias estabelecem a base para a manifestação pública do preconceito de cor.

Minha família não ficou imune a essa situação. Daisy orgulhava-se do fato de seu marido ser mais claro do que ela. Mas esse mesmo preconceito acabou se voltando contra ela: "Daisy é bacana, vocês sabem", sua sogra costumava dizer, "mas é escura demais."

Um dos parentes da minha mãe (vou chamá-la de tia Joan) também estava bem no alto do sistema hierárquico. Era "branca e clara". Seu marido, porém, era o que na Jamaica se chama de *injun* – um homem de pele escura e cabelos negros finos e lisos – e suas filhas eram escuras como o pai. Um dia, depois da morte do marido, quando viajava de trem para visitar uma das filhas, ela conheceu no vagão um homem de pele mais clara e se interessou por ele. O que aconteceu a seguir é algo que tia Joan contou somente à minha mãe, anos depois, morrendo de vergonha. Quando saltou do trem, passou pela filha como se não a conhecesse, repudiando seu próprio sangue, por não querer que um homem tão claro e desejável soubesse que ela era mãe de uma pessoa tão escura.

Na década de 1960, minha mãe escreveu um livro sobre suas experiências intitulado *Brown Face, Big Master* (Rosto pardo, grande Senhor). O "rosto pardo" era uma referência a si mesma, enquanto "grande Senhor", no linguajar jamaicano, é uma menção a Deus. A certa altura, ela descreve os primeiros tempos do seu casamento, quando moravam em Londres e meu irmão mais velho ainda era bebê. Estavam em busca de um apartamento. Após uma longa procura, meu pai encontrou um num subúrbio. No entanto, um dia depois de se mudarem, a senhoria ordenou que saíssem. "Você não me contou que sua mulher era jamaicana", ela disse para meu pai, enraivecida.

Em seu livro, minha mãe descreve sua longa luta para entender essa humilhação, para conciliar a experiência com sua fé. Por fim, foi forçada a reconhecer que a raiva não era uma opção válida e que, como uma jamaicana mestiça cuja família se beneficiara por gerações da hierarquia da raça, não poderia repreender alguém pelo impulso de classificar as pessoas pelo tom da pele:

> Reclamei com Deus em tantas palavras: "Ali estava eu, a representante ferida da raça negra na nossa luta para sermos considerados livres e iguais aos brancos dominantes!" E Deus achou graça; minha prece não soou verdadeira para Ele. Eu tentei novamente. Até que Deus disse: "Você não fez a mesma coisa? Lembre-se das pessoas que menosprezou, evitou ou tratou com menos consideração do que as outras porque eram diferentes na aparência, e você sentia vergonha de ser associada a elas. Você não ficava contente por não ser mais escura do que é? Grata por não ser negra?"

> A raiva e o ódio que eu estava sentindo da senhoria se dissiparam. Eu não era melhor do que ela nem pior, por sinal. [...] Ambas éramos culpadas do pecado da presunção, do orgulho e do segregacionismo que nos leva a cortar algumas pessoas da nossa vida.

Não é fácil sermos honestos sobre as nossas origens. É mais simples olhar para Joe Flom e dizer que ele é o maior advogado de todos os tempos, embora suas realizações individuais estejam associadas de forma indelével à sua etnia, à sua geração, às particularidades da indústria de confecções e às inclinações peculiares das firmas de advocacia dos "sapatos brancos". Bill Gates poderia aceitar a designação de gênio, pura e simplesmente. É preciso que ele tenha uma grande dose de humildade para examinar sua vida e dizer: "Tive muita sorte." E bota sorte nisso! O Clube das Mães da escola Lakeside comprou um computador para ele em 1968. Seria muita pretensão da parte de Bill Joy, de Robert Oppenheimer, de um jogador de hóquei ou de qualquer outro *outlier* baixar o olhar de sua posição elevada e dizer com sinceridade: "Fiz tudo isso sozinho." Advogados celebridades, prodígios da matemática e empresários de software parecem, à primeira vista, estar fora da experiência comum. Mas não estão. Eles são produtos da história, da comunidade, das oportunidades e dos legados. Seu sucesso não é excepcional nem misterioso. Baseia-se numa rede de vantagens e heranças, algumas merecidas; outras, não; algumas conquistadas, outras obtidas por pura sorte – todas, porém, cruciais para torná-los o que são. O *outlier*, no fim das contas, não está tão à margem assim.

A bisavó da minha avó foi comprada em Alligator Pond. Aquele ato, por sua vez, deu ao seu filho, John Ford, o privilégio de uma cor de pele que o livrou de uma vida de escravidão. A cultura da possibilidade, que Daisy Ford abraçou e aplicou com tanto brilho a favor das filhas, lhe foi transmitida pelas peculiaridades da estrutura social das Índias Ocidentais. E a instrução da minha mãe foi o produto das greves de 1937 e da diligência do Sr. Chance. Essas foram dádivas da história à minha família – e se os recursos daquele comerciante, os frutos daquelas greves, as possibilidades daquela cultura e os privilégios daquele tom de pele tivessem sido estendidos aos demais, quantas outras pessoas estariam vivendo agora uma vida de realização, numa bela casa na montanha?

NOTAS

INTRODUÇÃO

John G. Bruhn e Stewart Wolf publicaram dois livros sobre seu trabalho em Roseto: *The Roseto Story* (Norman: University of Oklahoma Press, 1979) e *The Power of Clan: The Influence of Human Relationships on Heart Disease* (New Brunswick, N.J.: Transaction Publishers, 1993). Para uma comparação entre Roseto, Valfortore, Itália, e Roseto, Pensilvânia, Estados Unidos, veja Carla Bianco, *The Two Rosetos* (Bloomington: Indiana University Press, 1974). Roseto destaca-se das pequenas cidades da Pensilvânia pelo grau de interesse acadêmico que atraiu.

CAPÍTULO I:
O "EFEITO MATEUS"

As fantasias de Jeb Bush sobre ser um *self-made man* são detalhadas em S. V. Dáte, *Jeb: America's Next Bush* (Nova York: Jeremy P. Tarcher/Penguin, 2007), esp. pp. 80-81. Dáte escreve: "Em suas candidaturas de 1994 e 1998, Jeb deixou claro: além de não estar pedindo desculpas por sua origem familiar, orgulhava-se de sua situação financeira e tinha certeza de que esta resultara de seu esforço pessoal e da sua ética no trabalho. 'Dei duro de verdade pelo que consegui e me orgulho disso', disse ele ao *St. Petersburg Times* em 1993. 'Não tenho nenhum sentimento de culpa, nenhuma sensação de ter feito algo errado.' Essa postura foi semelhante à que ele manifestou no programa *Larry King Live*, da CNN, em 1992: 'Acredito que, em termos gerais, é uma desvantagem', disse ele sobre ser o filho do presidente quando se trata de oportunidades de negócios, 'porque existem restrições ao que se pode fazer'. Esse pensamento só pode ser entendido como delirante."

O Lethbridge Broncos, que estava jogando no dia em que Paula e Roger Barnsley observaram pela primeira vez o efeito da idade relativa, foi um time de hóquei no gelo júnior da Western Hockey League de 1974 a 1986. Venceu o campeonato da liga em 1982-83 e, três anos depois, foi levado de volta para Swift Current, em Saskatchewan. Veja http://en.wikipedia.org/wiki/Lethbridge_Broncos.

Para uma síntese do efeito da idade relativa, veja Jochen Musch e Simon Grondin, "Unequal Competition as an Impediment to Personal Development: A Review of the Relative Age Effect in Sport", publicado em *Developmental Review 21*, nº 2 (2001), pp. 147-167.

Roger Barnsley e A. H. Thompson divulgaram seu estudo num site da web: http://www.socialproblemindex.ualberta.ca/relage.htm.

As profecias que se cumprem por si mesmas remontam às literaturas grega e indiana antigas, mas essa expressão foi cunhada por Robert K. Merton em *Sociologia - Teoria e estrutura* (São Paulo: Mestre Jou, 1970).

Barnsley e sua equipe estenderam-se a outros esportes. Veja R. Barnsley, A. H. Thompson e Philipe Legault, "Family Planning: Football Style. The Relative Age Effect in Football", publicado em *International Review for the Sociology of Sport 27*, nº 1 (1992), pp. 77-88.

As estatísticas do efeito da idade relativa no beisebol são de Greg Spira e estão na revista *Slate*, em http://www.slate.com/id/2188866/.

A. Dudink, da Universidade de Amsterdã, mostrou como a data-limite da English Premier League de futebol cria a mesma hierarquia de idade que existe no hóquei canadense. Veja "Birth Date and Sporting Success", *Nature 368* (1994), p. 592.

Curiosamente, na Bélgica, a data-limite do futebol era 1º de agosto. Naquela época, quase um quarto dos melhores jogadores havia nascido em agosto e setembro. Depois, a federação belga de futebol mudou a data para 1º de janeiro. Como era de se esperar, em poucos anos quase não havia jogadores de futebol de elite nascidos em dezembro, enquanto o número de nascidos em janeiro era imenso. Para saber mais, veja Werner F. Helsen, Janet L. Starkes e Jan van Winckel, "Effects of a Change in Selection Year on Success in Male Soccer Players", *American Journal of Human Biology 12*, nº 6 (2000), pp. 729-735.

Os dados de Kelly Bedard e Elizabeth Dhuey estão em "The Persistence of Early Childhood Maturity: International Evidence of Long-Run Age Effects", publicado em *Quarterly Journal of Economics 121*, nº 4 (2006), pp. 1.437-1.472.

CAPÍTULO 2:
A REGRA DAS 10 MIL HORAS

Grande parte da discussão da história de Bill Joy tem origem no artigo de Andrew Leonard publicado na revista on-line *Salon*, "BSD Unix: Power to the People, from the Code", 16 de maio de 2000, http://archive.salon.com/tech/fsp/2000/05/16/chapter_2_part_one/index.html.

Para uma história do centro de computadores da Universidade de Michigan, veja "A Career Interview with Bernie Galler" (ele é professor emérito do Departamento de Engenharia Eletrônica e Ciência da Computação da universidade), IEEE Annals of the History of Computing 23, nº 4 (2001), pp. 107-112.

Um dos (muitos) artigos maravilhosos sobre a regra das 10 mil horas é de K. Anders Ericsson, Ralf Th. Krampe e Clemens Tesch-Römer, "The Role of Deliberate Practice in the Acquisition of Expert Performance", *Psychological Review 100*, nº 3 (1993), pp. 363-406.

Daniel J. Levitin fala sobre as 10 mil horas de prática necessárias para se atingir o nível de destreza em *This Is Your Brain on Music: The Science of a Human Obsession* (Nova York: Dutton, 2006), p. 197.

O desenvolvimento de Mozart como um prodígio é discutido por Michael J. A. Howe em *Genius Explained* (Cambridge: Cambridge University Press, 1999), p. 3.

Harold Schonberg é citado por John R. Hayes em *Thinking and Learning Skills. Vol. 2: Research and Open Questions*, org. Susan F. Chipman, Judith W. Segal e Robert Glaser (Hillsdale, N. J.: Lawrence Erlbaum Associates, 1985).

Para saber mais sobre a exceção à regra no xadrez representada pelo mestre Bobby Fischer, veja o ensaio "The Role of Practice and Coaching in Entrepreneurial Skill Domains: An International Comparison of Life-Span Chess Skill Acquisition", de Neil Charness, Ralf Th. Krampe e Ulrich Mayr, em *The Road to Excellence: The Acquisition of Expert Performance in the Arts and Sciences, Sports and Games*, org. K. Anders Ericsson (Hillsdale, N. J.: Lawrence Erlbaum Associates, 1996), pp. 51-126, esp. p. 73.

Para mais informações sobre a revolução do tempo compartilhado, veja Stephen Manes e Paul Andrews, *Gates: How Microsoft's Mogul Reinvented an Industry – and Made Himself the Richest Man in America* (Nova York: Touchstone, 1994), p. 26.

Philip Norman escreveu a biografia dos Beatles *Shout!* (Nova York: Fireside, 2003).

As lembranças de John Lennon e George Harrison sobre os primórdios da banda em Hamburgo estão em *Hamburg Days*, de George Harrison, Astrid Kirchherr e Klaus Voorman (Surrey: Genesis Publications, 1999). A citação é da página 122.

Robert W. Weisberg discute os Beatles – e calcula suas horas de prática – em "Creativity and Knowledge: A Challenge to Theories" em *Handbook of Creativity*, org. Robert J. Sternberg (Cambridge: Cambridge University Press, 1999), pp. 226-250.

A referência a C. Wright Mills na nota de rodapé está em "The American Business Elite: A Collective Portrait", publicado em *Journal of Economic History 5* (dezembro de 1945), pp. 20-44.

A lista completa das pessoas mais ricas da história foi compilada pela revista *Forbes* e pode ser consultada em http://en.wikipedia.org/wiki/Wealthy_historical_figures_2008.

O episódio em que Steve Jobs procura Bill Hewlett é descrito por Lee Butcher em *Milionário por acaso* (Rio de Janeiro: Bertrand Brasil, 1993).

CAPÍTULO 3:
O PROBLEMA COM OS GÊNIOS — PARTE I

O episódio de *1 vs. 100* mostrando Chris Langan foi ao ar em 25 de janeiro de 2008.

Entre outras fontes excelentes sobre a vida e a época de Lewis Terman estão Henry L. Minton, "Charting Life History: Lewis M. Terman's Study of the Gifted" em *The Rise of Experimentation in American Psychology*, org. Jill G. Morawski (New Haven: Yale University Press, 1988); Joel N. Shurkin, *Terman's Kids* (Nova York: Little, Brown, 1992); e May Seagoe, *Terman and the Gifted* (Los Altos: Kauffman, 1975). A discussão de Henry Cowell está na obra de Seagoe.

Leta Hollingworth, mencionada na nota de rodapé, publicou seu relato de "L" em *Children Above 180 IQ* (Nova York: World Books, 1942).

A discussão de Liam Hudson das limitações dos testes de QI está em *Contrary Imaginations: A Psychological Study of the English Schoolboy* (Middlesex: Penguin Books, 1967).

O estudo da faculdade de Direito de Michigan, "Michigan's Minority Graduates in Practice: The River Runs Through Law School", de Richard O. Lempert, David L. Chambers e Terry K. Adams, está em *Law and Social Inquiry 25*, nº 2 (2000).

A contestação de Pitirim Sorokin a Terman foi publicada em *Fads and Foibles in Modern Sociology and Related sciences* (Chicago: Henry Regnery, 1956).

CAPÍTULO 4:
O PROBLEMA COM OS GÊNIOS – PARTE 2

Kai Bird e Martin J. Sherwin, *American Prometheus: The Triumph and Tragedy of J. Robert Oppenheimer* (Nova York: Knopf, 2005).

Robert J. Sternberg tem uma vasta obra sobre inteligência prática e temas semelhantes. Para um bom relato não acadêmico, veja *Inteligência para o sucesso pessoal* (Rio de Janeiro: Campus, 2000).

Como deve estar óbvio, adorei o livro de Annette Lareau. Vale a pena ler, pois aqui apenas esboço a tese que ela apresenta em *Unequal Childhoods: Class, Race, and Family Life* (Berkeley: University of California Press, 2003).

Outra discussão excelente da dificuldade de se enfocar somente o QI está em Stephen J. Ceci, *On Intelligence: A Bioecological Treatise on Intellectual Development* (Cambridge, Massachusetts: Harvard University Press, 1996).

Para uma avaliação branda, mas crítica, do estudo de Terman, veja "The Vanishing Genius: Lewis Terman and the Stanford Study", de Gretchen Kreuter, em *History of Education Quarterly 2*, nº 1 (março de 1962), pp. 6-18.

CAPÍTULO 5:
AS TRÊS LIÇÕES DE JOE FLOM

A história definitiva da Skadden, Arps e a cultura das aquisições hostis são abordadas por Lincoln Caplan em *Skadden: Power, Money, and the Rise of a Legal Empire* (Nova York: Farrar, Straus, and Giroux, 1993).

O obituário de Alexander Bickel foi publicado no *The New York Times* em 8 de novembro de 1974. A transcrição de sua entrevista é do projeto de história oral do American Jewish Committee, que está arquivado na Biblioteca Pública de Nova York.

Erwin O. Smigel escreve sobre as antigas firmas de advocacia dos "sapatos brancos" em *The Wall Street Lawyer: Professional Organization Man?* (Bloomington: Indiana University Press, 1969).

O aniquilamento econômico enfrentado pelos advogados na extremidade inferior do espectro social durante a Depressão é discutido por Jerold S. Auerbach em *Unequal Justice: Lawyers and Social Change in Modern America* (Oxford: Oxford University Press, 1976), p. 159.

Estatísticas sobre a flutuação da taxa de natalidade nos Estados Unidos ao longo do século XX são encontradas em http://www.infoplease.com/ipa/A0005067.html. O impacto do "vale demográfico" é discutido por Richard A. Easterlin em *Birth and Fortune: The Impact of Numbers on Personal Welfare* (Chicago: University of Chicago Press, 1987). A louvação de H. Scott Gordon às circunstâncias das crianças nascidas durante um vale é do parágrafo 4 de seu discurso presidencial na Western Economic Association durante a reunião anual em Anaheim, Califórnia, em junho de 1977, "On Being Demographically Lucky: The Optimum Time to Be Born". É citado na página 15.

Para um relato definitivo da ascensão dos advogados judeus, veja Eli Wald, "The Rise and Fall of the WASP and Jewish Law Firms", *Stanford Law Review 60*, nº 6 (2008), p. 1.803.

A história dos Borgenicht foi contada por Louis a Harold Friedman e publicada como *The Happiest Man: The Life of Louis Borgenicht* (Nova York: G. P. Putnam's Sons, 1942).

Para saber mais sobre as diferentes profissões dos imigrantes que chegaram aos Estados Unidos nos séculos XIX e XX, veja Thomas Kessner, *The Golden Door: Italian and Jewish Immigrant Mobility in New York City 1880-1915* (Nova York: Oxford University Press, 1977).

O livro de Stephen Steinberg, *The Ethnic Myth: Race, Ethnicity, and Class in America* (Boston: Beacon Press, 1982) inclui um capítulo brilhante sobre os imigrantes judeus em Nova York, em que me baseei fortemente.

A pesquisa de Louise Farkas faz parte de sua tese de mestrado no Queens College: Louise Farkas, "Occupational Geneologies [sic] of Jews in Eastern Europe and America, 1880-1924" (Nova York: Queens College Spring Thesis, 1982).

CAPÍTULO 6:
HARLAN, KENTUCKY

Harry M. Caudill aborda o Kentucky, sua beleza e seus problemas em *Night Comes to the Cumberlands: A Biography of a Depressed Area* (Boston: Little, Brown, 1962).

O impacto da mineração de carvão sobre Harlan County é discutido em "Social Disorganization and Reorganization in Harlan County, Kentucky", de Paul Frederick Cressey, em *American Sociological Review 14*, nº 3 (junho de 1949), pp. 389-394.

O conflito sangrento entre os Turner e os Howard é descrito, juntamente com outros ocorridos no Kentucky, no livro de John Ed Pearce, *Days of Darkness: The Feuds of Eastern Kentucky* (Lexington: University Press of Kentucky, 1994), p. 11.

Os mesmos choques são avaliados de uma perspectiva antropológica por Keith F. Otterbein em "Five Feuds: An Analysis of Homicides in Eastern Kentucky in the Late Nineteenth Century", *American Anthropologist 102*, nº 2 (junho de 2000), pp. 231-243.

O ensaio de J. K. Campbell "Honour and the Devil" está em J. G. Peristiany (org.), *Honour and Shame: The Values of Mediterranean Society* (Chicago: University of Chicago Press, 1966).

A ancestralidade escocesa-irlandesa do interior do sul dos Estados Unidos, bem como um guia fonético da fala escocesa-irlandesa, encontra-se no estudo monumental de David Hackett Fischer sobre o início da história americana, *Albion's Seed: Four British Folkways in America* (Oxford: Oxford University Press, 1989), p. 652.

A alta taxa de homicídios no sul dos Estados Unidos e a natureza específica desses crimes são discutidas por John Shelton Reed em *One South: An Ethnic Approach to Regional Culture* (Baton Rouge: Louisiana State University Press, 1982). Veja, particularmente, o capítulo 11, "Below the Smith and Wesson Line".

Para saber mais sobre as causas históricas do temperamento sulista e o experimento do insulto na Universidade de Michigan, veja *Culture of Honor: The Psychology of Violence in the South*, de Richard E. Nisbett e Dov Cohen (Boulder, Colorado: Westview Press, Inc., 1996).

O estudo de Raymond D. Gastil sobre a correlação entre o "espírito sulista" e a taxa de homicídios americana, "Homicide and a Regional Culture of Violence", foi publicado em *American Sociological Review 36* (1971), pp. 412-427.

Cohen, junto com Joseph Vandello, Sylvia Puente e Adrian Rantilla, trabalharam em outro estudo sobre a divisão cultural entre o norte e o sul nos Estados Unidos: "'When You Call Me That, Smile!' How Norms for Politeness, Interaction Styles, and Aggression Work Together in Southern Culture", *Social Psychology Quarterly 62*, nº 3 (1999), pp. 257-275.

CAPÍTULO 7:
A TEORIA ÉTNICA DOS ACIDENTES DE AVIÃO

A National Transportation Safety Board, a agência federal americana que investiga acidentes da aviação civil, publicou um Relatório de Acidente de Avião referente ao ocorrido com o voo 801 da Korean Air: NTSB/AAR-00/01.

A nota de rodapé sobre Three Mile Island baseia-se na análise do clássico de Charles Perrow, *Normal Accidents: Living With High Risk Technologies* (Nova York: Basic Books, 1984).

A estatística de sete erros por acidente foi calculada pela National Transportation Safety Board num estudo sobre segurança intitulado "A Review of Flightcrew-Involved Major Accidents of U.S. Air Carriers, 1978 Through 1990" (Safety Study NTSB/SS-94/01, 1994).

O diálogo angustiante e a análise do acidente com o voo 052 da Avianca estão no Relatório de Acidente da National Transportation Safety Board AAR-91/04.

O estudo de Ute Fischer e Judith Orasanu da mitigação na cabine de pilotagem, "Cultural Diversity and Crew Communication", foi apresentado no 50º Congresso Astronáutico em Amsterdã em outubro de 1999 e publicado pelo American Institute of Aeronautics and Astronautics.

O diálogo entre o piloto e o copiloto do avião da Air Florida que sofreu o acidente é citado num segundo estudo de Fischer e Orasanu, "Error-Challenging Strategies: Their Role in Preventing and Correcting Errors", produzido como parte do 14º Congresso Trienal da International Ergonomics Association e do 42º Encontro Anual da Human Factors and Ergonomics Society em San Diego, Califórnia, agosto de 2000.

O impacto inconsciente da nacionalidade sobre o comportamento foi formalmente calculado por Geert Hofstede e delineado em *Culture's Consequences: Comparing Values, Behaviors, Institutions, and Organizations Across Nations* (Thousand Oaks, Califórnia: Sage Publications, 2001). O estudo das fábricas francesas e alemãs citado na página 102 desse livro foi realizado por M. Brossard e M. Maurice, "Existe-t-il un modèle universel des structures d'organisation?", *Sociologie du Travail 16*, nº 4 (1974), pp. 482-495.

A aplicação das dimensões de Hofstede aos pilotos de avião foi realizada por Robert L. Helmreich e Ashleigh Merritt em "Culture in the Cockpit: Do Hofstede's Dimensions Replicate?", *Journal of Cross Cultural Psychology 31*, nº 3 (maio de 2000), pp. 283-301.

A análise cultural realizada por Robert L. Helmreich do acidente da Avianca chama-se "Anatomy of a System Accident: The Crash of Avianca Flight 052", *International Journal of Aviation Psychology 4*, nº 3 (1994), pp. 265-284.

A sutileza linguística da fala coreana, comparada com a americana, é analisada por Ho-min Sohn, da Universidade do Havaí, no estudo "Intercultural Communication in Cognitive Values: Americans and Koreans", publicado em *Language and Linguistics 9* (1993), pp. 93-136.

CAPÍTULO 8:
ARROZAIS E TESTES DE MATEMÁTICA

Para ler mais sobre a complexidade do cultivo do arroz, veja o livro de Francesca Bray, *The Rice Economies: Technology and Development in Asian societies* (Berkeley: University of California Press, 1994).

A lógica dos numerais asiáticos comparada com seus correspondentes ocidentais é discutida por Stanislas Dehaene em *The Number Sense: How the Mind Creates Mathematics* (Oxford: Oxford University Press, 1997).

A vida surpreendentemente segura e ociosa dos !kung é detalhada no capítulo 4 de *Man the Hunter*, orgs. Richard B. Lee e Irven DeVore, com a colaboração de Jill Nash-Mitchell (Nova York: Aldine, 1968).

Graham Robb, *The Discovery of France* (Nova York: W. W. Norton, 2007).

O ano de trabalho dos camponeses europeus foi calculado por Antoine Lavoisier e citado por B. H. Slicher van Bath em *The Agrarian History of Western Europe*, A.D. 500-1850, tradução inglesa de Olive Ordish (New York: St. Martin's, 1963).

Atividades	Dias	Porcentagem (%)
Arar e semear	12	5,8
Colher cereais	28	13,6
Preparar o feno e transportá-lo	24	11,7
Debulhar	130	63,1
Outros trabalhos	12	5,8
Total:	206	100,0

A comparação do fatalismo dos provérbios camponeses russos com a autoconfiança dos provérbios chineses feita por R. David Arkush está em "If Man Works Hard The Land Will Not Be Lazy – Entrepreneurial Values in North Chinese Peasant Proverbs", *Modern China* 10, nº 4 (outubro de 1984), pp. 461-479.

A correlação entre as notas médias nacionais dos estudantes no TIMSS e sua persistência em responder à pesquisa anexada ao teste foi avaliada em "Predictors of National Differences in Mathematics and Science Achievement of Eighth Grade Students: Data from TIMSS for the Six-Nation Educational Research Program", de Erling E. Boe, Henry May, Gema Barkanic e Robert F. Boruch, no Center for Research and Evaluation in Social Policy, Graduate School of Education, Universidade da Pensilvânia. Foi revisada em 28 de fevereiro de 2002. O gráfico com os resultados está na página 9.

Os resultados dos testes TIMSS ao longo dos anos encontram-se no site do National Center for Education Statistics, http://nces.ed.gov/timss/.

CAPÍTULO 9:
A BARGANHA DE MARITA

O artigo "What It Takes to Make a Student" (26 de novembro de 2006), de Paul Tough, publicado em *The New York Times Magazine*, examina os resultados da política governamental "Nenhuma Criança Será Deixada para Trás", as razões do hiato educacional e o impacto de escolas independentes como a KIPP.

Kenneth M. Gold, *School's In: The History of Summer Education in American Public Schools* (Nova York: Peter Lang, 2002) é um relato fascinante das raízes do ano escolar americano.

O estudo do impacto das férias de verão feito por Karl L. Alexander, Doris R. Entwisle e Linda S. Olson chama-se "Schools, Achievement, and Inequality: A Seasonal Perspective", publicado em *Education Evaluation and Policy Analysis 23*, nº 2 (verão de 2001), pp. 171-191.

O artigo de Michael J. Barrett "The Case for More School Days" foi publicado no *Atlantic Monthly* em novembro de 1990, p. 78.

EPÍLOGO:
UMA HISTÓRIA JAMAICANA

Os temores de William M. MacMillan, que se concretizaram nos distúrbios do Caribe, são detalhados por ele em *Warning from the West Indies: A Tract for Africa and the Empire* (Reino Unido: Penguin Books, 1938).

As aventuras sexuais e as punições violentas da classe governante branca na Jamaica são detalhadas por Trevor Burnard em *Mastery, Tyranny and Desire: Thomas Thistlewood and His Slaves in the Anglo-Jamaican World* (Chapel Hill: University of North Carolina Press, 2004).

A classe racial intermediária nas Índias Ocidentais, não identificada no sul dos Estados Unidos, é descrita por Donald L. Horowitz em "Color Differentiation in the American Systems of Slavery", *Journal of Interdisciplinary History 3*, nº 3 (inverno de 1973), pp. 509-541.

As estatísticas de população e emprego relativas às diferentes classes raciais da Jamaica da década de 1950 foram extraídas do ensaio de Leonard Broom "The Social Differentiation of Jamaica", *American Sociological Review 19*, nº 2 (abril de 1954), pp. 115-125.

As divisões raciais dentro das famílias são estudadas por Fernando Henriques em "Colour Values in Jamaican Society", *British Journal of Sociology 2*, nº 2 (junho de 1951), pp. 115-121.

As experiências de Joyce Gladwell como uma mulher negra no Reino Unido são de *Brown Face, Big Master* (Londres: Inter-Varsity Press, 1969). Um livro maravilhoso, que recomendo – embora, como você deve imaginar, eu tenha um envolvimento pessoal com ele.

AGRADECIMENTOS

Fora de série – Outliers está em sintonia com sua própria tese. Foi em grande parte um trabalho coletivo. Como sempre acontece, inspirei-me na obra de Richard Nisbett. A leitura de *Culture of Honor* (Cultura da honra) deflagrou uma porção considerável do pensamento que levou a este livro. Obrigado, professor Nisbett.

Como de hábito, persuadi meus amigos a criticar várias versões do original. Felizmente, eles concordaram, e o resultado foi um livro muito melhor. Agradeço a Jacob Weisberg, Terry Martin, Robert McCrum, Sarah Lyall, Charles Randolph, Tali Farhadian, Zoe Rosenfeld e Bruce Headlam. Stacey Kalish e Sarah Kessler fizeram um trabalho minucioso de pesquisa e verificação de fatos. Suzy Hansen realizou sua costumeira mágica editorial. Henry Finder, meu editor em *The New Yorker*, salvou-me de mim mesmo, lembrando-me de como pensar, o que ele sempre faz.

Sou grato a Bill Phillips por ter podido utilizar seu "toque de Midas" outra vez. Will Goodlad e Stefan McGrath, da Penguin na Inglaterra, Michael Pietsch e, especialmente, Geoff Shandler, da Little, Brown, examinaram o original do início ao fim do processo. Obrigado também aos demais integrantes da equipe da Little, Brown: Heather Fain, Heather Rizzo e Junie Dahn. Minha compatriota canadense Pamela Marshall é um gênio das palavras. Não imagino a publicação de um livro sem ela.

Dois agradecimentos finais. A Tina Bennett, minha agente, por tudo o que tem feito por mim. Ela é perspicaz, ponderada, encorajadora e sábia.

Sou grato, acima de tudo, aos meus pais, Graham e Joyce. Este é um livro sobre o sentido do trabalho, e foi com meu pai que aprendi que o trabalho pode ser significativo. Tudo o que ele faz é com alegria, determinação e entusiasmo. E essa é uma das mais preciosas dádivas que um pai pode legar ao filho. Minha mãe, por sua vez, ensinou-me a me expressar. Com ela aprendi que existe beleza em dizer algo com clareza e simplicidade. Ela leu cada palavra que está nestas páginas e tentou me manter nesse padrão. Minha avó Daisy, a quem este livro é dedicado, concedeu à minha mãe a dádiva da oportunidade. Minha mãe fez o mesmo comigo.

SOBRE O AUTOR

Malcolm Gladwell é colunista da revista *The New Yorker* desde 1996. Escreveu *O ponto da virada*, *Davi e Golias*, *Blink* e *O que se passa na cabeça dos cachorros* (uma coletânea de seus artigos favoritos na *The New Yorker*), todos best-sellers do *The New York Times*. Trabalhou no jornal *The Washington Post*, cobrindo negócios e ciência. Gladwell nasceu na Inglaterra e hoje mora em Nova York. Para mais informações sobre o autor, acesse www.gladwell.com.

CONHEÇA OS LIVROS DE MALCOLM GLADWELL

O ponto da virada

Fora de série – Outliers

Davi e Golias

Blink

Falando com estranhos

A máfia dos bombardeiros

CONHEÇA ALGUNS DESTAQUES DE NOSSO CATÁLOGO

- Augusto Cury: Você é insubstituível (2,8 milhões de livros vendidos), Nunca desista de seus sonhos (2,7 milhões de livros vendidos) e O médico da emoção
- Dale Carnegie: Como fazer amigos e influenciar pessoas (16 milhões de livros vendidos) e Como evitar preocupações e começar a viver
- Brené Brown: A coragem de ser imperfeito – Como aceitar a própria vulnerabilidade e vencer a vergonha (600 mil livros vendidos)
- T. Harv Eker: Os segredos da mente milionária (2 milhões de livros vendidos)
- Gustavo Cerbasi: Casais inteligentes enriquecem juntos (1,2 milhão de livros vendidos) e Como organizar sua vida financeira
- Greg McKeown: Essencialismo – A disciplinada busca por menos (400 mil livros vendidos) e Sem esforço – Torne mais fácil o que é mais importante
- Haemin Sunim: As coisas que você só vê quando desacelera (450 mil livros vendidos) e Amor pelas coisas imperfeitas
- Ana Claudia Quintana Arantes: A morte é um dia que vale a pena viver (400 mil livros vendidos) e Pra vida toda valer a pena viver
- Ichiro Kishimi e Fumitake Koga: A coragem de não agradar – Como se libertar da opinião dos outros (200 mil livros vendidos)
- Simon Sinek: Comece pelo porquê (200 mil livros vendidos) e O jogo infinito
- Robert B. Cialdini: As armas da persuasão (350 mil livros vendidos)
- Eckhart Tolle: O poder do agora (1,2 milhão de livros vendidos)
- Edith Eva Eger: A bailarina de Auschwitz (600 mil livros vendidos)
- Cristina Núñez Pereira e Rafael R. Valcárcel: Emocionário – Um guia lúdico para lidar com as emoções (800 mil livros vendidos)
- Nizan Guanaes e Arthur Guerra: Você aguenta ser feliz? – Como cuidar da saúde mental e física para ter qualidade de vida
- Suhas Kshirsagar: Mude seus horários, mude sua vida – Como usar o relógio biológico para perder peso, reduzir o estresse e ter mais saúde e energia

sextante.com.br